BESTSELLER

Biblioteca

DANIELLE STEEL

Un hotel en Hollywood

Traducción de
Aranzazu Sumalla de Benito

DEBOLS!LLO

Título original: *Bungalow 2*

Primera edición en Debolsillo: julio, 2011

© 2007, Danielle Steel
© 2009, Random House Mondadori, S. A.
  Travessera de Gràcia, 47-49. 08021 Barcelona
© 2009, Aranzazu Sumalla de Benito, por la traducción

Printed in Spain – Impreso en España

ISBN: 978-84-9908-903-4 (vol. 245/54)
Depósito legal: B-21890-2011

Compuesto en Comptex & Ass., S. L.

Impreso en Barcelona por:

P 889034

A mis maravillosos hijos,
Beatie, Trevor, Todd, Nick, Sam,
Victoria, Vanessa, Maxx, Zara,
por haber sufrido mis libros durante años,
haber celebrado conmigo los triunfos
y haberme dado su apoyo en los cambios vitales
y en los fracasos.
Yo solo soy un nudo más del tapiz que forma nuestra familia.
Vosotros sois mi razón de vivir,
y juntos formamos un valioso conjunto,
que solo está completo por y gracias a VOSOTROS.

Os quiero con todo mi corazón,

MAMÁ/D. S.

Y cuando acaba la película, comienza la vida.

1

Era un hermoso y caluroso día de julio en el condado de Marin, al otro lado del puente Golden Gate de San Francisco. Tanya Harris trajinaba en la cocina mientras organizaba el día. Era una persona de una minuciosidad absoluta. Necesitaba que todo estuviera en su sitio, ordenado y bajo control. Amante de la planificación, eran contadas las ocasiones en las que se le acababa alguna cosa o se olvidaba de algo. Era feliz llevando una vida eficiente y previsible.

Tanya era una mujer menuda, ágil, estaba en buena forma, y aunque ya había cumplido los cuarenta y dos años, no los aparentaba. Peter, su esposo, tenía cuarenta y seis. Era abogado procesalista en un respetable bufete de abogados de San Francisco, pero no le importaba tener que desplazarse cada mañana desde Ross, al otro lado del río. Ross era una urbanización próspera, segura y muy recomendable. Se habían trasladado allí desde San Francisco dieciséis años atrás, principalmente por la excelente fama de sus colegios, los mejores de Marin, según mucha gente.

Tanya y Peter tenían tres hijos. Jason, de dieciocho años, se marcharía a la Universidad de Santa Bárbara a finales de agosto. El chico se moría de ganas, pero Tanya sabía que le echaría terriblemente de menos. Después venían las dos mellizas, Megan y Molly, que acababan de cumplir diecisiete años.

Tanya había disfrutado plenamente de cada uno de los últimos dieciocho años dedicándose por completo a su labor de madre. Para ella, habían sido unos años maravillosos. Nunca se le había hecho pesado ni aburrido. Las múltiples y tediosas idas y venidas en coche jamás le habían resultado insoportables. A diferencia de otras madres —que solían quejarse— Tanya adoraba estar con sus hijos, dejarles, recogerles, llevarles a Cub Scouts y a Brownies. Había sido la presidenta de la asociación de padres del colegio de los niños durante varios años. Se enorgullecía de hacer cosas por ellos; adoraba ver a Jason jugando en la liga infantil o en los partidos de baloncesto, o asistir a cualquier actividad que hicieran las mellizas. Jason había formado parte del equipo del instituto y su ilusión era ingresar en el equipo de baloncesto o de tenis en la Universidad de Santa Bárbara.

Sus dos hermanas pequeñas, Megan y Molly, a pesar de ser mellizas, eran tan diferentes como el día y la noche. Megan era menuda y rubia como su madre. Cuando tenía diez años, sus facultades como gimnasta parecían augurarle un futuro olímpico, pero abandonó la competición cuando se dio cuenta de que perjudicaba sus estudios. Molly era alta, delgada y tenía las piernas largas y el cabello castaño de Peter. Era el único miembro de la familia que nunca había participado en competiciones deportivas. Le gustaba la música, el arte, la fotografía y era voluble e independiente. Las mellizas, con diecisiete años cumplidos, iban a comenzar su último año escolar. Megan quería ir a la Universidad de Berkeley, como su madre, o quizá a la de Santa Bárbara. Molly estaba pensando en ir a alguna universidad del Este o tal vez a una escuela de California donde pudiera desarrollar su vena artística. Caso de quedarse en el Oeste, había considerado seriamente matricularse en la Universidad de California en Los Ángeles. Las mellizas estaban muy unidas pero también estaban convencidas de que no debían ir a la misma universidad. Habían ido siempre a la misma clase y al mismo colegio y, en aquel momento, ambas estaban preparadas para seguir cada una su camino. Sus padres consideraban que era una actitud beneficiosa y Peter animaba a Molly para que se decidiese a pedir plaza en alguna de las excelentes universidades de la Ivy League. Sus calificaciones eran más que suficientes y su padre creía que se desenvolvería bien en un ambiente académico de máxima exigencia. Así que Molly le estaba dando vueltas a la posibilidad de ir a Brown. Allí podría diseñar un programa de créditos de fotografía a su medida. Otra posibilidad era ir a la escuela de cine de la Universidad de California. Los tres hermanos Harris habían sido alumnos brillantes en el colegio.

Tanya estaba orgullosa de sus hijos, amaba a su marido, disfrutaba de su vida y, a lo largo de sus veinte años de matrimonio, había crecido como persona. Desde su boda con Peter, justo al acabar los estudios universitarios, los años habían volado como si fueran segundos. Cuando se casaron, él acababa de licenciarse en derecho por la Universidad de Stanford y ya había entrado en el despacho de abogados donde todavía seguía trabajando. Prácticamente todo en sus vidas había salido según lo previsto. No había habido grandes sobresaltos, sorpresas o desilusiones en su matrimonio. Tampoco traumas con ninguno de los tres chicos cuando entraron en la adolescencia. A Tanya y a Peter les gustaba pasar mucho tiempo con Jason, Megan y Molly. No había reproches y eran muy conscientes de lo afortunados que eran. Tanya colaboraba en una casa de acogida para personas sin techo una vez por semana en la ciudad y, siempre que podía y que sus horarios se lo permitían, llevaba a las chicas con ella. Ambas realizaban actividades extraescolares y colaboraban con la comunidad a través de la escuela. A Peter le gustaba tomarle el pelo a Tanya bromeando sobre lo aburridos que eran y lo previsibles que eran sus rutinas. Sin embargo, Tanya se sentía enormemente orgullosa de que así fuera. Su vida era cómoda y segura.

La infancia de Tanya no había sido ni tan perfecta ni tan plácida; por ello quería que todo estuviera en orden. Algunos podrían considerar su vida con Peter demasiado estéril y controlada, pero a Tanya le encantaba que así fuera y a él también. La infancia y la adolescencia de Peter habían sido muy similares a la vida que Tanya y él habían construido para sus hijos: un mundo aparentemente perfecto. Por el contrario, la infancia de Tanya había sido difícil, solitaria y, en ocasiones, aterradora. Su padre había sido alcohólico, y cuando ella tenía tres años él y su madre se divorciaron. Después del divorcio, Tanya vio a su padre en contadas ocasiones hasta que este murió cuando ella tenía catorce años. Su madre, secretaria en un bufete de abogados, trabajó muy duro para pagar la mejor educación para su hija. Tanya, sin hermanos e hija única de hijos únicos, solo tenía una familia: Peter, Jason y las mellizas. Eran el centro de su vida y apreciaba cada momento que pasaba con ellos. Incluso después de veinte años de matrimonio, siempre esperaba con impaciencia que Peter llegara a casa por la noche. Le encantaba contarle lo que había hecho durante el día, compartir con él las historias de los chicos y escuchar lo que él quisiera explicarle de su jornada. Seguía encontrando fascinantes sus casos y las anécdotas de los tribunales. Y también disfrutaba compartiendo con él lo que ella hacía. Peter siempre le daba entusiastas ánimos en todo.

Tanya había empezado su carrera de escritora al acabar la universidad y la había continuado durante todos aquellos años de matrimonio. Su trabajo le encantaba porque hacía que se sintiera realizada, suponía una contribución económica a la familia y le permitía trabajar en casa sin que interfiriese en el cuidado de los hijos. Debido a todo ello, llevaba una especie de doble vida. Durante el día era una madre y esposa devota, además de cuidadora y, por la noche, era una resuelta escritora. Tanya solía decir que para ella escribir era tan necesario como el aire que respiraba, por lo que su ocupación resultaba perfectamente adecuada. Sus artículos y cuentos habían recibido buenas críticas y una calurosa acogida a lo largo de los años. Peter siempre decía que estaba enormemente orgulloso de ella y le mostraba todo su apoyo, aunque de vez en cuando se quejaba de lo mucho que trabajaba por las noches y de lo tarde que se iba a la cama. Pero también apreciaba que el trabajo nunca se interpusiera en sus ocupaciones de madre o en su dedicación como esposa. Tanya era una de esas pocas mujeres con talento que todavía anteponían su familia a su trabajo, y así había sido siempre.

El primer libro de Tanya fue una recopilación de ensayos que giraban principalmente en torno a cuestiones femeninas. Había sido publicado por una pequeña editorial de Marin a finales de los ochenta y quienes lo habían reseñado eran mayoritariamente desconocidas críticas literarias feministas que estaban de acuerdo con sus teorías, planteamientos e ideas. El libro de Tanya no era rabiosamente feminista, pero estaba escrito desde una perspectiva lúcida e independiente; era el tipo de libro que se espera de una mujer joven. Su segundo libro, publicado al cumplir los cuarenta, es decir, dos años atrás y dieciocho años después del primero, era una antología de cuentos que había publicado una editorial de primera línea. Había obtenido una crítica excepcional en *The New York Times Book Review*. Para Tanya supuso una inmensa alegría.

Entre ambos libros, su obra había sido publicada en *The New Yorker* y también en revistas literarias. En ellas habían aparecido ensayos, artículos y cuentos. Tenía una obra prolífica y consistente y, si era necesario, dormía poco o no dormía. Las ventas de su último libro de cuentos indicaban que debía de tener un público fiel tanto entre lectores medios que disfrutaban de su literatura como entre los más exigentes. Algunos escritores famosos y de gran prestigio le habían escrito alabando su obra y habían hecho elogiosos comentarios de su libro en la prensa. Como en todo lo demás, Tanya era extremadamente meticulosa y cuidadosa con su trabajo. Había logrado tener una familia y mantenerse activa en su profesión. Durante veinte años se había reservado siempre algo de tiempo para escribir. Era una persona diligente y enormemente disciplinada; solo dejaba de dedicar las mañanas a la escritura durante las vacaciones escolares o cuando los niños estaban enfermos y no podían ir al colegio. En esas ocasiones, ellos eran lo primero. De lo contrario, nada podía alejarla de su trabajo. Durante las horas en las que no estaba con Peter o con los niños, se volvía una fanática de la escritura. Una vez los chicos estaban en clase, conectaba el contestador automático, apagaba el móvil y, cada mañana, después de su segunda taza de té, se sentaba a escribir.

También disfrutaba cultivando un estilo más comercial. Esos eran sus trabajos más rentables, que Peter también valoraba. De vez en cuando escribía artículos para los periódicos de Marin y, a petición del editor, también para el *Chronicle*. Le gustaba escribir artículos divertidos y con un estilo irónico e ingenioso. Tenía vis cómica. Cuando describía la vida de un ama de casa con niños, el resultado eran auténticas astracanadas. Peter opinaba que era el género que se le daba mejor y a Tanya le divertía. Le gustaba escribir cosas graciosas.

Aunque los artículos y los ensayos generaban ingresos, donde realmente había ganado dinero era escribiendo ocasionalmente guiones para telecomedias. A lo largo de los años había escrito unos cuantos. No le suponían un gran esfuerzo literario y Tanya tampoco se lo tomaba como tal. Pero pagaban estupendamente y a los productores de las series para las que escribía les gustaba su trabajo y la llamaban a menudo. No se enorgullecía de lo que escribía, pero sí del dinero que ganaba; un dinero del que Peter también disfrutaba. Solía escribir una docena de guiones al año y a ellos había que agradecer el nuevo monovolumen Mercedes y el alquiler de la casa de verano en el lago Tahoe. Peter siempre le agradecía su colaboración económica en la educación de sus hijos. Aquella faceta como escritora comercial le había permitido hacerse con unos buenos ahorros. También había escrito en colaboración con otros guionistas para algunas teleseries, pero eso había sido antes de que el mercado de las teleseries y de los telefilmes sufriera el impacto de los *reality shows*. Ahora, para la pequeña pantalla, solo le encargaban guiones de telenovelas. Su agente solía llamarla como mínimo una vez al mes para encargarle alguno de esos guiones. Tanya se los quitaba de encima en pocos días, trabajando hasta tarde por la noche mientras el resto de la familia dormía. Afortunadamente para su agente, tenía la suerte de necesitar pocas horas de sueño. Nunca había ganado enormes sumas por su trabajo, pero durante años había generado unos ingresos regulares. Realmente era un ama de casa y una escritora resistente y con talento; una combinación que funcionaba muy bien.

A lo largo de los años, la profesión de Tanya se había convertido en una forma satisfactoria, continuada y lucrativa de ganarse la vida y tenía la intención de dedicar más tiempo a la escritura conforme los niños se fueran haciendo mayores. El único sueño que todavía no había podido cumplir era el de escribir un guión para una película de cine. Le insistía a su agente sobre ello constantemente, pero su trabajo para la televisión le restaba posibilidades, ya que apenas había trasvase de guionistas entre la televisión y el cine. Era algo que la irritaba. Ella sabía que tenía cualidades como guionista cinematográfica. Sin embargo, hasta la fecha, no había llegado ninguna oferta y no creía que fuese a llegar nunca. Era una oportunidad que llevaba esperando veinte años. Mientras tanto, se sentía satisfecha con su trabajo y sus malabarismos para combinar horarios funcionaban para todos. Escribía con la mano izquierda, mientras con la derecha se ocupaba de su familia y atendía todas sus necesidades. Peter siempre decía que Tanya era una mujer increíble, además de una maravillosa madre y esposa. Para ella eso era más importante que las buenas críticas de sus libros. La familia siempre había sido su prioridad y, en su opinión, había hecho lo correcto, incluso si ello significaba tener que rechazar algún encargo de vez en cuando, algo que, por otro lado, no solía hacer. Normalmente encontraba la forma de encajarlo en su vida y estaba orgullosa de ello. Nunca había dejado de lado a nadie; ni a Peter ni a los niños, ni tampoco a la gente que le pagaba por su trabajo.

Acababa de sentarse frente al ordenador con una taza de té y estaba repasando el borrador de un relato que había comenzado el día anterior, cuando sonó el teléfono. Oyó cómo saltaba el contestador automático. Jason había pasado la noche en San Francisco, las niñas estaban fuera y Peter se había marchado a trabajar temprano porque estaba preparando un juicio para la semana siguiente. Tanya tenía por delante una tranquila y hermosa mañana de trabajo, algo poco habitual cuando los chicos estaban de vacaciones. En verano escribía mucho menos que en los meses de invierno. Le resultaba muy difícil concentrarse con sus hijos paseándose por la casa continuamente. Pero hacía varios días que una idea para un relato le rondaba la cabeza; estaba batallando con esa historia cuando oyó que su agente dejaba un mensaje en el contestador. Cruzó la cocina rápidamente para coger el teléfono. Sabía que todas las telenovelas para las que escribía en aquellos momentos estaban en temporada de descanso, así que era poco probable que la llamada fuese para encargarle un guión. Quizá se trataría de un artículo para una revista o para *The New Yorker*.

Su agente acababa de dejarle un mensaje pidiéndole que la llamara, pero Tanya cogió el teléfono justo antes de que colgara. La agencia —que le representaba desde hacía quince años— llevaba mucho tiempo instalada en Nueva York, pero también tenía una oficina en Hollywood. A Tanya le llegaba más trabajo desde esta última que desde la costa Este. Disfrutaba con todos los aspectos de su profesión y por ello durante los años de crianza de sus hijos había mostrado una obstinada perseverancia para continuar adelante con ella. Los chicos estaban orgullosos de ella y de vez en cuando incluso veían sus telenovelas. Aunque no se libraba de que le tomasen el pelo o le comentasen lo cursis que eran, delante de sus amigos presumían de madre. Para Tanya era sumamente importante que Peter y sus hijos respetasen su trabajo. Y le gustaba saber que lo hacía bien sin tener que sacrificar el tiempo que compartía con ellos. En su oficina, había un cartel donde podía leerse: ¿QUÉ TIENE QUE VER LA NOCHE CON EL SUEÑO?

—Pensé que estarías escribiendo —comentó Walter Drucker, su agente, más conocido como Walt, cuando Tanya descolgó el teléfono.

—Así es —dijo ella apoyándose en un alto taburete que había junto al teléfono.

La cocina era el alma de la casa y Tanya la utilizaba también como oficina. Tenía el ordenador instalado en un rincón, junto a dos archivos abarrotados con sus escritos.

—¿Qué me cuentas? Estoy trabajando en un relato corto pero creo que conforme vaya escribiendo, acabará convirtiéndose en parte de una trilogía.

Walt admiraba la infalible profesionalidad de Tanya y su forma concienzuda de afrontar todo lo que hacía. Sabía lo importante que eran sus hijos para ella, pero era capaz, al mismo tiempo, de tener su trabajo al día. Se lo tomaba muy en serio, como todo lo que acometía. Era un placer trabajar con ella. Walt jamás tenía que disculparse por un artículo retrasado, una historia olvidada o porque su autora estuviera en rehabilitación o hubiera destrozado un guión. Era una escritora de pies a cabeza y, además, muy buena. Una auténtica profesional. Tenía talento, energía y empuje. Walt no era muy aficionado a los relatos cortos, pero le gustaba el trabajo de Tanya y, en su opinión, sus cuentos eran buenos ya que siempre tenían un giro interesante, una sorpresa. En su forma de escribir había algo verdaderamente original y diferente. Cuando el lector menos se lo esperaba, ella se sacaba de la manga un giro inesperado, otra vuelta de tuerca o un final sorprendente. También le gustaba su vis cómica; había llegado a llorar de risa con sus historias más divertidas.

—Tengo trabajo —dijo él en tono vago, casi críptico.

Tanya seguía pensando en su relato y todavía no se había centrado en la conversación.

—Bueno, no puede ser una telenovela, gracias a Dios todas han parado hasta el mes próximo. No había tenido una sola idea en todo el mes, hasta ayer. He estado demasiado ocupada con los chicos y preparando el viaje a Tahoe. Nos vamos la semana que viene y allí seré jefa de cocina, chófer, asistenta social y sirvienta.

De una manera u otra, cuando estaban en Tahoe, Tanya siempre acababa ocupándose de todo el trabajo doméstico, mientras el resto de la familia nadaba, practicaba el esquí náutico o, simplemente, se divertía. Finalmente había acabado aceptando que las cosas eran así. Los chicos llevaban a sus amigos y, por más que Tanya suplicaba, rogaba o incluso amenazaba, nadie la ayudaba. A esas alturas, ya se había acostumbrado. Cuanto más mayores se hacían, menos eran las tareas de las que se ocupaban. Y Peter no se portaba mucho mejor. Cuando estaban en Tahoe, le gustaba relajarse y tomarse las cosas con calma; no estaba para lavar los platos, poner lavadoras o hacer las camas. Tanya lo aceptaba como uno de los pocos inconvenientes de su vida y sabía que si aquello era lo peor que podía ocurrirle es que tenía suerte, mucha, mucha suerte. Además, se enorgullecía de ocuparse de todos ella sola, sin contratar a nadie para que la ayudase. Era una auténtica perfeccionista y cuidar de su familia en todo era motivo de orgullo para Tanya.

—¿Qué tipo de trabajo? —preguntó finalmente centrándose en las palabras de Walt.

—Un guión basado en un libro de Jane Barney, fue un best seller el año pasado. Ya sabes cuál: *Mantra*. Se mantuvo nueve millones de semanas en el número uno. Douglas Wayne acaba de comprar los derechos y necesitan un guionista.

—¿Ah sí? ¿Y por qué yo? ¿No lo escribirá la autora?

—Parece ser que no. Nunca ha escrito ninguno y no quiere hacer un mal trabajo. Por contrato, tiene que dar la aprobación final, pero ha dicho que no quiere escribir el guión. Tiene muchos compromisos con la editorial. Va a publicar un nuevo libro en otoño y tiene una gira de promoción en septiembre. Así que no tiene ni tiempo ni interés en escribir el guión. A Douglas le gusta tu trabajo. Al parecer, es adicto a una de tus telenovelas. Dice que quiere hablar contigo sobre ello, que le has arruinado muchas tardes de trabajo reteniéndole en el sofá frente a la pequeña pantalla. Según él, tú eres quien hace la telenovela, aunque no sé qué querrá decir con eso. No le he explicado que la escribes entre idas y venidas al colegio o mientras los chicos duermen.

—¿Es para la televisión? —preguntó dándolo por hecho.

Sin embargo, le parecía extraño que Douglas Wayne se dedicara a las producciones televisivas. Era un hombre de cine y no se lo imaginaba en televisión ni siquiera para el estreno de una película. A pesar de que era un productor muy conocido, el mercado de los telefilmes era prácticamente inexistente. Últimamente, el medio estaba más interesado en abandonar a gente corriente en islas desiertas, o en instalar cámaras ocultas para observar cómo las personas se engañaban las unas a las otras. O en los *reality shows* de gente famosa, como el caso de *The Osbournes*, que aquellos días reunía a la *crème de la crème* de la televisión. En uno de esos programas, el sobrino de un amigo había ganado cincuenta mil dólares por ser el concursante con la presión arterial más baja mientras un caimán vivo se retorcía encima de su cabeza. Era una forma de ganarse la vida, pero no del gusto de Tanya. Y los *reality* no necesitaban guiones.

—¿Desde cuándo se ha pasado Douglas Wayne a la televisión?

Era uno de los productores más importantes de Hollywood y la autora del libro era mundialmente famosa. *Mantra* era una novela conmovedora y muy deprimente que había ganado el National Book Award en la categoría de ficción.

—No se ha pasado a la televisión —continuó Walt con cierta condescendencia.

Cuanto más importante era el proyecto, más tranquilidad aparentaba, pero la procesión iba por dentro. En aquel momento parecía casi medio dormido. Eran las doce del mediodía en Nueva York y debía de estar a punto de salir a almorzar. Solía pasar pocas horas en la oficina, ya que la mayoría de los negocios los hacía comiendo. Casi siempre que Tanya le llamaba, le encontraba en algún restaurante y siempre acompañado de grandes nombres artísticos: editores, autores, productores o estrellas.

—No es para televisión —continuó—. Es para una película, una de las grandes y están buscando un guionista de renombre.

Tanya no era una guionista de renombre; sí respetada, pero no importante. En su opinión, era sólida, fiable y formal.

—Te quiere a ti —siguió explicándole Walt—. Adora las escenas que haces para las telenovelas. Dice que son las mejores y que estás muy por encima del resto de guionistas de la serie. También le encantan tus comedias. Al parecer, lee todo lo que escribes para *The New Yorker*. Así que estamos ante un auténtico fan.

—Yo también soy fan de él —dijo Tanya con sinceridad.

Había visto todas sus películas. ¿De verdad le estaba pasando aquello?, se preguntó. ¿A Douglas Wayne le gustaba su trabajo y quería que escribiera un guión para una de sus películas? ¡Diantre, era demasiado bueno para ser verdad!

—Bueno, ahora que ya ha quedado claro que os adoráis mutuamente, permíteme que te hable de la película. El presupuesto es de entre ochenta y cien millones de dólares y en el reparto hay tres grandes estrellas. El director es alguien que ha ganado un Oscar y no se rodarán escenas en ningún lugar rocambolesco. Toda la película se filmará en Los Ángeles. Evidentemente, tu nombre saldrá en los créditos como guionista. Van a empezar la preproducción en septiembre. Empezarán a rodar el 5 de noviembre y calculan que el rodaje durará alrededor de cinco meses, a menos que se produzca algún contratiempo serio. Después, de seis a ocho semanas de posproducción. Con suerte, un buen guión (algo de lo que te creo perfectamente capaz) y trabajando para Douglas Wayne, acabarás con un premio de la Academia.

Tal como se lo estaba planteando, era el sueño de Tanya hecho realidad, de ella y de cualquiera que escribiese para Hollywood. No podía haber nada mejor y ambos lo sabían. Era lo que Tanya llevaba soñando toda su vida y todavía no había logrado.

—¿Y yo me limito a sentarme aquí, a escribir mi guión y a mandárselo? ¿Tan fácil como eso?

Tanya tenía dibujada en la cara una sonrisa de oreja a oreja. Así era como trabajaba con los guiones para las telenovelas; después, ellos editaban el material con bastante libertad, aunque siempre utilizaban gran parte de lo escrito por Tanya. Era una guionista de la que aprovechaban mucho, y siempre querían más. Los índices de audiencia les daban la razón, ya que subían como la espuma con sus historias. Era un valor seguro.

—No es tan sencillo —dijo Walt riéndose—. Se me había olvidado que nunca has trabajado en una película. No, cariño, no te quedarás ahí sentada y le irás dando a la manivela entre idas y venidas al colegio y visitas al veterinario.

Walt conocía a Tanya desde hacía quince años y sabía cómo era su vida. Siempre le había parecido extraordinario que llevara una vida tan normal y que se enorgulleciera de ser un ama de casa de Marin al mismo tiempo que escribía obras excelentes con una constancia sorprendente. Walt llevaba ganando dinero con ella todos esos años y siempre había sido así. Tenía una carrera modesta pero sólida y las críticas que recibía eran mejores que las de la mayoría. De ahí que Douglas Wayne hubiera preguntado por ella. Wayne había afirmado que la quería a cualquier precio, lo que resultaba increíble teniendo en cuenta que Tanya nunca había escrito un guión cinematográfico. Pero la calidad de su trabajo era de primera. Teniendo en cuenta su inexperiencia, era un extraordinario voto de confianza por parte del productor y Tanya se sentía enormemente halagada.

—Douglas Wayne ha dicho que quiere algo fresco, alguien que entienda el libro y que no lleve veinte años escribiendo para Hollywood.

Walt casi se había caído de la silla al recibir la llamada y a Tanya le estaba sucediendo algo parecido.

—Tendrás que vivir en Los Ángeles —continuó—. Probablemente podrás volver a casa los fines de semana, si no durante el rodaje, al menos durante la pre y la posproducción. Ofrecen pagarte la residencia durante todo el tiempo que estés allí: una casa, un apartamento o un bungalow en el hotel Beverly Hills. Con todos los gastos pagados, claro.

Cuando Walt le informó de la cantidad que le ofrecían por escribir el guión hubo un silencio sepulcral al otro lado del teléfono.

—¿Estás bromeando? —preguntó Tanya con repentina desconfianza.

No podía estar hablando en serio. No había ganado tanto dinero en toda su carrera como escritora. Era más de lo que ganaba Peter en dos años, y era socio de un bufete muy importante.

—No es una broma —dijo Walt sonriendo.

Se alegraba por ella. Era una escritora fantástica y estaba convencido de que podía hacer un buen trabajo aunque fuese algo nuevo para ella. Tenía talento y era una profesional. El quid de la cuestión era si iba a querer trasladarse a Los Ángeles durante nueve meses. Pero en su opinión, ninguna mujer podía estar tan entregada a su marido y a sus hijos como para rechazar una oferta como aquella. Era una oportunidad que se presentaba una vez en la vida, y Tanya también era consciente de ello. Nunca, ni en sus sueños más disparatados, había creído que podría sucederle algo así, y no tenía ni idea de qué hacer. Había dejado a un lado su sueño de escribir un guión cinematográfico y se había conformado con telenovelas, artículos, cuentos y encargos periodísticos. Y ahora ahí estaba, le ofrecían el sueño de su vida en bandeja de plata. Casi se puso a llorar.

—Llevas quince años diciéndome que esto es lo que quieres. Tienes la oportunidad de mostrar tu trabajo. Sé que puedes hacerlo. Decídete, cariño, no volverás a tener una oferta como esta. Wayne ha estado pensando en otros tres guionistas; uno de ellos ha ganado dos Oscar. Pero quiere a alguien nuevo. Y quiere una respuesta esta semana, Tanya. Si tú no lo coges, contratará a alguno de los otros dos candidatos rápidamente. No creo que puedas permitirte rechazarlo si lo que llevas haciendo todos estos años iba en serio. Te harás un nombre en la profesión para siempre. Un trabajo así transforma una afición en una gran carrera.

—Yo no escribo por afición —dijo, ofendida.

—Ya lo sé. Pero nunca podría haber soñado una mejor propuesta para ti o para nadie. Tanya, es esto. Esto es el éxito. Cógelo y echa a correr como una fiera.

Tanya quería decir que sí, ¿y quién no? Sin embargo, no podía. Quizá al año siguiente, cuando las chicas ya estuvieran en la universidad, pero incluso entonces, no podía dejar a Peter y marcharse a Los Ángeles durante nueve meses solo porque le hubieran ofrecido un guión para una película. Estaban casados, ella le amaba, tenía responsabilidades para con él y compartían una vida. Además, las gemelas todavía pasarían otro año en casa. No podía abandonarlo todo y marcharse a Los Ángeles durante el último año escolar de sus hijas. Quizá un mes o dos si era necesario. Pero no nueve meses. Era inviable.

—No puedo hacerlo —dijo con voz queda, con las emociones a flor de piel y sincero pesar—. No puedo, Walt. Todavía tengo a las chicas en casa.

La voz casi se le quebró. Era mucho lo que estaba rechazando, pero Tanya sabía que debía hacerlo. No había elección, no para ella. Nunca había dejado de lado sus prioridades y sabía cuáles eran: Peter y los chicos.

—No son niñas —dijo Walt secamente—. Por el amor de Dios, son mayores. Jason se va a la universidad y Megan y Molly son ya mujeres hechas y derechas. Pueden cuidarse solas entre semana y tú irás a casa los fines de semana.

Walt parecía empeñado en no dejar que rechazara aquella oportunidad.

—¿Puedes garantizarme que podré volver a casa cada fin de semana? —preguntó Tanya sabiendo que no podía.

Tal como funcionaban los rodajes, era imposible y Walt también lo sabía. Si contestaba que sí, estaría mintiendo. Tanya no veía ninguna solución. Las chicas la necesitaban entre semana. ¿Quién iba a cocinar para ellas, ayudarlas con los trabajos escolares, asegurarse de que hacían los deberes, de que cumplían con sus horarios, y cuidar de ellas cuando estuvieran enfermas? Por no hablar de los novios, los acontecimientos sociales, las solicitudes para la universidad, y el baile de fin de curso en primavera. Después de haber estado constantemente junto a sus hijos, ahora no podía perderse aquel último año tan importante. ¿Y qué pasaba con Peter? ¿Quién iba a cuidar de él? Todos estaban acostumbrados a que ella estuviera siempre disponible y no haciendo su vida en Los Ángeles. No iba con ella. Ni siquiera podía imaginar hacerle algo así a Peter aunque las niñas se hubieran marchado de casa. Ese no era el trato. El trato era que ella era una madre y esposa a tiempo completo y que se dedicaba a su trabajo discretamente y cuando tenía ocasión, de tal modo que no interfiriera con el resto de miembros de la familia, ni con el papel que desempeñaba cuidando de todos ellos.

Hubo una larga pausa al otro lado del teléfono.

—No, no puedo garantizártelo —reconoció en tono alicaído—. Pero probablemente podrás ir a casa casi todas las semanas.

—¿Y si no puedo? ¿Vendrás tú a cuidar de los chicos?

—Tanya, con todo ese dinero puedes contratar a una canguro. A diez si hace falta. No pagan esa cantidad astronómica para que te quedes sentada en Marin y les mandes los guiones por correo. Te quieren al pie del cañón mientras ruedan la película. Es lógico, ¿no crees?

—Lo entiendo. Pero no sé cómo encajarlo con mi vida real.

—Esta es también tu vida real. Es dinero de verdad, trabajo de verdad. Y una de las películas más importantes que se ha rodado en Hollywood en los últimos diez años, y quizá en los próximos diez. Trabajarías con los nombres más importantes del mundo del espectáculo. Si querías una película, esta es la película. No tendrás otra oportunidad así nunca más.

—Lo sé, lo sé —dijo Tanya totalmente abatida.

Era una elección que nunca había creído que tendría que hacer. Además era impensable según los valores por los que se regía su vida. La familia primero, y la escritura después, a una enorme distancia, sin importar lo mucho que disfrutase escribiendo o la cantidad de dinero que pudiera ganar. Su prioridad siempre había sido Peter y los niños. Y su trabajo se había organizado siempre alrededor de ellos.

—¿Por qué no te lo piensas y lo consultas con Peter? Podemos volver a hablar mañana —dijo Walt con calma.

No podía imaginar que un hombre razonable permitiera que su esposa rechazase semejante cantidad de dinero, y confiaba en que la convenciera de aprovechar la oportunidad. ¿Cómo no iba a hacerlo? En el mundo en el que se movía Walt, nadie rechazaba una oportunidad o una suma económica como aquella. Al fin y al cabo, él era un agente, no un psiquiatra. Pero Tanya ni siquiera estaba segura de contárselo

27

a Peter. Sentía que era ella quien debía tomar la decisión y rechazar la oferta. Aunque no cabía duda de que era halagadora e increíblemente tentadora. Y era emocionante pensar en ello.

—Te llamaré mañana —dijo con tristeza.

—No estés tan deprimida. Esto es lo mejor que te ha pasado en la vida, Tanya.

—Lo sé... Lo siento... Ansiaba tanto que ocurriera algo así, y es una decisión tan dura... Hasta ahora mi trabajo nunca había interferido en mi familia.

Y no quería que aquella fuese la primera vez. Era el último año de Megan y Molly en casa y no quería perdérselo. Jamás podría perdonárselo. Y ellas probablemente tampoco; ni Peter. No era justo exigirle que se hiciera cargo de las niñas él solo con la cantidad de trabajo que ya tenía en la oficina.

—Creo que podrías arreglarlo si te organizas. Y piensa en lo bien que te lo pasarías trabajando en esta película —la animó Walt, sin éxito.

—Sí —respondió ella en tono melancólico—, sería divertido.

Y sería hermoso escribir algo así. Por un lado, se moría de ganas de hacerlo. Por otro, sabía que tenía que decir que no.

—Piénsatelo con calma, y no tomes una decisión a la ligera. Háblalo con Peter.

—Lo haré —dijo bajándose de un salto del taburete y pensando en el montón de recados que tenía que hacer—. Te llamaré mañana por la mañana.

—Les diré que no te he localizado, que estás fuera de la ciudad hasta mañana. Y Tanya —dijo Walt con dulzura—, no seas severa contigo misma. Eres una escritora extraordinaria y la mejor esposa y madre que conozco. Las dos cosas no son excluyentes. Hay otras personas que lo hacen. Además, tus hijos ya no son unos niños.

—Lo sé —dijo Tanya sonriendo—. Pero a veces me gusta pensar que todavía lo son. Seguramente se las arreglarían sin mí. Tal como están las cosas ahora, casi estoy obsoleta.

Los tres chicos se habían vuelto muy independientes últimamente. Pero Tanya sabía que aquel iba a ser un curso muy importante para las mellizas, y para ella también. Era su último año como madre a tiempo completo antes de que se marcharan a la universidad. Todavía era necesaria su presencia, o por lo menos eso creía, y estaba segura de que Peter estaría de acuerdo con ella. No podía imaginar que él aceptara que ella se marchase a Hollywood para trabajar allí durante todo un curso escolar. Realmente era una idea deslumbrante irse a Hollywood a escribir un guión, pero no era algo que entrara en los planes de su familia, y mucho menos, en los suyos personales.

—Relájate y disfrútalo. Es un gran logro para ti que un tipo como Douglas Wayne te quiera como guionista. La gran mayoría de escritores venderían a sus hijos al instante por algo así.

Pero Walt sabía que Tanya no era así, y precisamente era una de las cosas que apreciaba en ella. Era una buena mujer con valores familiares sólidos y vigorosos. Pero ahora confiaba en que los aparcase por unos meses.

—Esperaré tu llamada. Buena suerte con Peter.

—Gracias —contestó Tanya, apesadumbrada.

Pero para Tanya no se trataba tanto de lo que Peter esperaba de ella cuanto de lo que ella se exigía a sí misma. Un minuto después de colgar, estaba de pie en medio de la cocina como un pasmarote. Era mucho lo que tenía que digerir y mucho lo que la familia tendría que asumir.

Seguía de pie en medio de la cocina con la mirada perdida y dando vueltas a la conversación cuando entró Jason, que volvía de la ciudad acompañado de dos amigos.

—¿Estás bien, mamá?

Era un chico alto y bien parecido que había entrado en la edad adulta sin estridencias. Tenía los hombros anchos, una voz profunda, ojos verdes y el mismo cabello oscuro que su padre. No solo era guapísimo sino que, aún más importante, era un buen chico. Nunca les había dado problemas. Era un buen estudiante, un atleta excelente y su intención era seguir los pasos de su padre y estudiar derecho.

—Tienes un aspecto un poco extraño ahí de pie mirando por la ventana. ¿Sucede algo? —insistió.

—No, solo estaba pensando en mis tareas de hoy. ¿Qué vas a hacer tú? —le preguntó con interés intentando apartar de su mente la oferta.

—Iremos a casa de Sally a limpiar la piscina. No es un trabajo muy agradable en verano, pero alguien tiene que hacerlo.

Lanzó una carcajada y su madre se puso de puntillas para darle un beso. Le iba a echar terriblemente de menos a partir de septiembre. Detestaba que se marchase. Había disfrutado con la infancia de sus hijos y la casa iba a parecerle vacía sin él, aunque lo peor de todo era que al siguiente año los tres se habrían ido. Se aferraba a los últimos momentos que iban a pasar todos juntos, por ello era imposible que ni tan siquiera considerara la oferta de Douglas Wayne. ¿Cómo podía perderse aquellos últimos días tan valiosos con sus hijos? No podía. Sabía que nunca se lo perdonaría.

Media hora más tarde, Jason y sus amigos se marcharon. Tanya se puso a dar vueltas por la cocina, confundida y despistada, sin fijarse en lo que hacía. Cuando estuvo sola, se sentó frente al ordenador y contestó algunos correos electrónicos. No lograba concentrarse. Una hora más tarde, cuando llegaron las mellizas, estaba con la mirada perdida en el teclado. Entraron en la cocina charlando animadamente y echaron un vistazo a su madre.

—Hola, mamá. ¿Qué estás haciendo? Parece como si te hubieras quedado dormida frente al ordenador. ¿Estás escribiendo?

Tanya se echó a reír y salió de su ensimismamiento. Miró a las chicas. Eran tan diferentes que ni siquiera parecía que tuvieran algún parentesco, aunque aquello les hacía más llevadero ser mellizas. Habría sido más duro si la gente las confundiera constantemente.

—No, normalmente procuro estar despierta cuando escribo.

Su intención de dedicarse a escribir el relato aquella mañana se había ido al traste.

—No es fácil, pero lo intento —continuó riéndose mientras sus hijas se sentaban con ella a la mesa de la cocina. Megan quería saber si podía llevar a su novio a Tahoe en agosto; una cuestion delicada. Tanya solía aconsejar a sus hijos que no llevasen a sus novios con ellos durante las vacaciones de verano. Habían hecho algunas excepciones, pero por lo general era algo que ni a ella ni a Peter les gustaba.

—Creo que sería mejor que estuviéramos solo la familia este verano. Jason no traerá a nadie y tampoco Molly —dijo Tanya en tono conciliador.

—A ellos no les importa, ya se lo he preguntado —replicó Megan mirando a su madre fijamente a los ojos.

No era una muchacha que se rindiera fácilmente. Molly era mucho más tímida. Tanya siempre prefería que en los viajes fuesen con amigos de su mismo sexo en lugar de ir acompañados de los chicos o las chicas con los que estuvieran saliendo. Era más sencillo. En algunos aspectos, Tanya era bastante conservadora.

—Hablaré con tu padre.

Estaba intentando ganar tiempo con todo. De pronto, tenía muchas cosas en las que pensar; demasiadas. Walt le había alterado toda la mañana con su llamada. De hecho, toda su vida. De un modo agradable, pero inquietante.

—¿Ocurre algo, mamá? —le preguntó Molly—. Parece que estés preocupada por algo.

Molly había tenido la misma sensación que Jason y Tanya estaba realmente preocupada. La llamada de Walt la había trastornado. Le había puesto en las manos el sueño de su vida, pero sabía que no tenía otra elección que rechazarlo. En su manual de instrucciones, las buenas madres no abandonaban a sus hijos en el último curso escolar. Ni nunca. Lo correcto era que los hijos crecieran y abandonasen a sus padres, pero no al revés. Aquella situación le recordaba demasiado al abandono de su propio padre.

—No, cariño, no pasa nada. Solo estaba trabajando en un relato.

—Qué bien.

Tanya sabía que estaban orgullosos de ella y su respeto, al igual que el de Peter, significaba mucho para ella. No podía ni imaginar qué pensarían de la oferta de Douglas Wayne que le había hecho llegar Walt.

—¿Queréis almorzar?

—No, nos vamos.

Iban a Mill Valley a comer con unos amigos.

Media hora más tarde, también ellas se habían marchado y Tanya estaba de nuevo en medio de la cocina, con la mirada perdida. Por primera vez, se sentía como si estuviera dividida entre dos mundos, dos vidas: la gente que amaba y el trabajo con el que siempre había disfrutado. Incluso deseaba que Walt no la hubiera llamado. Se sentía estúpida pero, al apagar el ordenador, se secó una lágrima. Después, se marchó a hacer recados. Regresaba a casa cuando Peter la llamó para decirle que llegaría tarde y que no le preparase la cena. Comería un bocadillo en la oficina.

—¿Qué tal el día? —le preguntó en tono afectuoso pero con prisas—. El mío ha sido de locos.

—El mío también ha sido un poco ajetreado —dijo Tanya vagamente.

Le molestaba que no fuese a cenar. Quería hablar con él y sabía que estaría agotado después de preparar el juicio.

—¿A qué hora crees que llegarás a casa?

—Intentaré llegar a las diez. Siento no ir a cenar. Quiero adelantar todo el trabajo posible con los demás.

—De acuerdo —respondió Tanya, comprensiva, ya que sabía lo duro que era preparar los juicios.

—¿Estás bien? Te noto ausente.

—Solo estoy liada. Lo normal, nada especial.

—¿Los chicos bien?

—Todos fuera. Megan quiere traer a Ian a Tahoe. Le he dicho que lo hablaré contigo. No creo que sea una buena idea; empezarán a discutir el segundo día y nos volverán a todos locos.

Peter se rió. Era la descripción exacta de los viajes que habían hecho juntos con anterioridad. Se habían llevado a Ian a esquiar el invierno anterior, pero el muchacho se marchó dos días antes de lo previsto, después de cortar con Megan. Sin embargo, en cuanto regresaron, volvieron a salir juntos. En la familia, Megan tenía fama de llevar una vida amorosa turbulenta. Molly todavía no había tenido ninguna relación seria y Jason había estado saliendo con la misma chica durante los años de instituto pero habían cortado poco antes de las vacaciones de verano. Ninguno de los dos quería tener un noviazgo por correspondencia en su primer año en la universidad.

—A mí me da igual que venga Ian —comentó Peter—, pero no me importa si quieres que haga de poli malo.

Peter siempre se mostraba comprensivo y ambos hacían causa común frente a los hijos aunque estos, como todos los jóvenes, solían intentar dividirles y conquistarles con el fin de salirse con la suya. Pero casi siempre fracasaban. Peter y Tanya estaban muy unidos y generalmente compartían opiniones. Era raro que no estuvieran de acuerdo en todo lo concerniente a sus hijos o en cualquier otra cosa.

A Peter le entró otra llamada por lo que se despidió hasta la noche. Siempre era reconfortante hablar con él. Adoraba sus conversaciones, el tiempo que pasaban juntos, cómo se acurrucaban el uno junto al otro por la noche. No había nada en su relación que se hubiera convertido en banal o se diera por sentado. El suyo era uno de esos pocos matrimonios que no había sufrido serios desafíos. Y, después de veinte años, seguían enamorados. Tanya no podía ni imaginarse estar sin Peter. La idea de vivir en Los Ángeles durante nueve meses, sola cinco noches por semana, era inconcebible. Solo de pensarlo, ya se sentía sola. No importaba cuánto dinero le ofreciesen ni lo importante que fuese la película. Su marido y sus hijos eran más importantes para ella. Al enfilar el camino de entrada a casa supo que había tomado una decisión. Ya no sintió pena, quizá cierta desilusión, pero no tenía ninguna duda. Aquella era la vida que quería. Ni siquiera estaba segura de que fuera a contárselo a Peter. Lo único que tenía que hacer era llamar a Walt por la mañana y decirle que rechazaba la oferta. Era halagador haberla recibido, pero no la aceptaría. Ya tenía todo lo que quería. Lo único que necesitaba era a Peter, a sus hijos y la vida que compartían juntos.

2

A pesar de sus buenas intenciones, finalmente Peter llegó a casa pasadas las once, totalmente derrengado y con ganas únicamente de darse una ducha y meterse en la cama. A Tanya no le importó no tener ocasión de hablar aquella noche, ya que a última hora de la tarde había decidido que no iba a contarle lo de la oferta de Douglas Wayne. Ya había tomado la decisión de rechazarla. Cuando Peter se metió en la cama después de la ducha y la abrazó, ya estaba medio dormida. Sin abrir los ojos y con una sonrisa, susurró unas palabras amables a su marido.

—Qué día tan largo... —murmuró medio dormida, apoyando la espalda contra el cuerpo de Peter mientras él la atraía hacia él.

Olía a jabón y a champú. Adoraba su olor, incluso recién levantado. Tanya se volvió sin soltarse de sus brazos y le besó. Él la sujetó con fuerza.

—¿Un día duro? —le preguntó dulcemente.

—No, solo muy largo —dijo él contemplando su belleza iluminada por la luz de la luna que se colaba por la ventana—. Siento haber llegado tan tarde. ¿Todo bien en casa?

—Todo bien —respondió Tanya somnolienta, acurrucándose en sus brazos plácidamente.

Aquel era su lugar preferido. Adoraba acabar el día junto

a él y despertar junto a él por la mañana; una sensación que había perdurado durante aquellos veinte años.

—Los niños han salido —añadió.

Era verano y pasaban el mayor tiempo posible con sus amigos. Las mellizas habían ido a dormir a casa de una amiga, y Jason era un joven responsable, muy precavido conduciendo y que en raras ocasiones salía hasta muy tarde, así que Tanya se iba a la cama tranquila y no se molestaba en esperarle despierta. Además, siempre llevaba el móvil encima, así que estaba localizable permanentemente. Eran tres jóvenes sensatos y no habían dado grandes quebraderos a sus padres ni siquiera en los años de adolescencia.

Peter y Tanya se acurrucaron el uno junto al otro y, a los cinco minutos, ambos estaban dormidos. A la mañana siguiente, Peter se levantó antes que Tanya y, mientras él se duchaba, ella se lavó los dientes y bajó en camisón a la cocina a prepararle el desayuno. Antes, se asomó a la habitación de Jason y vio que dormía profundamente. Tardaría varias horas en despertarse. Cuando Peter bajó, vestido elegantemente con un traje gris de verano, camisa blanca y corbata oscura, Tanya ya había servido el desayuno. Al verle, Tanya supuso que aquel día le tocaba asistir a los tribunales, ya que normalmente solía llevar una camisa deportiva y pantalones informales de color caqui o, de haber sido viernes, unos vaqueros. Peter conservaba el mismo estilo pulcro, formal y algo pijo de su juventud. Formaban una bonita pareja.

Tanya sonrió a su marido y este se sentó a la mesa para disfrutar de un copioso desayuno compuesto de cereales, huevos escalfados, café, tostadas y fruta. A Peter le gustaba empezar el día con una buena comida y era Tanya quien siempre se levantaba temprano para preparársela. Tanto a él como a los chicos durante el curso escolar. Se enorgullecía de ocuparse de su familia y solía comentar que, por encima de su carrera como escritora, estaba su trabajo diario.

—Supongo que hoy tienes que ir a los tribunales —comentó mientras Peter echaba un vistazo al periódico y asentía.

—Una vista rápida. Tengo que pedir un aplazamiento para un caso menor. Y tú, ¿qué vas a hacer hoy? ¿Te apetecería que quedásemos para cenar en la ciudad? Ayer acabamos con casi todo el trabajo preparatorio.

—Estupendo.

Al menos una vez por semana, acostumbraban a ir a la ciudad a algún espectáculo, un ballet o un concierto, pero lo que más les gustaba era pasar una noche tranquila en alguno de sus restaurantes preferidos. También les gustaba ir los dos solos a pasar el fin de semana fuera de Marin. Con tres hijos y durante veinte años de matrimonio, habían mimado su relación para mantener vivo el romanticismo. Hasta la fecha, con éxito.

Mientras terminaba de desayunar, Peter levantó la vista y miró con detenimiento a Tanya. La conocía mejor de lo que se conocía ella misma.

—¿Qué es lo que no me estás contando?

Como siempre, Tanya se sorprendió por la oportuna e infalible perspicacia de su marido; una perspicacia que llevaba todos aquellos años poniendo en práctica y que, sin embargo, aunque ya no la dejaba sin habla, seguía impresionándola. Siempre parecía saber lo que Tanya estaba pensando y ella no lograba entender cómo lo conseguía.

—Qué gracioso —dijo ella, admirada—. ¿Qué te hace pensar que te estoy ocultando algo?

—No lo sé, lo noto. Por el modo en el que me estabas mirando, como si tuvieras algo que decirme y no quisieras hacerlo. ¿Qué ocurre?

—Nada.

Los dos se echaron a reír. Tanya se había delatado. Solo era cuestión de tiempo. Y eso que se había prometido a sí misma no decírselo. Pero no podían tener secretos el uno con el otro. Tanya conocía a Peter tan bien como él a ella.

—Oh, mierda... No iba a contártelo —confesó.

Acto seguido, sirvió una segunda taza de café a su marido y una segunda taza de té para ella. Tanya apenas desayunaba. Le bastaba con un té y con picotear lo que los demás dejaban en sus platos.

—No es importante.

—Debe de serlo si ibas a mantenerlo en secreto. ¿Qué pasa? ¿Algo acerca de los chicos?

Generalmente solía tratarse de algo relacionado con los chicos, alguna confesión que le habían hecho a Tanya y que ella acababa siempre por contar a Peter. Él guardaba el secreto y Tanya confiaba siempre en su buen juicio. Era un hombre listo, inteligente y bueno. Y no le fallaba prácticamente nunca.

Respiró hondo y dio lentamente un sorbo de té. Le resultaba más fácil hablarle de sus hijos que contarle algo sobre ella misma.

—Ayer me llamó Walt —dijo. Se quedó callada y esperó un instante antes de continuar mientras Peter la miraba expectante.

—¿Y? ¿Se supone que tengo que adivinar lo que te dijo? —preguntó pacientemente haciendo que Tanya se echase a reír.

—Sí, quizá deberías adivinarlo.

Tanya se dio cuenta de que estaba nerviosa y de que le resultaba difícil contárselo a su esposo. La idea de vivir en Los Ángeles durante nueve meses era tan descabellada que se sentía culpable solo por el mero hecho de verbalizarla. Aunque no había hecho nada malo, se sentía como si así fuera.

Tenía pensado llamar a Walt para rechazar la propuesta en cuanto Peter hubiera salido hacia la oficina; quería hacerlo cuanto antes para olvidarse de ello. El mero hecho de que la oferta siguiera encima de la mesa le parecía una amenaza. Como si Douglas Wayne tuviera el poder de separarla de su familia y de vida que llevaba solo con su llamada. Sabía que era una tontería, pero no podía evitarlo. En el fondo, estaba asustada porque una parte de sí misma quería aceptar la propuesta. Tanya quería dominar precisamente ese deseo y sabía que ni Walt ni Peter podían hacerlo por ella. Únicamente ella podía.

—Me hizo una oferta —continuó finalmente—. Muy halagadora, pero que no quiero aceptar.

Peter la miró a los ojos sin acabar de creer lo que oía. Tanya no rechazaba ningún encargo si sabía que podía hacerlo y, después de veinte años juntos, Peter había aprendido que para su mujer escribir era tan vital como respirar. Aunque no hablara de ello, la escritura era una necesidad profunda y fundamental en su vida. Además, lo hacía muy bien. Peter estaba muy orgulloso de ella y respetaba enormemente su trabajo.

—¿Otro libro de cuentos?

Tanya negó con la cabeza y respiró hondo de nuevo.

—Cine, una película. Al productor le gusta mi trabajo. Parece ser que es adicto a las telenovelas. El caso es que ha llamado a Walt y quería saber si yo podría escribir el guión.

Intentaba hablar en tono desenfadado, pero Peter le lanzó una mirada de sorpresa desde el otro lado de la mesa.

—¿Te ha ofrecido escribir el guión para una película? —preguntó con la misma incredulidad que había sentido Tanya el día anterior—. ¿Y no lo quieres? ¿Qué pasa? ¿Es una película porno?

Era la única razón por la que Tanya rechazaría escribir el guión de una película. Era el sueño de su vida. No podía rechazar algo que llevaba soñando desde siempre.

—No —contestó Tanya riéndose—, hasta donde yo sé, no es porno. Bueno, o quizá sí.

Volvió a ponerse seria y, mirándole a los ojos, añadió:

—Simplemente, no puedo.

—¿Por qué no? No se me ocurre una sola razón por la

que quieras rechazarlo. ¿Qué ha ocurrido? —preguntó Peter sabiendo que tenía que haber algo más.

—No puedo —dijo ella sin disimular la tristeza pero procurando no hacerse la interesante.

No quería que Peter se sintiese culpable por su negativa, puesto que era un sacrificio que ella deseaba hacer. En realidad, el sacrificio habría sido tener que ir a Los Ángeles. No quería separarse ni de él ni de las niñas.

—¿Por qué no puedes? Explícamelo.

Se quedó sentado al otro lado de la mesa estudiándola con la mirada y Tanya supo que no iba a moverse hasta que se lo explicase.

—Tendría que residir en Los Ángeles durante el rodaje y solo podría venir a casa los fines de semana. No me apetece vivir así. Todos nos sentiríamos fatal; además, no voy a estar yo allí y vosotros aquí. Es el último año que las niñas van a estar en casa.

—Y también podría ser tu última oportunidad de hacer algo que llevas toda la vida soñando.

Ambos sabían que tenía razón.

—Aun así, sería una decisión equivocada. No voy a sacrificar a mi familia para trabajar en una película. No merece la pena.

—Si puedes venir los fines de semana, ¿por qué no? Además, las niñas nunca están en casa, se pasan la vida con sus amigos o en sus actividades deportivas. Creo que podría organizarme. Haríamos turnos para cocinar, y los viernes por la noche tú estarías de vuelta. A lo mejor podrías volar el lunes a primera hora. ¿Tan horrible te parece? Además, son solo unos meses, ¿no?

No cabía ninguna duda de que Peter estaba dispuesto a aceptar la situación. A Tanya se le llenaron los ojos de lágrimas. Era tan bueno con ella, tan honesto... A pesar de su generoso consentimiento, Tanya no quería marcharse. Podía ser muy duro para ambos.

—Cinco meses de rodaje, dos de preproducción y un mes o dos de posproducción, es decir, un total de ocho o nueve meses, lo que equivale a todo un curso escolar. Es mucho pedir, Peter. Te quiero más que nunca por permitírmelo, pero no puedo.

—Quizá sí que puedes —dijo él meditabundo. No quería privarla de algo que siempre había deseado con todas sus fuerzas.

—¿Cómo? Para ti no es justo, yo te echaría terriblemente de menos y las chicas me matarían. Es su último año. Debo estar aquí, y quiero estar.

—Yo también te echaría de menos —dijo Peter con sinceridad—, pero quizá, por una vez en la vida, las chicas tengan que conformarse. Siempre estás aquí, dispuesta para cualquier cosa que te pidan. Para variar, no les vendría mal tener que ser un poco más independientes. Y a mí tampoco. Tanya, no quiero que te pierdas algo así. Quizá no vuelva a surgir otra oportunidad y no puedes dejarla pasar sin más.

Su actitud era tan entregada y tan bondadosa que Tanya casi se puso a llorar.

—Sí puedo dejarla pasar. Llamaré a Walt en cuanto salgas de casa y rechazaré la oferta —dijo Tanya con firmeza y serenidad, convencida de que era la decisión adecuada.

—No quiero que hagas eso. Dile que espere. Hablemos primero con las chicas.

Peter quería actuar con calma y tomar la decisión en familia, en provecho de Tanya, siempre que fuera posible y que las chicas se mostraran magnánimas. Por el bien de su madre, confiaba en que así fuera.

—Se sentirán totalmente abandonadas y con razón. En realidad, estaría fuera durante todo su último curso escolar y solo volvería los fines de semana. Y una vez empiecen a rodar la película, no sé con certeza si podré venir los viernes. Siempre se oyen historias espantosas sobre noches interminables de rodaje, fines de semana inacabables, planes que se desbaratan por completo y películas en las que los cálculos de tiempo y de presupuesto han resultado totalmente erróneos. A lo mejor se alarga más de lo previsto.

—El presupuesto es su problema; tú eres el mío. Quiero que busquemos una solución.

Tanya le miró con una sonrisa en los labios y se levantó para abrazarle. Le rodeó con los brazos y le dio un beso.

—Eres maravilloso y te quiero, pero créeme, no funcionaría.

—No seas tan derrotista. Por lo menos debemos intentarlo. Esta noche, cuando volvamos, hablaremos con las niñas. Y no iremos a cenar, iremos a celebrarlo.

De repente, cayendo en la cuenta de un pequeño detalle, le preguntó:

—¿Cuánto te han ofrecido?

Tanya sonrió un instante, todavía sorprendida por la cifra, y después la soltó. Se hizo un silencio sepulcral en la cocina durante un largo minuto que Peter rompió con un silbido.

—Más vale que aceptes. El año que viene tendremos que pagar tres matrículas universitarias, pero con el dinero que te han ofrecido sería una minucia. Es una cantidad increíble. ¿De verdad ibas a rechazarlo?

Tanya asintió.

—¿Por nosotros? —preguntó Peter.

Tanya volvió a asentir sin dejar de abrazarle.

—Cariño, estás loca. Voy a mandarte ahora mismo a Los Ángeles para que te pongas a trabajar a destajo. ¡Por todos los diablos! Si se dispara tu carrera como guionista cinematográfica, debería pensar en retirarme.

Aunque las revistas literarias no suponían grandes ingresos para Tanya, se había ganado decentemente la vida con la escritura. Con las telenovelas había ganado un buen pellizco y, desde luego, la cantidad que le ofrecían por la película de Douglas Wayne era sencillamente increíble. Peter estaba realmente impresionado con la oferta.

—Además, me ofrecen un bungalow en el hotel Beverly Hills durante toda mi estancia allí, o si lo prefiero, un apartamento o una casa. Y todos los gastos pagados.

Tanya le dio los nombres del director y de las estrellas del reparto y Peter volvió a silbar. No era solo una oportunidad de oro. Era una de esas ocasiones que se presentan una sola vez en la vida y que te permiten alcanzar el cielo con las manos. Y ambos lo sabían. Peter no entendía que Tanya pudiera rechazarla y temía que, de hacerlo, se arrepintiera el resto de su vida y acabase por guardar rencor a su familia. Era rechazar algo muy importante.

—Tienes que hacerlo —dijo abrazándola—. No permitiré que digas que no. A lo mejor deberíamos mudarnos todos a Los Ángeles durante un año.

A Tanya le habría gustado esa solución, pero solo había sido una broma de Peter. No podían hacerlo. Su marido tenía una sólida carrera como socio en su bufete de abogados, y lo lógico era que las mellizas terminaran su etapa escolar en el colegio al que habían asistido toda su vida. Si alguien iba a ir a Los Ángeles sería Tanya, y sola. Pero eso era precisamente lo que ella no quería. Sin embargo, al mismo tiempo, la idea le producía una extraña excitación. Era la realización de un sueño y una cantidad de dinero increíble para ambos.

Pero jamás había sacrificado a su familia en favor de su carrera y no era el momento para empezar a hacerlo.

—No seas tonto —dijo Tanya con una sonrisa melancólica—. Solo el hecho de que me hayan escogido a mí para hacer el guión ya me satisface.

—Esperemos a ver qué dicen las niñas esta noche. Dile a Walt que estás pensándolo, y Tanya —continuó Peter mirándola con cariño y abrazándola con fuerza—, quiero que sepas que estoy orgulloso de ti.

—Gracias por tomártelo tan bien. Todavía no puedo creer que me hayan escogido... Douglas Wayne..., debo reconocer que es bastante alucinante.

—Muy alucinante —dijo él echando un vistazo a su reloj.

Ya llegaba una hora tarde al trabajo, pero no era una noticia cualquiera.

—¿Dónde quieres que vayamos a cenar esta noche?

—A algún sitio tranquilo donde podamos hablar.

—¿Qué te parece Quince? —propuso Peter.

—Perfecto.

Era un pequeño restaurante romántico en Pacific Heights con una carta excelente.

—Vas en taxi y luego volvemos juntos a casa, ¿de acuerdo? Vaya, tenemos una cita.

Unos minutos más tarde, Peter le dio un beso de despedida y cuando se hubo marchado, Tanya suspiró, miró el teléfono, lo descolgó y llamó a Walt. No sabía muy bien qué decirle. Creía haber tomado una decisión la noche anterior, pero, al parecer, no había sido así. Todavía no se veía aceptando la propuesta y cuando se lo contó a Walt, este lanzó un gruñido.

—¿Qué debo hacer para convencerte de que no tienes elección?

—Diles que rueden aquí la película —replicó Tanya sintiéndose presionada.

Hasta Peter había hecho que pareciera viable. Sin embargo, en el fondo de su corazón, Tanya sabía que por muy predispuesto que se mostrase su marido, no era factible y sospechaba que sus hijas compartirían su opinión. No era el año más indicado para tener a su madre lejos.

—Espero que Peter te convenza, Tanya. Por Dios, si tu marido está de acuerdo, ¿qué es lo que te preocupa? No va a divorciarse de ti solo porque estés nueve meses en Los Ángeles.

—Nunca se sabe —dijo Tanya riéndose.

No era ese su miedo, pero también era consciente de que la distancia no era buena consejera en un matrimonio. Además, ella era feliz a su lado y solo podía pensar en lo desgraciada que iba a sentirse durante todos esos meses separada de él toda la semana.

—Llámame mañana. Le diré a Doug que no he logrado hablar contigo todavía. Cuando le comenté lo mismo ayer, me dijo que merecía la pena esperarte. Quiere que seas tú quien escriba ese guión.

Tanya se contuvo y no pronunció ese «yo también» que bullía en su interior. Sabía que no podía dejar que todo aquello la embaucase. Era solo un sueño, un sueño que la había acompañado toda su vida, por qué negarlo, pero un sueño que no podía permitirse.

Después de colgar, continuó trabajando en su relato. Jason apareció por la cocina a mediodía y le preparó el desayuno. Estuvieron charlando un rato y después, a media tarde, llegaron las chicas. No les contó nada acerca de la oferta. Primero quería discutirlo un poco más con su padre.

A las seis empezó a arreglarse para ir a cenar y, una hora más tarde, cogía un taxi en dirección a la ciudad con la película ocupando de nuevo sus pensamientos. De repente, incluso le dio pena salir de casa aquella tarde. Se sentía como una barca a la que la corriente arrastrara río abajo, a la deriva, fuera de control. Cuando llegó al restaurante, Peter ya la estaba esperando. Disfrutaron de una cena estupenda y cuando llegó el postre, volvieron a hablar de ello. Peter insistió en que, después de darle vueltas a la situación, quería que aceptase el proyecto. Puesto que al día siguiente era sábado, propuso que la familia se reuniese para discutirlo.

—Eres tú quien tiene que tomar la decisión, Tanya. Ni tan siquiera yo puedo decirte qué debes hacer. Y no debes permitir que los chicos tomen la decisión por ti, porque no tienen ese derecho. Aunque puedes preguntarles qué piensan al respecto.

—¿Y qué piensas tú? —preguntó Tanya mirándole con pesar, sintiendo como si fuera a perder a todas las personas y todas las cosas que amaba.

Sabía que era una sensación estúpida, pero no podía evitarlo. Tenía los ojos llenos de lágrimas. Peter tomó la mano de Tanya entre las suyas.

—Ya sabes lo que pienso, cariño. Sé que es duro, pero creo que debes hacerlo. No por el dinero, aunque no negaré que es tentador y que sería razón suficiente para aceptar. Sin embargo, creo que debes decir que sí porque ha sido tu sueño desde siempre. Tienes que intentarlo. Aunque al principio les cueste, las chicas acabarán acostumbrándose. Y yo también. Son solo unos meses; no será para siempre. Uno no puede cerrar la puerta a sus sueños, Tanya, y menos cuando entran en casa y se lanzan a tus brazos. Algo me dice que es el destino y que podemos conseguirlo... Puedes hacerlo. Tienes que hacerlo. No puedes dar la espalda a tus sueños, Tan —añadió con suavidad—. Ni siquiera por nosotros.

—Eres un ángel —dijo suavemente Tanya—. Lo has sido desde el día en que te conocí.

Tanya le apretó la mano con fuerza y añadió:

—No quiero hacer nada que pueda estropear esto. Además, no creo que pudiera soportar estar cinco noches a la semana separada de ti.

A pesar de tantos años de matrimonio, Peter y Tanya tenían una activa vida sexual. Sus vidas estaban entrelazadas y dependían el uno del otro. Tanya no podía imaginar cómo funcionaría un matrimonio de fin de semana y le parecía que no merecía la pena sacrificar lo que compartían por una gran película de Hollywood, aunque fuese durante nueve meses. Así que Peter se mostraba más receptivo ante la oferta que ella misma.

—Tonta, no estropearás nada —dijo sonriéndole.

Después de la fantástica cena acompañada de un buen vino, pagaron la cuenta y salieron del restaurante. Durante el trayecto hasta casa Tanya estuvo pensativa, imaginándose en Los Ángeles y sabiendo lo mucho que echaría de menos a Peter si la convencía para que aceptase, algo que todavía no podía ni siquiera imaginar. ¿Cómo iba a dejar a un hombre como Peter cinco días a la semana? Ningún guión cinematográfico merecía semejante sacrificio.

Al día siguiente, soltaron la bomba a los chicos. Sus reacciones, aunque previsibles, no fueron exactamente las que Tanya y Peter habían esperado. Molly consideró que era una maravillosa oportunidad para su madre y que no podía perdérsela; prometió que si Tanya se marchaba, se ocuparía de cuidar de su padre. Jason, por su parte, lo encontró simplemente genial y pidió a su madre si podría alojarse con ella en alguna ocasión y conocer a actrices famosas. Tanya le recordó que iba a empezar la universidad y que, por consiguiente, debía pasar la semana estudiando y que ella pasaría los fines de semana en Marin. Jason no parecía encontrar nada raro en que sus hermanas se quedaran solas con su padre durante el último año escolar. Le parecía que su padre podía hacerse cargo de todo y Tanya sabía que en caso de haber tenido que ausentarse ella durante el último año de Jason, su hijo mayor habría salido airoso y con nota de la situación.

En cuanto a Megan, estaba absolutamente pálida.

—¿Cómo puedes siquiera pensar en hacer algo así? —le gritó a su madre con los ojos inyectados en sangre.

Todos, incluida Tanya, se quedaron atónitos ante su furiosa reacción.

—No lo había pensado, Megan. Mi intención era rechazarlo, pero tu padre creía que debía decíroslo y escuchar lo que tuvierais que decir.

En el caso de Megan, desde luego, se había expresado con fuerza y rotundidad.

—¿Estáis los dos locos? ¡Es nuestro último año en casa! ¿Se supone que debemos hacer tu papel mientras tú te codeas con las estrellas de Hollywood?

Parecía que Tanya hubiera decidido irse a trabajar durante nueve meses a un burdel de Tijuana.

—No estaría codeándome con nadie —dijo Tanya despacio—. Estaría trabajando. Es una oportunidad que habría sido muy bonita si hubiera llegado el año próximo. Aun así, no me habría hecho feliz dejar a vuestro padre solo.

—¿Es que no te importamos lo más mínimo? También te necesitamos aquí. Molly y yo tenemos que presentar las solicitudes de ingreso en la universidad. ¿Quién se supone que nos ayudará a hacerlo si tú no estás? ¿Acaso no te importa, mamá?

Megan estaba llorosa y los ojos de Tanya también se llenaron de lágrimas al escucharla. Era una conversación dolorosa y Peter intervino rápidamente.

—No sé si alguno de vosotros se da cuenta del honor que supone esta oferta. Douglas Wayne es uno de los productores más importantes de Hollywood.

Seguidamente, Peter enumeró las estrellas que formaban parte del reparto. Jason soltó un silbido e insistió en que quería que su madre se las presentase a todas.

—No les conozco, Jason —dijo su madre apesadumbrada—. No sé por qué estamos hablando de esto.

Tanya opinaba que no tenía sentido inquietar a los chicos con una reunión familiar que solo serviría para preocuparles. ¿Para qué? La decisión estaba tomada. Se quedaría en casa con ellos.

A pesar de todo, Peter consideraba que tenían que saber lo que estaba ocurriendo. Pero ¿por qué? Megan acababa de decir todo lo que Tanya temía escuchar y que ella misma pensaba. Si aceptaba la oferta, uno de sus tres hijos iba a odiarla. Y tal vez, con el tiempo, todos acabarían odiándola. A decir verdad, Jason parecía cualquier cosa menos preocupado y Molly era una chica emocional y cabalmente generosa. Por el contrario, Megan acababa de expresar sin rodeos que jamás perdonaría a su madre que se marchara. Y Tanya la creía. Pero Peter pensaba que se le acabaría pasando y que él estaría allí para ayudar y para cuidarlas mientras Tanya estuviese lejos.

—No puedo perturbar a la familia de este modo —dijo con gravedad y preocupación cuando los chicos abandonaron la habitación—. Nunca me lo perdonarían y quizá, al cabo de un tiempo, tú también me odiarías.

Jason le había deseado suerte y le había dicho que confiaba en que aceptara. Molly le había dado un fuerte abrazo y le había dicho que estaba orgullosa de ella, y Megan había salido furiosa dando un portazo. Camino de su habitación, dio tres portazos más.

—Nadie va a odiarte, cariño —dijo Peter pasándole el brazo alrededor de los hombros—. Pero es probable que si dices que no, te odies a ti misma. Me parece que no puedes confiar en que vuelva a sucederte algo así, especialmente si rechazas esta oportunidad.

—Lo sé, estoy segura de ello —dijo Tanya con calma—. No necesito hacer un guión cinematográfico. Hace tiempo era un sueño, pero ahora estoy contenta con mis telenovelas y mis cuentos.

Con ello ganaba suficiente dinero para ayudar a Peter, y disfrutaba de su trabajo. No quería ni necesitaba más. Y la reacción de Megan le había dado toda la información que necesitaba tener.

—Eres capaz de hacer cosas mejores que simples telenovelas, Tan. ¿Por qué no hacerlo ahora que todavía estás a tiempo?

—Ya has oído a Megan. No puedo sacrificarla por una película. No está bien.

—No tiene ningún derecho a impedirte hacer algo que es importante para ti. Y yo estaré aquí con ella. Lo superará. Ni siquiera se dará cuenta de que no estás. Siempre está con sus amigos. Y puedes ayudarla los fines de semana con las solicitudes para la universidad.

—Peter... —dijo Tanya mirándole fijamente—. No. No me presiones. Agradezco de veras tus intenciones, pero aunque todos pensarais que es maravilloso, no podría hacerlo. No puedo dejarles y no voy a dejarte.

Se levantó y rodeándole el cuello le dijo:

—Te amo. Gracias.

—Después de esto, aborrecerás ser un ama de casa de Marin —replicó Peter devolviéndole el abrazo a su mujer—. Te pasarás el día pensando que podrías haber estado allí, trabajando en una película que seguramente ganará algún Oscar. No puedes permitir que los chicos tomen esta decisión, Tanya. Eres tú quien debe tomarla.

—Ya lo he hecho. Mi decisión es quedarme en casa y seguir haciendo lo que he hecho hasta ahora, junto a las personas a las que amo.

—Seguiremos queriéndote aunque te vayas a Los Ángeles. Yo te seguiré queriendo. Megan te perdonará y estará muy orgullosa de ti. Todos lo estaremos.

—No —dijo Tanya de nuevo.

Y hablaba en serio. Peter y ella se aguantaron la mirada durante un momento.

—En ocasiones hay que rechazar las cosas que deseamos por las personas que amamos.

—Quiero que lo hagas —continuó Peter con serenidad—. Sé lo importante que sería para ti. No quiero que abandones algo así por mí o por los niños. Podría ser un error, un error garrafal. Nunca me perdonaría haberte impedido hacerlo.

Tanya le lanzó una mirada temerosa.

—¿Y si echa a perder nuestro matrimonio? A lo mejor es más duro de lo que creemos.

Ella consideraba que iba a ser muy duro.

—No veo que nada pueda echar a perder lo que hay entre nosotros, Tan, a no ser que te enamores de alguna estrella de cine. ¿No estás de acuerdo? Yo me quedaré aquí sentado esperándote.

—Te echaría tanto de menos que sería insoportable —dijo Tanya al tiempo que una lágrima resbalaba por su mejilla.

Se sentía como un niño al que mandan al colegio alegando que es por su bien. No quería dejarle. Le encantaba la idea de escribir el guión, pero estaba asustada. Hacía veinte años que no estaba sola en el mundo.

—Yo también te echaría de menos —dijo Peter con sinceridad—. Pero hay veces, Tan, en las que hay que ser valiente para crecer. Tienes derecho a hacer algo así sin pagar nada a cambio. Yo no voy a amarte menos por hacerlo. Estaría muy, muy orgulloso de ti y te amaría aún más.

—Tengo miedo —susurró ella colgándose de él y con el rostro bañado en lágrimas—. ¿Y si no puedo hacerlo? Esto no es una telenovela de tarde, esto es jugar en primera. ¿Y si yo solo soy una jugadora de segunda?

—No lo eres, preciosa. Eso lo sé. Y confío en que tú también. Por eso quiero que lo hagas. Tienes que extender las alas y volar. Te has estado preparando para esto durante muchos años. No te prives de ello por mí o por los chicos. Ve a por ello —dijo besándola con fuerza.

Aquel era el mayor regalo que podía hacerle. Miró a su marido con los ojos llenos de lágrimas y vio que los suyos también estaban húmedos.

—Te amo —le susurró mientras él la sujetaba con fuerza— tanto... tanto, Peter... ¡Oh! ¡Tengo tanto miedo!

—No lo tengas, cariño. Piensa que estaré esperándote aquí, y también los chicos... incluso Megan. Iremos todos a visitarte y tú vendrás a casa los fines de semana. Si no puedes, iremos nosotros. Al menos yo, desde luego. Antes de que te des cuenta, ya habrá pasado y estarás encantada de haberlo hecho.

—Eres el hombre más extraordinario del mundo, Peter Harris. Te amo tanto... —le susurró Tanya sabiendo que el gesto de su esposo era tremendamente generoso.

—Acuérdate de esto cuando las estrellas empiecen a llamar a tu puerta.

—No lo harán —dijo Tanya sin dejar de llorar—, y no me importará si lo hacen. Nunca podría amar a nadie en el mundo como te amo a ti.

—Yo tampoco —dijo abrazándola con tanta fuerza que Tanya casi no podía respirar—. ¿Lo harás, Tan? ¿Ganar el partido por el equipo?

Peter la apartó un momento para mirarla a los ojos y vio que los de Tanya mostraban auténtico pánico.

Tanya no contestó. Solo asintió, lloró con más fuerza y se aferró a él como un niño asustado que teme irse de casa.

3

Durante las vacaciones de verano en el lago Tahoe, Tanya y Peter comunicaron la noticia a sus hijos. Las reacciones fueron muy similares a las del día de la primera conversación: Molly se mostró comprensiva y orgullosa de su madre; Jason insistió en sus deseos de visitarla en Los Ángeles, y Megan optó por no hablar a Tanya durante tres semanas, después de decirle con agresividad que no la perdonaría nunca. Cada vez que Tanya se cruzaba con Megan, la veía llorando; se pasaba el día lamentándose, diciendo que era lo peor que le había pasado en la vida y que su madre la estaba abandonando. En las cuatro semanas que pasaron en Tahoe, Tanya intentó en innumerables ocasiones llamar a Walt para decirle que había cambiado de opinión, pero Peter se lo impidió. En su opinión, Megan tendría que superarlo y era positivo que se desahogara. Pero, cada vez que la miraba, Tanya se sentía como una madre desnaturalizada y lloraba casi tanto como su hija.

Fue una época dulce y amarga a un tiempo. Era el último verano de Jason antes de ir a la universidad y sus amigos iban y venían constantemente para visitarle. Los minutos que Tanya pasaba junto a Jason y Peter, le parecían de un valor incalculable y solía dar largos paseos con Molly durante los cuales tenían conversaciones maravillosas. Megan evitaba pasear con su madre y solo volvió a hablarle, por pura necesidad, unos días antes de volver a casa.

La última noche antes de marcharse, hicieron una gran barbacoa familiar junto a algunos amigos. Mientras recogían, Peter y Tanya estuvieron discutiendo los planes inmediatos. Faltaban solo diez días para que viajara a Los Ángeles. No se había marchado antes porque le había explicado a Douglas Wayne que antes de empezar a trabajar tenía que acompañar a su hijo a la universidad. El plan era ir todos juntos y que Tanya ayudara a Jason a instalarse en la residencia. Después, Peter y las mellizas volverían a casa y a Tanya la recogería una limusina en el hotel Santa Barbara Biltmore que la llevaría hasta Los Ángeles. Ese sería el lugar de su triste despedida, siempre que Megan no hubiera matado antes a su madre.

Los últimos días de Tanya y Jason en Marin fueron difíciles. Ella le ayudó a hacer las maletas y a preparar todo lo que tenía que llevarse a la universidad: ordenador portátil, bicicleta, equipo de música, sábanas, mantas, almohadas, cubrecama, fotos de la familia, equipo de deporte, cuadros o pósters para colgar en las paredes, una lámpara de mesa y una alfombra.

Tanya no sabía qué la inquietaba más, la despedida de Jason o su posterior viaje. Por supuesto, ella se llevaba muchas menos cosas que su hijo mayor. Y es que Tanya únicamente iba a trabajar. Solo preparó una bolsa de viaje y una pequeña maleta donde metió algunos zapatos deportivos, varias sudaderas y unos cuantos vaqueros. Después de pensárselo un buen rato, decidió coger también un par de pantalones algo más elegantes, dos jerseys de cachemir y un vestido de fiesta de color negro. Cabía la posibilidad de que tuviera que asistir a algún acto formal con el equipo de rodaje. En la maleta, metió también un montón de fotos de los niños con sus respectivos marcos para llenar el bungalow del hotel Beverly Hills. La habían informado de que se alojaría en el bungalow número 2, así que ese iba a ser su hogar durante los siguientes meses. El bungalow constaba de dos habitaciones —la segunda la utilizaría en caso de que sus hijos quisieran visitarla—, un pequeño despacho, una salita de estar y un comedor que incluía una cocina y una despensa. Tanya llevaba veinte años sin vivir sola y no podía imaginarse cocinando solo para ella. Peter restaba importancia a la separación y le decía que era como si volviesen a la universidad.

Peter no flaqueó en ningún momento y seguía insistiendo en que era una de las cosas más increíbles que le habían ocurrido en la vida. A Tanya le habría gustado estar de acuerdo, pero en aquel momento solo podía pensar en lo mucho que iba a echar de menos a sus hijos y a su marido. De no haber firmado ya el contrato y haber cobrado el cheque, se habría echado atrás.

Walt había llegado a temer que Tanya rechazara la oferta, así que al conocer su decisión se mostró encantado de que por fin hubiera entrado en razón. Rápidamente telefoneó a Peter para asegurarle que era un héroe por haber conseguido convencerla y por dejar que se marchara. Lo definió como todo un hombre, por su fuerza, integridad y dignidad. En eso, Tanya sí estaba de acuerdo. Peter había antepuesto el interés de su esposa al suyo e incluso al de la familia. No había dudado en ningún momento de que pasara lo que pasase, tanto las mellizas como él se las arreglarían. Y así se lo había repetido una y otra vez a sus hijas. Molly había prometido que haría todo lo que estuviera en su mano para ayudar. Sin embargo, aquellos últimos días estaba más llorosa y se pasaba el día pegada a su madre, ofreciéndose para ayudarla con la maleta o para hacer recados. Quería estar con Tanya en todo momento, lo que recordó a su madre lo inseparables que habían sido cuando Molly era una niña. Megan siempre había sido más independiente.

De camino a Santa Bárbara, Megan mantuvo su mutismo; no dirigió la palabra a su madre y se quedó mirando por la ventanilla. Molly, por el contrario, no le soltó la mano.

Minutos antes, cuando Tanya había visto la furgoneta que habían alquilado cargada con todos los trastos de Jason y sus dos pequeñas maletas —ella no necesitaba mucho equipaje porque tenía la intención de regresar cada fin de semana—, se le había caído el alma a los pies.

Alice Weinberg, una mujer alta, delgada y morena, con un físico parecido al de Molly, era vecina de los Harris desde siempre y amiga de Tanya desde hacía dieciséis años. Se acercó para despedirse de Tanya y de Jason. Cogiéndola por los hombros, le dijo abiertamente que sentía una enorme envidia por su futura vida como guionista de Hollywood. El marido de Alice —que había sido socio de Peter en el bufete— había muerto de un ataque al corazón mientras jugaba a tenis dos años atrás con solo cuarenta y siete años. Pero Alice había salido adelante. Sus dos hijos ya estaban en la universidad y había abierto una galería de arte en Mill Valley. Según ella era una forma de tener un objetivo en la vida, pero no tenía nada que ver con la aventura en la que Tanya iba a embarcarse. Las dos mujeres se abrazaron.

—¡Llámame y cuéntame a quién conoces por allí! —gritó Alice a través de la ventanilla bajada de la cargada camioneta, al tiempo que Peter arrancaba.

Mientras se alejaban, Tanya movió la mano en señal de despedida. Desde julio habían compartido innumerables tazas de té en la cocina comentando los planes de Tanya. Aunque Alice ya no solía estar tanto en casa —siempre estaba en reuniones con artistas, en exposiciones o buscando en ferias de arte pintores emergentes o nuevas obras—, le había asegurado que echaría un vistazo a las mellizas. Lo cierto era que Alice, a sus cuarenta y ocho años —casi dos años más que Peter y seis más que Tanya— parecía diez años más joven que cuando vivía su marido. Había perdido mucho peso, se había operado las patas de gallo y se había teñido el cabello. Le hacía ilusión volver a salir y Tanya sabía que había estado viéndose con un par de jóvenes artistas. Sin embargo, insistía en que echaba muchísimo de menos a Jim y que nunca habría nadie como él.

Con su aspecto juvenil y cálido, Alice les dijo adiós con la mano.

—¡Cuídate, Jason! —gritó Alice, quien al ver que se marchaban, se acordó del día en el que sus hijos se fueron a la universidad—. ¡No olvides llamar a James!

El hijo de Alice también estaba estudiando en la Universidad de Santa Bárbara, mientras que su hija había ido a Pepperdine en Malibú. Melissa estaba ya en los cursos superiores y James empezaba el segundo curso aquel año, así que Jason podría contar con alguien para que le enseñase cómo funcionaba todo. El hijo mayor de Tanya le había escrito ya un correo y había hecho lo mismo con su compañero de habitación, un chico de Dallas llamado George Michael Hughes que había jugado a *lacrosse* en el instituto y quería intentar meterse en el equipo de la universidad.

Fue un viaje caluroso e incómodo. El aire acondicionado no funcionaba y llevaban las cosas de Jason apiladas entre ellos, pero a Tanya no le importaba en absoluto. Estaba feliz de encontrarse con sus hijos.

Tardaron ocho horas en llegar y pararon dos veces por el camino porque Jason siempre tenía hambre. Las chicas no tenían tanto apetito como su hermano y Tanya no pudo probar bocado, demasiado preocupada por dejar a Jason primero y a Peter y a las chicas después. Se sentía como si estuviera perdiéndoles a todos de golpe, aunque, tal como puntualizó Megan cuando se bajaron frente al Biltmore, exhaustos, eran ellos los que la estaban perdiendo a ella.

—Iré a casa los fines de semana, Meg —le recordó de nuevo Tanya.

—Sí, mamá, lo que tú digas —contestó Megan con expresión hosca, y se marchó inmediatamente.

Todavía no la había perdonado. Quizá nunca lo haría. Tanya empezaba a temer que los siguientes meses la marcaran de por vida, pero su sentimiento de culpa hacía que tolerase las acusaciones de Megan hasta un punto que no habría aceptado en otras circunstancias. Fue un fin de semana difícil. Aunque no para Jason, que estaba entusiasmado por empezar la universidad.

Se instalaron en el hotel, cenaron en un restaurante de la ciudad y, al día siguiente, almorzaron temprano en el Coral Casino frente al hotel, ya que Jason tenía que estar en la residencia a partir de las dos de la tarde. En cuanto llegaron a la universidad, Jason desapareció en busca de sus amigos. Sus padres se quedaron en su dormitorio. Peter instaló el ordenador y el equipo de música y Tanya le hizo la cama mientras retenía las lágrimas. Su pequeño se iba de casa... y lo peor de todo, ella también. Era una sensación extraña para todos. Vaciaron la bolsa de lona del chico y para cuando este regresó acompañado de James Weinberg, ya se lo habían ordenado todo. Resultó que James vivía en la residencia de al lado y ya le había presentado a media docena de chicas.

Jason y su ex novia se habían despedido entre lágrimas antes de su marcha. Después de cuatro años saliendo juntos en el instituto, iban a ser libres por primera vez. Ella estudiaría en la American University en la ciudad de Washingon, y habían prometido mantenerse en contacto por e-mail. Aunque Jason la había echado de menos durante el verano, estaba deseoso de ser libre después de una relación tan larga; para él todo era nuevo y excitante. Tanya opinaba que la ruptura había sido increíblemente madura para la edad que tenían y le parecía admirable lo bien que lo llevaban los dos y lo amables que habían sido el uno con el otro después de dejarlo.

—Bueno, ¿qué te parece? —preguntó Peter a su hijo paseando la mirada por el dormitorio antes de marcharse.

Tanya y sus hijas querían quedarse un rato con Jason, pero era evidente que el chico estaba deseando que se marcharan. En veinte minutos debía asistir a una reunión informativa y por la noche tenía una barbacoa para los recién llegados. Se moría de ganas de embarcarse en su nueva vida, por ello no pareció precisamente destrozado cuando los miembros de su familia salieron de su nueva residencia.

Se quedaron todos de pie sobre el césped que se extendía frente a la residencia y Jason se despidió dando un beso a las mujeres y un fuerte abrazo a su padre. Sus hermanas contuvieron las lágrimas, pero Tanya rompió a llorar. Le abrazó con fuerza un instante e insistió en que la llamase para cualquier cosa que necesitara. Le recordó que durante toda la semana solo estarían a hora y media de distancia y que podía acercarse en cualquier momento si tenía algún apuro. Jason se echó a reír.

—No te preocupes, mamá, estaré bien. Seré yo quien vaya a verte muy pronto.

—Puedes quedarte a dormir si quieres —dijo esperanzada.

Le iba a echar tantísimo de menos... Era el primero de sus hijos en abandonar el hogar.

Todavía estuvieron charlando un rato, pero después Jason se marchó siguiendo a James. Era un hombre independiente.

Tanya acompañó lentamente a Peter y a las chicas hasta la camioneta. La limusina les había seguido desde el hotel y la esperaba en el aparcamiento. Tanya no sabía qué decir. Lo único que quería era tenerles cerca, abrazarles, tocarles. Si apenas había podido soportar despedirse de Jason, ¿cómo iba a resistir aquella despedida? Le resultaba casi insufrible tener que decir adiós a las mellizas. Cuando Peter abrió la puerta de la camioneta, se echó a llorar de nuevo.

—Vamos, cariño —dijo él amablemente—. Jason estará bien y nosotros también.

La rodeó con el brazo y la atrajo hacia él, mientras las dos chicas apartaban la vista. No estaban acostumbradas a ver llorar a su madre, aunque no hacía otra cosa desde hacía unas semanas, y particularmente ese día. Las chicas también habían llorado lo suyo.

—Odio todo esto. No sé por qué dejé que me convencieras. No quiero escribir ese estúpido guión —dijo llorando como una cría mientras Molly le tendía un paquete de pañuelos de papel para que pudiera sonarse la nariz.

Sonrió a sus hijas, tan altas, tan morenas. Los alumnos se habían fijado en las mellizas desde que llegaron al campus y parecieron muy desilusionados al descubrir que no eran de las nuevas. A Megan le pareció una universidad genial. Y la primera opción de Molly era ahora la Universidad del Sur de California.

—Estarás bien —le aseguró Peter de nuevo.

Eran ya más de las cuatro y no iban a llegar a Marin hasta pasada la medianoche. La distancia que tenía que recorrer Tanya hasta Los Ángeles era mucho más corta pero lo único que quería en aquel momento era volver con ellos a casa. Incluso se le pasó por la cabeza hacerlo y volar hasta Los Ángeles a primera hora de la mañana. Sin embargo, solo era una forma de prolongar la agonía. Además, había quedado con Douglas Wayne para desayunar a las ocho de la mañana, lo que la obligaría a coger un vuelo a las seis. Era una tontería. No tenía más remedio que despedirse de su marido y de sus hijas en aquel momento. Decir adiós a Jason habría sido más que suficiente. Aquello era mucho peor.

—Está bien, chicas —dijo Peter volviéndose hacia sus hijas—. Despedíos de vuestra madre. Será mejor que nos vayamos.

La acompañaron hasta la limusina donde la aguardaba el chófer con aire aburrido. El coche parecía medir veinte metros de largo y dentro había luces de colores y un sofá.

—¡Qué horror! —comentó Megan con cara de asco mirando el coche y después a su madre.

En aquellos dos meses, no había cedido ni un milímetro en su postura y cuando Tanya se acercó a ella para abrazarla, Megan le lanzó una dura mirada y dio un paso atrás. Casi le rompió el corazón.

—Meg, di adiós a tu madre como es debido —la regañó Peter con firmeza, después de mirarla y hacer un gesto negativo con la cabeza.

No iban a moverse hasta que lo hiciera. A regañadientes, abrazó a su madre, que lloraba desconsoladamente mientras besaba y abrazaba primero a Megan y después a Molly. Esta última la abrazó con fuerza y se echó a llorar ella también.

—Te voy a echar tanto de menos, mamá —dijo mientras las dos se fundían en un abrazo y Peter les daba palmaditas en la espalda.

—Vamos, chicas, solo serán unos días. Mamá estará en casa de nuevo el viernes por la noche —les recordó a las dos.

Megan se alejó del grupo. Ella no tenía nada más que decir a su madre puesto que ya se lo había dicho todo con su silencio durante el verano. Molly finalmente se despegó de su madre y se secó las lágrimas con una sonrisa compungida.

—Te veo el viernes, mamá —dijo con una vocecita más propia de una niña que de la hermosa joven que ya era.

—Cuídate, cariño, y cuida de papá y de Meg.

Molly era quien se iba a hacer cargo de todo. Tanya confiaba en que Alice se ocupase también un poco de ellos. Pensaba llamarla aquella noche, decirle que había visto a James y recordarle que cuidara un poco de Peter y de las mellizas. Alice le había prometido que si en cualquier momento percibía que algo no iba bien, que estaban débiles, cansadas o infelices, la llamaría. Era una buena madre y se le daban bien los críos. Además, Tanya sabía que Molly y Megan confiaban en Alice y estaban a gusto con ella. Aunque Melissa y James eran un poco mayores, prácticamente habían crecido juntos.

Al igual que Peter, Alice opinaba que las chicas se las arreglarían y que se acostumbrarían a su ausencia en cuestión de días. Además, ni se iba muy lejos ni para siempre, ya que su intención era pasar los fines de semana en casa. En caso de que ocurriera algo, le había recordado su amiga, podía subir a un avión y estar en casa en menos de dos horas. A pesar de todo, Alice se había comprometido a ocuparse de ellos tanto como pudiese o tanto como ellos la dejasen. Pero estaba convencida de que una vez se acostumbrasen a que su madre no estuviera en casa, las mellizas volverían a estar enormemente ocupadas con sus actividades cotidianas y con sus muchos amigos. Compartían coche, así que eran independientes y, además, eran buenas chicas, razonables, maduras y sanas. Alice le había dicho una y otra vez que no tenía por qué preocuparse, pero sabía que Tanya lo haría de todos modos.

Decir adiós a las chicas fue duro, pero lo fue aún más despedirse de Peter. Se agarró a él como una niña desvalida. Él la ayudó suavemente a subir a la limusina y bromeó sobre las luces de colores que Megan había criticado tanto. Eran horteras, pero también divertidas.

—A lo mejor debería irme contigo a Los Ángeles y dejar que las chicas vuelvan solas a casa —dijo bromeando.

Tanya sonrió y él la besó.

—Te voy a echar tanto de menos esta noche —dijo ella suavemente—. Cuídate. Nos vemos el viernes.

—Estarás tan ocupada que no podrás ni echarme de menos —aseguró.

Aunque intentaba disimular, Peter también tenía el semblante triste. Pero se alegraba de que Tanya hubiera aceptado y quería que fuera una experiencia fantástica para su mujer. Su intención era hacer todo lo posible para que funcionase.

—Llámame cuando lleguéis a casa —musitó Tanya.

—Será tarde.

Probablemente casi la una de la madrugada, porque la despedida se había alargado mucho. Y es que Tanya no podía soportar separarse de ellos.

—No importa. Hasta que no me llames no estaré tranquila—, insistió Tanya, que quería tener la certeza de que habían llegado a casa sanos y salvos; además estaba segura de que no dormiría mucho aquella noche sin Peter—. Te llamaré al móvil.

—¿Por qué no te relajas y te vas a dar un baño o un masaje? Utiliza el servicio de habitaciones. Por Dios, aprovéchate. Antes de que te des cuenta, estarás de vuelta en casa cocinando para todos. Después de disfrutar del lujo de Beverly Hills no querrás volver a Marin ni loca.

—Vosotros sois mi lujo —musitó tristemente Tanya, arrepentida de haber aceptado escribir el guión.

Solo pensaba en que no debía ir a Los Ángeles y en lo mucho que iba a echar de menos a su marido, a sus hijos y los buenos momentos que compartían.

—Será mejor que nos vayamos.

Peter se daba cuenta de que las chicas estaban cada vez más intranquilas. Megan echaba humo y Molly parecía cada vez más triste. Tanya también se había fijado. Dio un último beso a Peter y alargó la mano hacia sus hijas. Molly le dio un beso, pero Megan la miró fijamente y se volvió. En sus ojos había rabia y tristeza y una terrible expresión de víctima traicionada. Acto seguido, se metió en la furgoneta seguida por su hermana, que ocupó el asiento de copiloto junto a su padre. Cuando Peter puso en marcha el motor, los tres la saludaron en señal de despedida y mientras se alejaban, el rostro de Tanya se cubrió de lágrimas. Furgoneta y limusina salieron del aparcamiento la una detrás de la otra y Tanya siguió diciéndoles adiós. Los dos vehículos se dirigieron el uno junto al otro hacia la autopista y, una vez en la bifurcación, la furgoneta tomó dirección norte y la limusina dirección sur. Tanya siguió moviendo la mano hasta que les perdió de vista. Después, se reclinó en el asiento y cerró los ojos. Su ausencia le dolía físicamente. De repente, oyó que sonaba su móvil. Lo buscó en el bolso y contestó pensando que sería su hijo mayor que se había olvidado algo. Podía dar la vuelta y estar enseguida con él si necesitaba algo. Se preguntó si

Peter se habría acordado de darle suficiente dinero en efectivo. Hasta entonces, nunca había tenido ni cuenta corriente ni tarjeta de crédito, así que era su primer paso en la vida adulta y sus primeras responsabilidades.

No era Jason, era Molly.

—Te quiero, mamá —dijo con su característica dulzura.

No quería que su madre estuviera triste, ni su hermana enfadada, ni su padre solo. Siempre quería que todo estuviera al gusto de todos y rápidamente se prestaba a sacrificarse por los demás. Tanya siempre decía que se parecía a su padre, pero tenía una dulzura muy personal.

—Yo también te quiero, cariño —dijo Tanya dulcemente—. Que tengáis un buen viaje de vuelta.

—Tú también, mamá.

Tanya pudo oír la música de fondo de la furgoneta y la embargó la añoranza. Aunque le habría gustado poner esa misma música en la limusina, sabía que resultaría ridícula en aquel lugar. Aquel lujo hacía que se sintiera aún más sola. Ya no conseguía recordar por qué había dicho que sí, por qué a Walt, a Peter y a ella les había parecido tan buena idea. Ahora le parecía una estupidez. Se dirigía a Hollywood a escribir un guión y pasaría casi un año allí sintiéndose sola y desgraciada, mientras que en su hogar en Ross tenía una vida perfecta.

—Te llamaré mañana —le prometió Tanya a su hija—. Dales un beso a Meg y a papá y para ti un abrazo muy, muy fuerte.

—Otro para ti, mamá —dijo Molly y colgó.

Tanya siguió en la limusina rumbo al sur. Pensando en su familia, se puso a mirar por la ventana, demasiado triste para llorar.

4

Eran prácticamente las siete de la tarde cuando la limusina de Tanya enfiló la entrada del hotel Beverly Hills y se detuvo en el porche. Al instante, apareció un portero que la saludó educadamente mientras ella bajaba del vehículo y se hizo cargo de su equipaje. Tanya vestía unos vaqueros, una camiseta y calzaba unas sandalias. Enseguida se sintió demasiado informal. Se cruzó con varias chicas espectaculares que parecían sacadas de una pasarela de moda. Todas llevaban melenas rubias, una pedicura impecable, sandalias con tacones de vértigos y minúsculos shorts. Tanya, con el pelo recogido en una cola de caballo, se sintió como una auténtica extraña, totalmente fuera de lugar y embarazosamente vulgar. En aquel lugar, su aspecto de ama de casa de Marin no era precisamente el colmo de lo refinado. Por el contrario, las mujeres con las que se cruzaba, aunque algunas de ellas iban a medio vestir o ataviadas con camisetas que dejaban al descubierto la espalda o que eran prácticamente transparentes, le parecía que desprendían glamour a raudales. A Tanya le daba la sensación de que su aspecto se correspondía más con el de alguien que acaba de salir a rastras del patio trasero de su casa. Si añadía a todo aquello la fuerte impresión de haber tenido que decir adiós a Peter y a sus hijos, se sintió como si acabara de atropellarla un autobús o la hubieran arrastrado a campo traviesa, una expresión que le encantaba utilizar en sus telenovelas porque era muy descriptiva. Así se sentía Tanya en aquellos momentos: atacada, triste, aislada, perdida, sola.

El portero del hotel recogió su equipaje y le entregó una ficha con un número que Tanya a su vez debía dar al recepcionista. Tanya se situó discretamente detrás de una pareja de japoneses y de un grupo de Nueva York, sin perder de vista a la gente que paseaba por el recibidor del hotel y que, según ella, tenían todos un aspecto muy hollywoodiense. Cuando le llegó el turno, estaba tan distraída que no se dio cuenta de que el recepcionista estaba esperando detrás del mostrador a que se decidiese a acercarse.

—Oh... lo siento —se disculpó.

Tanya se sentía como una turista en medio de aquel vestíbulo majestuosamente reconstruido. Había comido en el restaurante del hotel un par de veces con los productores de una de sus más exitosas telenovelas, por lo que apreció los cambios decorativos.

—¿Se quedará mucho tiempo? —preguntó el joven cuando ella le dio su nombre.

—Nueve meses —respondió conteniendo las lágrimas y con gesto adusto—. Más o menos.

El recepcionista volvió a preguntarle su nombre y se disculpó de inmediato cuando se dio cuenta de quién era.

—Claro, señorita Harris, lo siento mucho. No me di cuenta de que era usted. El bungalow 2 está listo para usted.

—Señora Harris —le corrigió Tanya como si le hubiesen arrebatado algo.

—Claro. Tomo nota. ¿Tiene el número de sus maletas?

Tanya le tendió la ficha y el joven salió de detrás del mostrador para acompañarla hasta el bungalow. Sin saber por qué, sentía miedo, un deseo enorme de volver a casa y un rechazo absoluto a estar allí. Era como un niño en su primer día de campamentos. Tanya se preguntó si Jason se sentiría igual que ella en su residencia de estudiantes. Sospechaba que no y que, con toda seguridad, se lo estaría pasando en grande con sus nuevos compañeros. Probablemente era ella la que se sentía como la niña nueva de clase. En eso iba pensando mientras seguía al joven recepcionista por un estrecho camino rodeado de una frondosa vegetación. De pronto, se encontró frente al bungalow que iba a ser su hogar durante ¿cuánto tiempo? Como mínimo hasta que la posproducción estuviera acabada, es decir, hasta el mes de junio. Un total de nueve meses que a Tanya, sin Peter y sin sus hijos, se le antojaba una eternidad. Los nueve meses de espera de sus embarazos habían sido, sin duda, más divertidos. Ahora tenía que dar a luz un guión.

Al entrar en el bungalow se encontró en una salita de estar, presidida por un inmenso jarrón de flores casi tan alto como ella. El ramo —el más impresionante que Tanya había visto nunca y que perfumaba toda la estancia con su exótico aroma— estaba compuesto de rosas, lirios, orquídeas y unas gigantescas flores que jamás había visto. La sala parecía recién pintada de un rosa pálido y había cómodos muebles y una enorme televisión. Más allá, vio la pequeña cocina y el comedor. El dormitorio hizo que se sintiera una estrella de cine, pero rápidamente se dio cuenta de que aquello era el dormitorio de invitados, porque el suyo era aún más grande, había una gigantesca cama, tenía las paredes pintadas de un rosa palidísimo y los muebles que acompañaban al lecho eran enormemente elegantes. En una de las paredes se abría la puerta que conducía a un espectacular baño de mármol rosa con una inmensa bañera con jacuzzi. Junto a la bañera, había un montón de toallas, un albornoz con las iniciales de Tanya en el bolsillo y una inmensa cesta con todo tipo de lociones y cremas.

En una cubitera plateada, en medio de la sala de estar, esperaban a Tanya una botella de champán y una enorme caja de sus bombones favoritos. No sabía cómo habrían averiguado cuál era su marca preferida, como tampoco supo, al abrir la nevera, cómo habían sido capaces de atiborrarla con su comida predilecta. Era como si su hada madrina hubiera estado preparando su llegada. Sobre el escritorio había una carta que abrió inmediatamente. Era breve y estaba escrita a mano con un trazo fuerte y masculino:

> Bienvenida a casa, Tanya. Te estábamos esperando. Nos vemos en el desayuno.
>
> DOUGLAS

Douglas había logrado averiguar los gustos de Tanya, quizá hablando con Walt, o incluso con Peter, o probablemente a través de su secretaria. Todo había sido preparado con exquisita perfección. En el dormitorio principal le habían dejado un albornoz de cachemir de Pratesi a juego con unas zapatillas también de cachemir de su número, todo obsequio de Douglas. Pero la mayor sorpresa para Tanya fue descubrir que habían colocado fotos enmarcadas de sus hijos en el bungalow. No cabía duda de que Peter y Douglas habían estado en contacto y que su marido era el responsable de que las fotos estuvieran junto a ella en esos momentos. Para no estropear la sorpresa, Peter no le había dicho ni una palabra. Estaba claro que él y Douglas habían hecho todo lo posible para que Tanya se sintiera en casa. Descubrió incluso un enorme cuenco de caramelos M&M's y barritas de chocolate Snickers. En uno de los cajones del escritorio, encontró un montón de bolígrafos y lápices y varios paquetes de folios, algo indispensable para su trabajo. Aunque Tanya llevaba ya dos meses trabajando en el guión, quería añadir algunos retoques aquella noche antes de la reunión del día siguiente en la que hablarían del proyecto. Todavía estaba admirando lo que veía a su alrededor cuando llegaron sus maletas; al mismo tiempo, sonó el móvil. Era Peter, todavía en el coche camino de casa.

—Bueno, ¿qué tal todo? —le preguntó, divertido.

—Así que te llamaron, ¿no?

Solo su marido y sus hijos... —ni siquiera Walt— conocían sus gustos con tanto detalle.

—¿Llamarme? Me mandaron un cuestionario exhaustivo. Ni siquiera para donar sangre había respondido a tantas preguntas. Querían saberlo absolutamente todo, hasta el pie que calzas.

Era evidente que Peter se sentía feliz por su esposa y que estaba contento al saber que estaban mimándola. Consideraba que merecía aquel trato y quería que tuviera una experiencia muy especial. Llevaba la situación con elegancia y con cariño.

—Me han obsequiado con una bata y unas zapatillas de cachemir, caramelos M&M, todos los potingues que utilizo y mi perfume favorito... ¡por Dios! —comentó Tanya riéndose—. Y la comida que más me gusta.

Tanya se sentía como una cazadora de tesoros que iba descubriendo todo lo que le habían dejado exclusivamente para ella. Sobre la cama, había un camisón de tirantes de satén y una bata a juego. Y sobre la mesilla de noche, varios libros de sus autores preferidos.

—Me gustaría que estuvieras aquí —musitó Tanya al teléfono sintiendo que la invadía de nuevo la tristeza—, y también los niños. Les encantaría. Me muero de ganas de que vengáis y lo veáis con vuestros propios ojos.

—Cuando tú quieras, cariño. ¿Crees que necesitarán también mi número de pie? —preguntó Peter bromeando.

—Deberían. Tú eres el verdadero héroe. Si no fuera por ti, no estaría aquí.

—Me alegro de que te estén tratando bien. La vida en Ross te parecerá muy gris después de eso. A lo mejor debería empezar a comprarte chocolatinas y perfumes yo también, no vaya a ser que no quieras volver a casa.

Aunque Peter estaba feliz por lo que le estaba ocurriendo a Tanya, en su voz se notaba que la echaba de menos. Había actuado por pura empatía, pero ahora él también se daba cuenta de lo dura que era la separación.

—Me gustaría poder ir a casa ahora mismo —continuó Tanya yendo de una habitación a otra con el móvil en la mano—. Dejaría todo esto sin dudarlo un instante a cambio de poder estar en Ross. Y no tienes que comprarme nada. Solo te quiero a ti.

—Yo también, cariño. Disfrútalo. Siéntete un poco Cenicienta.

—Sí, pero me resulta tan extraño. Entiendo que la gente pierda la cabeza después de vivir así un tiempo. Es todo tan irreal... Tienes a tu alcance todo lo que te gusta, champán, bombones, flores... Supongo que es como tratan a las estrellas de cine. A mí los productores de las telenovelas no me cuidaban así. Si me invitaban a comer un par de veces, podía darme por satisfecha.

Aunque Tanya no tenía necesidad de ninguno de esos regalos, le resultaba divertido descubrir lo que habían preparado para ella.

—¿Cómo va el viaje? —preguntó a su marido.

—Bien, sé que las chicas están dormidas porque al apagar la radio nadie se ha puesto a dar alaridos.

Tanya se echó a reír pero, al mismo tiempo, sintió una punzada de tristeza.

—No vayas a dormirte tú también. ¿No te iría bien volver a poner la radio o algo de música?

—Nada de eso —gruñó Peter—. Me gusta el silencio. Estos chavales estarán todos sordos antes de cumplir los veintiuno. Creo que yo ya lo estoy.

—Si estás cansado, para o pide a una de las chicas que conduzca.

—Estoy bien, Tan. ¿Qué vas a hacer ahora?

Tanya sabía que Peter estaba intentando imaginarla en aquella nueva vida. Pero también sabía que no podría acercarse ni remotamente a la realidad de todo lo que la rodeaba. Era como una película. Porque de repente, alojada en aquel magnífico bungalow del hotel Beverly Hills y a pesar de seguir con sus vaqueros y su camiseta, Tanya se sentía muy refinada.

—No lo sé, a lo mejor me doy un baño en el jacuzzi como una reina —comentó Tanya riéndose.

Como una niña con zapatos nuevos, le fue contando a su marido cómo era el cuarto de baño, por supuesto mucho más lujoso que el de su casa, que además, después de dieciséis años, estaba ya bastante ajado. Siempre hablaban de reformarlo, pero nunca encontraban la ocasión. El del bungalow era totalmente nuevo y mucho más lujoso del que ellos podrían llegar a tener nunca.

—También me probaré mis zapatillas y el albornoz nuevos. Y llamaré al servicio de habitaciones.

No tenía hambre pero le apetecía que le sirvieran la cena. El cuidado por los detalles y los extravagantes regalos le parecían divertidos. Acababa de descubrir una cajita de plata con sus iniciales, dentro de la cual habían guardado clips de los que utilizaba ella para sujetar los folios exactamente del tamaño que a ella le gustaban. No habían descuidado un solo detalle, pero de todos, el que más enternecía a Tanya eran las fotos enmarcadas de Peter y los niños, ya que hacían que se sintiera como en casa. Además, Tanya llevaba en la maleta media docena más de fotografías. Colocó varias de ellas junto a la cama y otras en el escritorio, de tal modo que pudiera ver a su familia en todas las habitaciones del bungalow.

—Qué ganas tengo de que vengas a verme. Podríamos ir a cenar a Spago o a algún sitio así, o quedarnos aquí en la cama. Creo que sería mejor esto último, ¿no crees?

Había un restaurante excelente en el hotel pero lo que más deseaba era estar en la cama con su marido. Habían hecho el amor aquella misma mañana, tierna y maravillosamente, como siempre. Así había sido desde el principio, pero con los años, sus relaciones sexuales habían mejorado y Tanya disfrutaba de la confortable familiaridad del sexo matrimonial. Llevaban juntos la mitad de la vida de Tanya y casi la mitad de la de Peter.

—Cuando vengas, será como una luna de miel —dijo ella riéndose con picardía.

—Me parece una buena idea —replicó Peter—. Esta semana mi vida no será precisamente una luna de miel. Margarita se ocupará de la colada de las chicas, ¿verdad?

Cuando Tanya tomó la decisión de marcharse a Los Ángeles, pidió a la mujer que la ayudaba con las tareas de la casa que fuera más horas. Si Peter estaba muy ocupado, ella se encargaría también de hacerles la cena y dejarla en la nevera. No porque las chicas no fueran capaces de ocuparse de la cena, pero en ocasiones volvían tarde de sus partidos y Peter llegaba tan cansado que no podía ni probar bocado, así que menos aún cocinar. Las mellizas se habían comprometido a ocuparse de su padre en noches como aquellas.

Por el contrario, Tanya podría disfrutar cuando quisiera del servicio de habitaciones. De repente, se vio como una niña mimada y se sintió muy culpable. En realidad, no había hecho nada para merecer aquello y era impresionante empezar de aquel modo.

—Te llamaré cuando lleguemos a casa —le prometió Peter.

Después de colgar, Tanya se dirigió al baño. Por un momento y después de hablar con Peter, hasta se sintió feliz. Aceptaba ser una niña consentida. Pero cómo le habría gustado mostrar aquel baño a las chicas o compartir la gigantesca bañera con Peter. De vez en cuando se daban un baño juntos y en aquel espacio gigantesco sería fantástico.

Se preparó un baño con sales perfumadas y disfrutó de él y del relajante vapor durante casi una hora. Al salir, se puso el camisón de satén y, encima, la bata de cachemir de un tono rosa muy suave. Las zapatillas eran de un color idéntico. Cuando llamó al servicio de habitaciones, eran ya las nueve. En la cocina del bungalow tenía todas sus marcas preferidas de té, pero de todos modos pidió uno, una tortilla y una ensalada verde. La cena le llegó con una rapidez pasmosa y Tanya se instaló a cenar frente al televisor. Para su enorme felicidad, descubrió que había un grabador TiVo en el bungalow.

Después de cenar, Tanya apagó la televisión y colocó su portátil sobre el escritorio. Quería repasar algunas notas que había tomado aquella última semana para introducir cambios en el guión y, además, quería refrescarse la memoria antes de la reunión del día siguiente. Llevaba el guión bastante adelantado y el borrador que había enviado al director y al productor parecía gustarles. Hasta el momento, sus exigencias habían sido más que razonables.

Cuando terminó de trabajar, eran más de las doce. Después de apagar el ordenador, se quedó tumbada en la cama. Se le hacía extraño pensar que aquel iba a ser su hogar durante varios meses. No podía negar que lo habían transformado en un lugar realmente agradable y que habían hecho todo lo imaginable, y más, para convertirlo en un lugar de cuento de hadas. Mientras esperaba a que Peter y las niñas llegasen a casa, volvió a encender la televisión. No quería dormirse sin asegurarse de que habían llegado sanos y salvos a casa. Cuando, sobre las doce y media, llamó al móvil de Peter estaban ya en el Golden Gate, a menos de media hora de casa. El viaje había transcurrido sin problemas y las mellizas volvían a estar despiertas. Habían hecho una parada para cenar algo en un McDonald's de carretera. De nuevo, Tanya se sintió culpable por el lujo que la rodeaba. Arropada en su nueva bata de cachemir rosa, relajada y cómodamente tumbada en su gigantesca cama, se sentía como una reina, o al menos como una princesa. Así se lo explicó a Molly cuando habló con ella. Aunque también quiso hablar con su otra hija, Megan estaba charlando con una amiga por el móvil y ella no quiso interrumpir la conversación.

Tanya se preguntó cuánto tardaría Megan en volver a tratarla con normalidad. Llevaban ya dos meses de tormento y no parecía que su enfado fuese a aflojar en breve. Aunque Peter estaba convencido de que pronto cambiaría de actitud, Tanya no estaba tan segura. Megan era capaz de guardar rencor eternamente y, además, estaba deseando hacerlo. Después de una traición —o lo que ella sentía como tal— no perdonaba jamás. Se regía por un código ético propio y aquella exigencia para con su madre era fruto de la gran cantidad de tiempo que Tanya le había dedicado siempre. Aquel cambio inesperado y sin preaviso la había dejado fuera de combate y no podía tomárselo bien. Molly la había acusado de comportarse como una arpía, pero Tanya sabía que debajo de aquella actitud de abierta hostilidad, Megan era una niña asustada y apenada. Así que sistemáticamente le perdonaba sus ariscas palabras. Si Megan consideraba que su madre les había traicionado, no se trataba de ninguna nimiedad y Tanya sospechaba que pasaría mucho tiempo antes de que Megan y ella volvieran a tener una relación cordial. Si es que volvían a tenerla algún día.

Tanya estuvo hablando con Peter hasta que su familia llegó a casa y su marido tuvo que colgar para bajar del coche y ayudar a las chicas a sacar el equipaje. De nuevo Tanya se sintió culpable por no poder estar allí con ellos y Peter le repitió una vez más que se las arreglarían. Le dio un beso de buenas noches y le prometió que la llamaría a la mañana siguiente para que le contase cómo había ido la reunión.

Tanya llamó a recepción para que la despertaran a las seis y media. A la una y media de la madrugada, apagó la luz y se quedó despierta en la oscuridad preguntándose qué estarían haciendo sus hijos. Se imaginó a las mellizas en su dormitorio y a Peter picando algo antes de acostarse. Cuánto deseaba estar con ellos. Qué extraño le parecía estar en aquella habitación del hotel Beverly Hills sola, vestida con un camisón nuevo de satén y con la sensación de que estaba rehuyendo todas sus responsabilidades y obligaciones. Se quedó despierta mucho rato, incapaz de dormirse sin los brazos de Peter alrededor de su cuerpo. Hacía siglos que no pasaban una noche separados, ya que solo se separaban cuando Peter tenía que viajar por motivos de trabajo y, en esas ocasiones, Tanya solía acompañarle. Aquello era algo muy insólito en sus vidas.

A las tres y con la televisión encendida, finalmente se durmió. El teléfono la despertó de golpe a las seis y media. Había dormido poco y estaba cansada, pero quería levantarse con tiempo suficiente para repasar algunas partes del guión y para estar completamente despejada en la reunión. Se había citado con Douglas y con el director en el Polo Lounge.

Se vistió con unos pantalones deportivos de color negro, una camiseta y sandalias. Antes de salir, se puso una chaqueta vaquera. Iba vestida como si fuera una de sus hijas, o como habría ido vestida en Marin; se preguntó si las mellizas aprobarían un atuendo tan sencillo. Echaba de menos no poder pedirles su opinión. Se recordó a sí misma que no era una actriz y que a nadie le importaba su aspecto. Estaba en Hollywood para hacer un buen guión y no para que la gente se fijara en ella. Lo que de verdad importaba era la calidad del guión y Tanya estaba segura de que era bastante bueno. Metió en su enorme bolso de Prada una copia del trabajo y, en el último momento, decidió lucir unos diminutos pendientes de diamantes que Peter le había regalado en Navidad. Eran unos pendientes preciosos y aunque en Marin no habrían sido el complemento apropiado para una reunión de primera hora de la mañana, allí en Los Ángeles quedaban bien. En cuanto entró en el restaurante supo que había hecho bien al ponérselos. Sin ellos, aún se habría sentido más fuera de lugar de lo que ya se sentía. Porque al observar a la gente que ocupaba las mesas del desayuno, se sintió como una auténtica paleta.

En el restaurante solo se veía a hombres con aspecto importante y a mujeres hermosas, algunas de ellas, famosas. Varias mujeres despampanantes estaban sentadas en grupo o en parejas, disfrutando del desayuno. Había algunas mesas ocupadas por grupos únicamente masculinos y otras por alguna pareja formada por un hombre de mediana edad acompañado de una chica bastante más joven. En un rincón apartado y tranquilo estaba Sharon Osbourne con una mujer más joven. Ambas iban vestidas con ropa de grandes firmas y lucían anillos y pendientes con enormes diamantes. Un poco más allá, estaba Barbara Walters acompañada de tres caballeros. Todo el comedor estaba lleno de gentes del mundo cinematográfico y era evidente que en muchas de las mesas se estaban haciendo negocios, intercambiando ideas, contratos y dinero. Aquella sala desprendía poder y todo el Polo Lounge transmitía éxito.

En cuanto Tanya echó un vistazo a su alrededor, se dio cuenta de que iba vestida de una forma llamativamente informal. Barbara Walters vestía un traje de lino de color beige de Chanel y perlas a juego con el tono del vestido y Sharon Osbourne llevaba un vestido negro muy escotado. Los rostros de la mayoría de las mujeres evidenciaban la intervención del bisturí y el resto parecían anuncios de colágeno y Botox. A Tanya le pareció que el suyo era el único rostro sin retocar de todo el restaurante. Se recordó de nuevo que no estaba allí por su aspecto sino por su forma de escribir. Pero a pesar de ello, resultaba abrumador estar en medio de todas aquellas mujeres hermosas y exquisitamente arregladas. Era imposible competir con ellas, así que era mejor que ni lo intentara y se limitara a ser ella misma.

Tanya dio al *maître* los nombres del productor y del director de la película y este la acompañó inmediatamente hasta una mesa en un rincón. Reconoció a Douglas Wayne al instante y, nada más verle, también reconoció a Max Blum, el director, un profesional con cinco Oscar en su haber. Cuando Max le dijo que era un honor trabajar con ella y que le encantaba su trabajo, a Tanya casi se le cortó la respiración. Enseguida descubrió que Max había estado leyendo todo lo que Tanya había publicado en *The New Yorker*, desde sus comienzos, así como todos sus ensayos, sin olvidar su libro de relatos. También había repasado prácticamente todas sus telenovelas, ya que el director quería estar al corriente de toda su producción, su registro, su estilo, su sistema de trabajo, su sentido del humor y del drama y su punto de vista. Comentó que, hasta el momento, le había gustado todo lo que había visto, así que, en su opinión, la elección de Douglas había sido un acierto y consideraba un éxito haber cerrado el contrato con ella como guionista. Douglas compartía enteramente la opinión de Max.

Al verles de pie junto a la mesa para recibirla, Tanya se había fijado inmediatamente en lo distintos que eran. Max era bajito, regordete y alegre; tenía unos cálidos ojos color castaño, era calvo y llevaba barba. Tenía unos sesenta y tantos años y llevaba cuarenta como ilustre director de Hollywood. Era solo un poco más alto que Tanya y tenía cara de fraile, o más bien parecía un elfo de cuento de hadas. Era amable, cordial y poco ceremonioso. Iba vestido con unos vaqueros, una camiseta y zapatillas de deporte. Probablemente el adjetivo que mejor le describiría era «acogedor», una de esas personas junto a las que uno quiere sentarse, tomarle las manos y contarle sus secretos más íntimos.

Douglas era completamente distinto. Recordaba a Gary Cooper en su madurez. Tanya sabía que tenía cincuenta y cuatro años. Era alto, delgado, enjuto, con un rostro de facciones angulares, ojos que parecían de acero y de un penetrante azul, una buena mata de cabello plateado perfectamente cortado, e iba impecablemente afeitado. El adjetivo que mejor le describía era «frío». Llevaba unos pantalones color gris perfectamente planchados, una camisa azul y un jersey de cachemir en los hombros. Cuando Tanya bajó la vista, se dio cuenta de que calzaba unos mocasines de piel de cocodrilo marrón. Todo en Douglas reflejaba dinero y estilo pero, sobre todo, poder. No había duda alguna de que era alguien importante. Daba la sensación de que pudiera comprar y vender todo el comedor del restaurante. Cuando miró a Tanya, pareció que la atravesara con la mirada. Mientras la intrascendente cháchara con Max resultaba cómoda y el director se las ingeniaba para hacer que se sintiera como en casa, Douglas parecía estar diseccionándola, lo que le causaba una sensación enormemente incómoda.

—Tienes unos pies muy pequeños —fue lo primero que le dijo Douglas una vez se hubo sentado.

Tanya se preguntó si tendría rayos X en los ojos para poder ver sus pies a través de la mesa. No se le ocurrió pensar que, en realidad, Douglas había estado estudiando atentamente el cuestionario que su secretaria había estado rellenando con la ayuda de Peter y de Walt para poder comprarle los regalos de bienvenida. Antes de comprar las zapatillas Pratesi y el albornoz a juego, se había fijado en el número de pie de Tanya. Él había sido quien había decidido que fueran de color rosa y era él quien tenía la última palabra en todo, hasta en los detalles más nimios o en las cosas más triviales. Aunque para Douglas, nada era trivial. También había sido él quien había dado la aprobación final al camisón y a la bata de color rosa, después de indicar que debían comprar algo hermoso pero no demasiado sexy. Sabía por su agente que Tanya estaba casada y era madre de familia; Walt incluso le había confesado que la guionista había estado a punto de dejar pasar la oportunidad para quedarse en casa a cuidar de sus dos hijas. También le había explicado que había sido finalmente Peter quien la había convencido para que tomara la decisión correcta, pero que no había resultado fácil. Así que Douglas sabía que no era el tipo de mujer a la que se le podía regalar un salto de cama sexy, sino que era alguien a quien debía tratar con respeto y con elegancia.

—Gracias por los regalos. Son preciosos —dijo Tanya con timidez.

Eran dos hombres tan importantes que se sentía intimidada e insignificante en su presencia.

—Todo me quedaba bien —añadió con precaución y sonriendo.

—Me alegra oírlo.

De no ser así, habrían rodado cabezas; aunque Tanya no lo sabía, claro está. Viendo a Douglas, resultaba difícil creer que fuera un adicto a las telenovelas como las que escribía Tanya. Se lo imaginaba enganchado a otro tipo de programas más experimentales. Se preguntó cuánta gente le habría dicho ya que se parecía a Gary Cooper. Aunque no tenía confianza suficiente para comentar su aspecto físico, el parecido era impresionante. Por su parte, Max le recordaba cada vez más al enanito bonachón de Blancanieves.

En aquellos primeros momentos de la conversación, Tanya se dio cuenta de que Douglas no le quitaba los ojos de encima; tenía la impresión de que la estaban analizando al microscopio. Y, en efecto, así era. Nada escapaba a su sagaz mirada.

Cuando empezaron a hablar del guión, Douglas se relajó y se mostró más amable, animado y entusiasmado. Y cuando Tanya empezó a explicar los cambios del guión, empezó a reírse.

—Me encanta tu forma de entender la comedia, Tanya. Siempre adivino si eres tú quien está detrás del guión de mis telenovelas favoritas. Si empiezo a partirme de risa, sé que lo has escrito tú.

Ni el guión ni la película ofrecían espacio para grandes dosis de humor, pero Tanya había introducido alguna nota humorística y los tres consideraban que funcionaba bien. Era característico de su estilo esa combinación de humor y calidez, que añadía en su justa medida. Hasta en las escenas más humorísticas que escribía, Tanya lograba introducir un elemento que tocaba la fibra sensible y transmitía su calidez innata.

Cuando terminaron el desayuno, Douglas estaba mucho más relajado. Tanya se dijo que tal vez era un hombre muy tímido. Parecía que se hubiera derretido el hielo que le rodeaba al principio de la reunión. Y es que tal como Max, maravillado, le comentó después a un amigo, Tanya tenía a Douglas comiendo de la palma de su mano. Así era: el productor parecía totalmente obnubilado.

—Eres una mujer fascinante —dijo observándola intensamente de nuevo—. Tu agente me comentó que estuviste a punto de no hacer la película porque no querías dejar a tu marido y a tus hijos. Me parecía tal locura, que imaginé que te presentarías en el hotel como una madre naturaleza, con trenzas y zuecos. Sin embargo, eres una persona totalmente normal. —Era una mujer hermosa, juvenil y discretamente vestida—. Ni siquiera tienes aspecto de madre. Y has sido lo bastante inteligente como para dejar a tu marido y a tus hijos en casa y tomar la decisión correcta para tu carrera.

—En realidad, no fue exactamente así —confesó Tanya algo aturdida por los comentarios de Douglas.

Era evidente que Douglas no se mordía la lengua y decía las cosas tal como las pensaba. El poder y el dinero daban esas ventajas.

—Mi agente te dijo la verdad. Iba a rechazar la oferta; fue mi marido quien tomó la decisión por mí. Me convenció de que todo iría bien y se ha quedado él en casa con mis hijas.

—Oh, Dios mío, eso me suena demasiado casero —dijo Douglas casi con una mueca de desdén.

Max sonrió y asintió.

—¿Cuántos años tienen las gemelas? —preguntó Max con interés.

—Diecisiete. Son mellizas. Y tengo un hijo de dieciocho años que hoy mismo empieza en la universidad, en Santa Bárbara —explicó Tanya con una orgullosa sonrisa.

—Me alegro —dijo Max con un gesto de aprobación—. Yo tengo dos hijas que viven en Nueva York —continuó el director con satisfacción—. Una tiene treinta y cinco años y la otra treinta, abogada y psiquiatra, las dos casadas. Tengo tres nietos.

—Me alegro —dijo Tanya devolviéndole el cumplido.

Ambos, de manera inconsciente se volvieron hacia Douglas, que les miró con un gesto de incomprensión y luego, con una sonrisa, explicó:

—A mí no me miréis, yo no tengo hijos. Me he casado dos veces, pero no hay niños. Ni perro, y tampoco lo quiero. Trabajo mucho, siempre he trabajado demasiado, así que no he tenido tiempo para criaturas. En cierto modo, puedo llegar a admirar ese sentimiento que hizo que estuvieras a punto de quedarte en casa con tus hijos en lugar de escribir el guión. Pero no puedo decirte que lo entienda. A mí me parece que hay algo noble en este trabajo. Piensa en toda la gente que verá la película, en todas las vidas que recibirán la influencia de lo que escribas en ese guión, en la cantidad de gente que va a recordarlo.

A Tanya le pareció que daba excesiva importancia a su trabajo o a las películas en sí. Para ella, un niño era mucho más importante que mil películas. Era una vida. Sin embargo, esa idea de un ser humano destinado a influir en los demás... Tanya nunca había concedido semejante trascendencia a su escritura. Para ella, era algo con lo que disfrutaba y que hasta entonces había significado muchísimo. Pero siempre habían significado mucho más Peter y sus hijos. Douglas, en cambio, vivía para su trabajo. En cierto modo, sintió lástima por él.

A Tanya le pareció que a Douglas le faltaba algo, como si hubieran olvidado instalarle alguna pieza humana vital. Y sin embargo, era un hombre interesante, brillante, con una mente muy rápida. No podía saber qué le motivaba y Tanya pensó que quizá no lo sabría nunca. Parecía guiado y dirigido por un fuego interior que se reflejaba en sus ojos y que ella no comprendía. Era más agradable la amabilidad innata de Max. De cualquier modo, ambos eran hombres interesantes y sería excitante trabajar con ellos.

Estuvieron dos horas discutiendo acerca del guión. El productor le explicó lo que deseaba que hiciera después, los cambios que quería que introdujera, las sutilezas que todavía había que incluir. Tenía un afinado sentido de lo que hacía falta para convertir una película en algo extraordinario. Mientras le escuchaba, Tanya empezó a intuir cómo funcionaba su cerebro. Douglas era el fuego y la brillantez pura, mientras que Max era el complemento tranquilo que atemperaba la agudeza del productor. Había algo increíblemente fascinante en la personalidad de Douglas Wayne.

Estuvieron hasta casi mediodía trabajando en el Polo Lounge. Después, Tanya regresó al bungalow para hacer los cambios acordados. Douglas la había inspirado para trabajar con más profundidad el guión. Cuando Peter la llamó más tarde, Tanya intentó, sin éxito, explicarle aquellas sensaciones. Sin embargo, lo que el productor y el director le habían aportado le facilitó continuar trabajando; aquel día añadió algunas escenas maravillosas a la historia. A las seis seguía sentada a su mesa, satisfecha por un buen día de trabajo.

Por la noche, estaba tumbada en la cama mirando la televisión sin prestar demasiada atención, cuando recibió la sorprendente llamada de Douglas. Tanya le informó sobre todos los cambios que había hecho en el guión durante el día y el productor pareció encantado de comprobar que se había puesto en acción con tanta rapidez. Era como si Tanya en lugar de escuchar, hubiera absorbido sus palabras y estas hubieran penetrado en ella de manera inmediata.

—Ha sido una buena reunión. Me parece que has sacado la inspiración adecuada del libro, sin dejar que te condicione. Tengo muchas ganas de ver lo que has hecho hoy —le comentó Douglas.

—Trabajaré un poco más mañana —prometió Tanya. Había estado pensando en volver a repasar el guión aquella noche pero sabía que estaría demasiado cansada—. Si lo veo bien, te lo mandaré el miércoles por la mañana.

—¿Por qué no comemos juntos y me lo enseñas? ¿Qué tal el jueves?

Aunque durante la reunión de la mañana, Tanya ya había

tenido la sensación de que iban a trabajar codo con codo, la invitación le dejó anonadada. Se había sentido muy cómoda con Max, pero no con Douglas, ya que, mientras el primero era de trato fácil, el segundo era duro como el acero y frío como el hielo. Sin embargo, al mismo tiempo, le parecía una persona interesante e intuiría, de forma puramente instintiva, que debajo del hielo había algo más cálido y que la parte racional escondía otra más humana.

—El jueves me parece perfecto —contestó Tanya sintiéndose algo extraña.

No le iba a resultar tan cómodo estar con Douglas sin la compañía de Max. El director era afable, cordial y todo en él invitaba a la comodidad. Además, tenían más cosas en común: a ambos les gustaban los niños, por ejemplo. Douglas era como un baúl sellado y aunque era tentador arriesgarse a descubrir quién era, Tanya tenía la sensación de que hacía mucho tiempo que nadie escalaba los muros que rodeaban a aquel hombre; quizá nunca nadie los había escalado. De cualquier modo, eran muros bien custodiados y Douglas no dejaba que los intrusos salvasen el cerco que rodeaba a su persona, ya que mostraba muy poco de sí mismo.

Durante la reunión del desayuno, Tanya se había dado cuenta de que el productor la había estado analizando, buscando sus puntos débiles. Todo en él era poder, control y posesión de los demás. Sin embargo, Tanya tenía las cosas claras: Douglas había comprado sus servicios como guionista, pero no era su dueño. También se había percatado de que acercarse demasiado a él podía ser peligroso. Por el contrario, Max la había recibido con los brazos abiertos.

—Daré una cena en mi casa para el equipo el miércoles por la noche —añadió Douglas. Tanya se dio cuenta de que la estaba tanteando, como si diera vueltas a su alrededor evaluando las posibilidades de abordarla—. Me gustaría que vinieras. Se trata de una fiesta para las grandes estrellas y los actores de reparto.

Era un reparto de lo más glamouroso y Tanya tenía muchas ganas de conocer a todos los integrantes del equipo. Además, conocer su forma de moverse y su estilo la ayudaría a perfeccionar el guión. Aunque los conocía prácticamente a todos por sus películas, no era lo mismo que verles en carne y hueso. Sería divertido y emocionante. Aquel era un mundo totalmente nuevo para ella. Se acordó del vestido de noche negro que había metido en la maleta y se alegró de haberlo cogido. De no ser por aquella prenda, no habría tenido más remedio que asistir a la fiesta con los pantalones negros que se había puesto aquella mañana o con los vaqueros. Si Douglas había asistido al desayuno vestido con tanta elegancia, una cena en su casa sería aún más formal.

—Mandaré mi coche a recogerte. Ah, y no hace falta que te arregles demasiado. Es una fiesta informal y la gente vendrá en vaqueros.

—Gracias —respondió Tanya sonriendo—. Me acabas de solucionar un tremendo problema de vestuario. No he traído mucha ropa. Pensé que iba a estar casi todo el día trabajando y tengo la intención de volver a casa los fines de semana.

—Lo sé —dijo él con una risa un poco desdeñosa—. Con tu marido y tus hijos.

Lo decía como si fuera algo de lo que tuviera que sentirse avergonzada, como un mal hábito del que tuviera que aprender a prescindir. Así era como lo veía él, a pesar de que tenía dos matrimonios a sus espaldas. Además, había dejado muy claro que sentía aversión por los críos. Cuando había oído hablar de ellos a Tanya y a Max aquella mañana, se había puesto nervioso.

—¿Eres realmente tan normal como pretendes aparentar? —preguntó Douglas, divertido e intentando provocarla—. Por las cosas que escribes y la forma como tu mente funciona, tienes que ser mucho más profunda. No puedo imaginarte en el papel de ama de casa en una urbanización preparando el desayuno a tus hijos.

—Eso hago en la vida real —dijo ella sin mostrar vergüenza alguna, consciente de que Douglas la estaba presionando para ver cómo lo encajaba y cuál era su reacción—. Me encanta. He pasado así los últimos veinte años de mi vida y por nada renunciaría a un solo minuto con ellos.

Tanya pronunció esas palabras con orgullosa satisfacción, sabedora de que en su vida había hecho lo que tenía que hacer.

—Entonces, ¿por qué estás aquí? —preguntó Douglas sin rodeos y guardando silencio a la espera de su respuesta.

—Para mí, esto es una oportunidad de oro —respondió Tanya con sinceridad. La pregunta de Douglas era razonable; ella misma se la había hecho en varias ocasiones—. Pensé que no volvería a tener una oportunidad así. Quería escribir este guión.

—Y has dejado a tu marido y a tus hijos para hacerlo —afirmó Douglas haciendo de abogado del diablo e intentando llevarla a su terreno—. Quizá no estés tan aburguesada como crees.

—¿Es que no puedo serlo todo? ¿Mujer, madre y escritora? No son excluyentes.

—¿Te sientes culpable por estar aquí, Tanya? —preguntó él haciendo caso omiso de su respuesta y con poco disimulado interés.

El productor quería saber más de ella y Tanya también estaba interesada en él. No era un interés sexual, pero no podía ocultar que le parecía alguien intrigante y un constante desafío. Cuando hablaba, lanzaba la piedra y escondía rápidamente la mano, como una sibilina serpiente.

—A veces me siento culpable —admitió Tanya—. Sobre todo antes de venir. Pero ahora que estoy trabajando, me siento mejor. Estar en Los Ángeles empieza a tener sentido.

—En cuanto empecemos a rodar te sentirás todavía mejor, ya lo verás. Es adictivo, como una droga que necesitas consumir una y otra vez. Cuando acabemos la película, querrás más. Es lo que nos ocurre a todos y es la razón por la que seguimos en esto. No podemos soportar que un rodaje acabe. Ni siquiera hemos empezado, pero me parece que a ti ya te está pasando.

El comentario de Douglas tocó una fibra sensible en Tanya y sintió miedo. ¿Y si tenía razón y era adictivo incluso para ella?

—Cuando acabe, no querrás volver, Tanya. Buscarás a alguien que te consiga otra película. Creo que nos lo pasaremos bien trabajando juntos —concluyó el productor en un tono que a Tanya le hizo pensar en Rasputín.

Lamentó haber aceptado su invitación para comer. Aunque quizá solo la estaba poniendo a prueba para ver cómo era en realidad.

—Aunque espero disfrutar con la película —dijo ella con serenidad—, espero que no sea tan adictivo como dices. Mi intención es volver a la vida real en cuanto esto acabe, así que estoy aquí de prestado, no en venta.

Tanya sentía que Douglas era un entrenador de un deporte de alto riesgo en el que ella solo era una aficionada y él un manipulador redomado.

—Todos estamos en venta —afirmó él con rotundidad—, y aunque a los demás les parezca una fantasía, para nosotros, esto es la vida real. Por eso la llaman la ciudad de los sueños. Es embriagador, ya lo verás, no querrás volver a tu antigua vida.

Lo repetía, convencido de su afirmación.

—Sí, querré. Tengo un marido y unos hijos que me están esperando. No me bastaría con esto. Pero sé que mientras esté aquí, aprenderé mucho. Doy gracias por haber tenido esta oportunidad —afirmó Tanya con la misma rotundidad que su interlocutor y en un tono que a Douglas le pareció de cabezonería.

—No tienes que agradecer nada, Tanya. No te he hecho un favor al traerte aquí. Tu trabajo es muy bueno y me gusta tu forma de ver el mundo, tus vueltas de tuerca y tus giros, la forma irónica con la que enfocas las cosas. Me gusta lo que pasa dentro de tu cabeza.

El productor comprendía el fondo de la escritura de Tanya. Había hecho sus deberes. Llevaba años leyendo su producción y Tanya, algo aterrorizada, se sentía como si estuvieran intentando penetrar en su cerebro. ¿O quizá solo estaba jugando con ella para ponerla nerviosa? Tal vez para él la vida era un juego, nada era auténtico y las películas eran la única realidad, razón por la que se le daba tan bien hacerlas.

—Creo que lo pasaremos bien trabajando juntos —repitió pensativo, como si saboreCase la idea—. Eres una mujer interesante, Tanya. Tengo la sensación de que todos estos años has estado representando el papel de ama de casa con marido y niños, pero sin serlo de verdad. Puede que no sepas siquiera quién eres y lo averigües estando aquí.

Las palabras de Douglas transmitieron a Tanya algo siniestro. Le resultaba incómodo que creyese que podía mirar en su interior y emitir juicios. Al fin y al cabo, lo que ella pensara o quién fuese realmente, no era de la incumbencia de aquel hombre.

—Creo que tengo una buena percepción de quién soy —replicó con calma.

Tanya también era consciente de lo distintos que eran. Douglas era un hombre seductor, lleno de glamour y tentador; encarnaba el atractivo de Hollywood. Frente a todo lo que él representaba, Tanya era la inocencia, una recién llegada proveniente de una vida que ella adoraba pero que a él le parecería tremendamente aburrida. Tanya solo quería formar parte del mundo de Douglas temporalmente, sin dejar de lado sus valores ni renunciar a su alma. Al igual que Dorothy en *El mago de Oz*, al acabar la película, quería volver a casa. No iba a dejar que las tentaciones de Hollywood la sedujeran. No olvidaría quién era: la madre de sus hijos y la esposa de Peter.

Douglas Wayne pertenecía a otro mundo, pero le había

ofrecido a Tanya la extraordinaria oportunidad de entrar en él durante un período de tiempo limitado. Aunque Tanya quería de verdad escribir aquel guión, no pretendía dejar de lado ni su vida ni su esencia. Quería aprender todo lo que él pudiera enseñarle y, después, regresar a Marin. Se alegraba de poder regresar a casa los fines de semana y así respirar el aire puro de su cotidianidad familiar cada viernes. No quería tener que elegir entre una vida y la otra. Quería las dos.

—Crees que sabes quién eres —insistió Douglas provocándola de nuevo—. Pero opino que no has empezado siquiera a conocer quién habita tu cerebro. Lo descubrirás aquí, Tanya, en estos meses. Para ti, esto es un viaje iniciático, una entrada en los sagrados ritos de tu nueva tribu.

Y modulando las palabras lentamente, continuó:

—Cuando te marches, nosotros seremos tan familia tuya como la que tienes ahora. El peligro está en que te enamores de esta vida y te sea difícil volver a la de antes.

Aunque algo asustada, Tanya no creía en sus palabras. Ella sabía a quién pertenecía y de quién era su corazón. No tenía dudas sobre su lealtad hacia Peter y sus hijos y estaba convencida de que podía trabajar allí sin perjudicar la relación que tenía con ellos. Sin embargo, Douglas había visto cómo mucha gente perdía la cabeza en Hollywood.

—Son palabras muy fuertes, señor Wayne —dijo despacio al tiempo que, mentalmente, levantaba muros para protegerse de las tentaciones que él le describía.

Tanya sentía el peligro y el poder del productor. Sin embargo, ella solo estaba trabajando para él, no le pertenecía.

—Este es un lugar muy fuerte —repitió él con la misma lentitud.

Tanya se preguntó si Douglas estaba intentando asustarla. Pero en realidad, solo la estaba advirtiendo de los peligros y de las trampas que escondía Hollywood, algo de cuya existencia Tanya ya estaba informada.

—Y tú eres un hombre fuerte —le concedió Tanya.

Estaba convencida de que ni él ni Hollywood iban a ser capaces de dominarla. Él era un hombre brillante y un genio en su trabajo. Pero ella era una mujer sólida, no una chiquilla deslumbrada por las luces de neón.

—Algo me dice que somos muy parecidos —admitió Douglas.

A Tanya aquello le sonó extraño, así que replicó:

—No lo creo. De hecho, creo que somos como la noche y el día.

Él era un hombre de mundo y ella no; él tenía poder, ella ninguno; la forma de vida que para Tanya era maravillosa, para Douglas era anatema. Pero la pureza y la claridad de Tanya constituían un desafío para el productor y la convertían en una mujer atractiva.

—Puede que tengas razón —dijo meditabundo—. Supongo que quería decir que somos complementarios, no iguales. Dos mitades de un todo. Llevo años fascinado por tu trabajo y siempre he sabido que algún día nos encontraríamos y trabajaríamos juntos. Finalmente ese momento ha llegado.

La estaba arrastrando a un terreno desconocido, algo que la inquietaba y la intrigaba a un tiempo.

—Creo que tuve una premonición con tu trabajo —continuó Douglas—. Me atrajo como las mariposas se sienten atraídas por la luz.

La luz de Tanya, recién llegada a Hollywood, brillaba con más fuerza que nunca. Tenía unas ganas enormes de empezar a trabajar con ella.

—Sabes lo que significa complementario, ¿verdad, Tanya? Dos mitades de un todo. Encajan perfectamente, se dan la una a la otra lo que les falta, como un condimento. Creo que, de algún modo, ambos podríamos aportar algo el uno al otro: yo podría añadir algo de salsa a tu vida y tú podrías aportar un poco de paz a la mía. Me parece que eres una persona muy plácida.

Nunca nadie le había dicho algo tan extraño en su vida y Tanya se sintió turbada. ¿Qué era lo que quería de ella? ¿Por qué le estaba diciendo aquellas cosas? Lo único que deseaba era colgar el teléfono y llamar a Peter.

—Soy una persona plácida —dijo Tanya con calma—. Lo que quiero, y por eso estoy aquí, es escribir un guión que funcione a la perfección.

Con una seguridad más aparente que real, concluyó:

—Todos trabajaremos juntos para que esta película sea especial.

Eso era cierto: Tanya quería hacer el trabajo lo mejor posible.

—No tengo ninguna duda de ello, Tanya —afirmó él con rotundidad—. Lo supe en cuanto aceptaste la oferta. Pero lo más importante es que sé que siendo tú la que escribes el guión, será perfecto.

—Gracias —respondió Tanya con seriedad, halagada ante la alabanza de Douglas—. Espero que el guión responda a tus expectativas.

Hablaba con formalidad y con sinceridad a la vez. Había algo en aquel hombre que la incomodaba y la atraía al mismo tiempo. Podía adivinar que era alguien que siempre conseguía lo que quería, y eso le hacía muy atractivo. Eso y su incansable determinación le habían convertido en el hombre que era.

Por lo demás, Tanya ya podía afirmar sin asomo de duda que Douglas Wayne era todo poder y control. Quería tenerlo todo controlado en todo momento. Y además, salir victorioso. No contemplaba otra opción. Douglas Wayne tenía un control completo, total y absoluto sobre todo lo que tocaba. Pero lo que Tanya sabía a ciencia cierta era que por muy poderoso, importante o brillante que fuera, jamás tendría control sobre ella.

5

La velada que Tanya pasó en la casa de Bel Air de Douglas Wayne resultó tan interesante, glamourosa y misteriosa como el anfitrión. La casa era una mansión de una belleza extraordinaria. Douglas la había adquirido bastantes años atrás, después de su primera película importante, y había ido haciendo reformas y añadiendo espacios, hasta convertirla en lo que era: una inmensa finca, llena de habitaciones para diferentes usos, todas elegantemente decoradas con antigüedades exquisitas y pinturas de un valor incalculable. Douglas tenía un gusto magnífico. Tanya se quedó prácticamente sin respiración cuando entró en el salón y se encontró frente a frente con uno de los famosos cuadros de Monet que representaba unos nenúfares. La escena que se estaba desarrollando en el jardín parecía un reflejo del cuadro: los miembros del reparto estaban sentados alrededor de una enorme piscina en la que flotaban gardenias y nenúfares, todo bajo la luz de las velas. En el segundo salón, había otro Monet aún más impresionante, dos Mary Cassatt y un imponente cuadro flamenco. Los muebles eran lujosos y masculinos, una interesante combinación de elementos británicos, franceses y rusos. En un rincón había una exquisita pantalla china y también era de origen chino el secreter vertical que había a su lado. Parecían piezas de museo.

Aunque todos los invitados iban con vaqueros, Tanya se

sintió ridícula y fuera de lugar con aquella prenda. Enseguida reconoció a dos de las estrellas del reparto: Jean Amber y Ned Bright. Jean había participado en una docena de importantes películas de Hollywood y con solo veinticinco años ya había sido nominada a tres Oscar. Su rostro era tan perfecto que parecía modelado. Llevaba un top de gasa transparente de color azul pálido, vaqueros y unas altísimas sandalias de color plata sujetas al tobillo por una cinta. Parecía que los vaqueros estuvieran pintados sobre su esbelto y largo cuerpo y su belleza era espectacular. Se estaba riendo de algo que le explicaba Max. El director hizo las presentaciones y Jean dirigió a Tanya una amplia sonrisa. Por un instante, le recordó a Molly. Tenía su misma mirada dulce e inocente y una larga y brillante melena de color ébano. La calidez de sus ojos hacía pensar que la fama todavía no la había echado a perder. Tendió delicada y amablemente la mano a Tanya.

—Me encantó tu libro. Se lo regalé a mi madre para su cumpleaños. Le gustan mucho los relatos.

—Gracias —respondió Tanya con una sonrisa e intentando no dejarse impresionar por la belleza de Jean, algo que no resultaba nada fácil.

Era muy emocionante conocer a una estrella tan importante y más aún trabajar con ella y escribir diálogos a los que ella daría vida. Tanya se sintió conmovida por la referencia a su libro y le sorprendió que a alguien tan joven le interesara su trabajo, máxime cuando la mayoría de los jóvenes eran más aficionados a las novelas que a los relatos.

—Eres muy amable. Tanto mis hijas como yo adoramos tus películas —dijo Tanya sintiéndose algo estúpida.

Pero Jean parecía encantada. A todo el mundo le gustan los halagos.

—Estoy muy emocionada por trabajar contigo en la película. Tengo muchas ganas de ver el guión —le comentó la joven.

Pronto comenzarían con las reuniones para discutir el

guión. Todos los actores tenían derecho a aportar sus comentarios, que se añadirían a los que Douglas, Max y la propia Tanya ya habían hecho. El trabajo se hacía siempre en equipo.

—Estoy trabajando mucho —le aseguró Tanya, algo intimidada—. Es un honor escribir un guión para ti.

En ese momento, se acercaron dos de los actores de la película y Max se los presentó tanto a Tanya como a Jean. El director les trataba a todos como si fueran hijos de los que estaba orgulloso. De algún modo, al iniciar el rodaje de una película, se creaba una nueva familia: nacían relaciones personales, se establecían vínculos, surgían breves romances, y, de vez en cuando, surgían amistades que duraban toda la vida. Se generaba un microcosmos del cual podía llegar a quedar algo, aunque casi todo desaparecía. Pero durante el rodaje de la película, parecía que fuera a durar para siempre y que aquello fuera la vida de verdad. Se asemejaba a la cuidadosa arquitectura que sostendría una mágica torre de naipes parecida al Taj Mahal: hermosa, delicada, impresionante, hechizadora. Cuando la película terminaba, se derrumbaba como un castillo de arena y todos los personajes se dispersaban e iniciaban otra construcción en algún otro sitio.

Pero aquel mundo poseía una magia increíble que a Tanya le parecía fascinante. Todo tenía una apariencia real, trabajarían juntos con toda su energía y creatividad y creerían con fuerza en lo que estaban construyendo. Después, cuando todo aquello se convirtiese en celuloide, se desvanecería en la niebla y dejaría de existir. Pero en aquel momento, era absolutamente real para todos los presentes y la película sería la prueba imperecedera de aquella magia.

Era muy emocionante formar parte de todo aquello. Mientras Tanya observaba a la gente que la rodeaba charlando, riendo, todos con una copa de champán en la mano, se acordó de lo que Douglas le había dicho por teléfono sobre la adicción que generaba el cine y cómo después de una temporada en Hollywood y de saborear sus tentaciones, querría más, sería incapaz de volver a su antigua vida y convirtiría aquel lugar en su casa. Tanya no quería que aquellas palabras del productor fueran ciertas. Sin embargo, mientras paseaba la vista por la fiesta, podía sentir esa atracción.

A pesar de que al principio se sintió un poco al margen, conforme Max le fue presentando al resto de asistentes a la fiesta —estrellas jóvenes y bellas, hombres jóvenes y maduros muy atractivos—, empezó a estar más cómoda en su compañía. Era sorprendente lo fácil que resultaba hablar con ellos.

Tanya sentía la emoción y el vértigo del momento, pero no sabía si se debía a la excitación o era consecuencia del champán. El aire estaba cargado de un fuerte aroma a gardenias y nenúfares. La casa estaba profusamente adornada con orquídeas blancas e impresionantes jarrones chinos en los que se exhibían unas flores que Tanya no reconoció; tenían tonos amarillos y marrones, largos tallos y diminutos pétalos. Sonaba una tenue y sensual melodía. En realidad, todo el conjunto, desde los cuadros, pasando por los invitados, las ostras y el caviar, era una explosión de sensualidad.

Tanya se moría de ganas de volver a casa y sentarse a escribir sobre la fiesta. Era como si estuviera participando en un rito de iniciación del glamour. Estaba de pie, sola, admirando a la gente que la rodeaba, cuando Doug se le acercó sin que ella se diera cuenta. De pronto, lo vio delante de ella, a tan solo unos milímetros de distancia, sonriéndole. Tanya iba vestida con un jersey de seda blanco, vaqueros y unas sandalias doradas con poco tacón a juego con un bolso que se había comprado antes de regresar al hotel. Se había puesto los vaqueros, tal como él le había pedido, y se alegraba de haberle hecho caso pues lo cierto era que todo el mundo iba vestido igual.

Doug, por su parte, llevaba unos pantalones de franela de color gris con la raya perfectamente planchada, una camisa blanca exquisitamente almidonada confeccionada en París, y unos mocasines negros de piel de cocodrilo de Hermès.

—Inmejorable, ¿verdad? —le comentó con su aterciopelado tono de voz.

A Douglas, más que oírsele, se le sentía. Todavía no sabía muy bien por qué, pero cada vez que oía su voz o estaba cerca de él, la embargaba simultáneamente una sensación de atracción y de rechazo; una reacción contradictoria que la invitaba a acercarse a él pero que también la advertía que no debía hacerlo. Algo así como la reacción que provocaría una antigua tumba egipcia abarrotada de resplandecientes riquezas pero sobre la que pesara una maldición que prohibiera acceder a ella.

Por un instante, Douglas miró a Tanya directamente a los ojos sin decir nada. Parecía estar admirándola y disfrutando de ese momento de silencio. Le bastaba la mirada para acariciarla; ni siquiera necesitaba utilizar palabras. Se dirigía a Tanya en un tono de voz suave y tenue como si la conociera muy bien, aunque nada más lejos de la realidad. De ella, solo tenía la información que podía haberle dado su obra. Sin embargo, para Douglas parecía una información más que suficiente.

Frente a él, se sintió desnuda y, aunque apartó la vista, en esta ocasión no tuvo la necesidad imperiosa de huir. Se repitió que Doug no podía controlarla, ni tampoco invadir su espacio. Solo obtendría lo que ella estuviera dispuesta a darle. O eso creía. No era un mago. Tan solo un productor de cine, un hombre que compraba historias y guiones como el que Tanya estaba escribiendo para él y hacía que cobrasen vida.

—¿Te están presentando a la gente? —se interesó.

Se notaba que se preocupaba de que todos disfrutasen de la velada y eso era aún más evidente en el caso de Tanya, una recién llegada. Gracias a las cálidas atenciones de Max, Tanya había conocido ya a prácticamente todos los actores. Le faltaba Ned Bright, pero el joven actor estaba demasiado ocupado rodeado de un montón de chicas guapas que, a pesar de haber llegado del brazo de otros hombres, en cuanto entraron en la fiesta no hicieron otra cosa que dar vueltas alrededor de Ned. En aquel momento, Ned Bright era la estrella masculina de moda en Hollywood y la razón era obvia: era encantador e increíblemente guapo. Las chicas que le rodeaban no hacían otra cosa que reírse como quinceañeras.

—Sí, efectivamente —respondió Tanya mirando al productor directamente a los ojos, decidida a no dejarse intimidar ni amedrentar por él—. Me encantan tus cuadros, es como si estuviera en un museo.

Acababa de descubrir otro famoso cuadro iluminado espléndidamente en un pequeño salón junto a la piscina en el que no había reparado. Era la sala de música, donde Douglas solía tocar el piano. En su infancia y adolescencia, Doug había estudiado piano con la intención de convertirse en concertista. Según le habían explicado a Tanya había sido una auténtica promesa y tenía un talento indiscutible. Ahora seguía tocando por afición y para sus amigos más íntimos.

—Espero que la casa no parezca un museo. Sería tan triste como contemplar a los animales en el zoo en lugar de en su medio natural. Quiero que la gente se sienta a gusto con el arte, no que le tenga miedo. Los cuadros deberían formar parte de nuestra experiencia vital y deberíamos convivir con ellos como con un viejo amigo y no como con un extraño. Mis cuadros son mis viejos amigos.

Era una interesante forma de entender el arte. Tanya se dio cuenta de que mientras escuchaba a Douglas se había quedado mirando fijamente el pequeño Monet de la sala de música. Estaba iluminado de tal forma que adquiría vida propia y casi parecía un espejo en el que se reflejase la imagen de la piscina, donde la gente continuaba charlando animadamente. Las numerosas botellas de champán estaban cumpliendo su cometido. Tanto los invitados como Doug parecían relajados y felices. Era evidente que el productor estaba en su terreno y se sentía más a gusto que en el Polo Lounge del hotel. Podía desplegar su elegancia, su cortesía y su control sobre las cosas. Nada escapaba a su atención y parecía estar vigilando cada detalle y cada invitado.

Douglas le estaba explicando a Tanya sus aventuras como coleccionista de antigüedades europeas y su reciente viaje por Dinamarca y Holanda, donde había descubierto auténticos tesoros —en concreto, un fabuloso escritorio danés que le indicó con un gesto— cuando se les acercó Max.

—Menos mal que no montamos en mi casa estas fiestas del equipo —dijo Max riendo abiertamente.

Para Tanya, con su gran barriga, la calva y la barba, Max continuaba pareciendo un elfo o uno de los ayudantes de Santa Claus. Al lado de Max, Douglas parecía una estrella de cine. De hecho, Douglas Wayne había querido ser actor al principio de su carrera en Hollywood, pero no lo había intentado con demasiada determinación. Prefería el poderoso papel de productor. Desde su posición, era quien realmente controlaba y organizaba todos los elementos de la película.

Douglas se echó a reír y comentó:

—Serían bastante distintas.

—Yo vivo en Hollywood Hills —le explicó Max a Tanya—, en una casa que parece un establo y que en su día debió de serlo. Los sofás están cubiertos con viejas mantas y en la mesa de centro siempre hay restos de comida con dos semanas de antigüedad. Además, mi ex mujer se llevó el aspirador hará unos catorce años y he estado demasiado ocupado para comprar otro. Las paredes están repletas de carteles de mis viejas películas y la antigüedad de más valor es la televisión. Lleva conmigo desde los años ochenta y realmente me costó una fortuna. El resto de muebles son del mercadillo, así que es una casa bastante distinta de la de Douglas.

Los tres se echaron a reír. Max no pretendía en absoluto lamentarse o excusarse. Adoraba su casa y, a pesar de su amor por el arte, habría sido tremendamente desgraciado en una vivienda como la de Douglas.

—Tengo que buscar una mujer de la limpieza un día de estos. A la última la deportaron. Fue espantoso. La adoraba. Era una magnífica cocinera y preparaba unos combinados de ginebra y ron increíbles. Ahora las bolas de polvo tienen ya el tamaño de mi perro.

Max explicó que tenía un gran danés llamado Harry y que era su mejor amigo. Le prometió a Tanya que se lo presentaría durante el rodaje. El perro siempre iba con él al trabajo y, aunque no podía llevar ni collar ni correa porque el ruido interfería en la labor del técnico de sonido, estaba perfectamente adiestrado. El perro pesaba casi setenta y cinco kilos.

—Le encanta venir a trabajar conmigo y los del catering siempre le dan su comida preferida —añadio Max—. Cuando no estamos rodando, se deprime y pierde mucho peso.

Mientras charlaban, Tanya volvió a fijarse en la sorprendente diferencia entre el director y el productor. Uno era dulce, cálido y acogedor; el otro, a pesar de estar perfectamente pulido, parecía estar hecho de aristas y bordes afilados.

Max parecía que se comprara la ropa en el mismo mercadillo en el que había adquirido los muebles de su casa. Douglas, en cambio, podría salir en la portada de *GQ*. Para Tanya, era fascinante estar charlando con ellos. Se preguntó cuánto tiempo pasaría Douglas en el rodaje de la película, puesto que su trabajo principal consistía en recaudar el dinero y controlar el presupuesto, mientras el de Max era lograr sacar lo mejor del reparto. No cabía duda de que ambos adoraban sus respectivos trabajos y a Tanya le entraron unas enormes ganas de empezar ya la película.

A las nueve en punto, se sirvió la cena en unas largas mesas dispuestas junto a la piscina. Cada mesa ofrecía un tipo de comida: en una había sushi de un famoso restaurante de la ciudad; otra estaba repleta de langosta, cangrejos y ostras, y la tercera mesa ofrecía ensaladas exóticas y comida mexicana tradicional. Así que había cena para todos los gustos. Las jóvenes estrellas masculinas llenaron sus platos con montones de comida. En ese momento, Douglas consiguió presentarle a Ned Bright, que se acercaba seguido de cuatro mujeres. A Tanya le recordó a su hijo Jason.

—Hola —le dijo Ned con aspecto relajado y una amplia sonrisa, al tiempo que le pedía disculpas por no darle la mano. Llevaba un plato en cada mano, uno repleto de sushi y el otro a rebosar de comida mexicana—. No me des muchas líneas, soy disléxico.

El joven actor se echó a reír y Tanya no supo si hablaba en serio. Después, se lo preguntó a Max. Era importante saber si era cierto, pero el director le sacó de dudas.

—No es disléxico, solo perezoso. Dice lo mismo a todos los guionistas. Pero es buen chico.

En aquellos momentos, Ned Bright era el nuevo descubrimiento de Hollywood y causaba sensación. Con solo veintitrés años, iba a tener el papel masculino principal, dando réplica a Jean Amber. En la última película que había rodado, había interpretado el papel de un chico ciego de dieciséis años, pero su aspecto era más bien el de alguien en la treintena. Aquel último papel había merecido entusiastas críticas y gracias a él había logrado un Globo de Oro. Al mismo tiempo, proseguía con su carrera como batería y solista de un grupo de música de Hollywood, formado por jóvenes actores. Recientemente el grupo había sacado al mercado un CD de enorme éxito. Tanya estaba segura de que sus hijos se volverían locos de alegría cuando les dijera que había conocido a Ned Bright. Cuando más tarde se lo contó a Molly, casi se desmayó de la emoción.

—Es un buen chico —insistió Max. Tanya no lo dudó, se le notaba—. Su madre siempre se pasa algunos días por el rodaje para comprobar que le tratamos bien y que se porta como es debido. El chico acaba de terminar la carrera de cine en la Universidad de Santa Bárbara; su intención es ser director después de interpretar algunas películas más. Es algo que suelen decir muchos actores, pero pocos acaban haciéndolo. Sin embargo, me parece que él habla muy en serio, así que será mejor que vigile mi puesto.

Douglas y Tanya se echaron a reír.

Buscaron tres sillas y una mesa libre y se sentaron juntos a cenar. El resto de invitados se había ido acomodando alrededor de la piscina, mientras sonaba la suave y sensual música, ideal para la ocasión. Douglas se había ocupado de que la música, la comida y el ambiente en general fueran perfectos. De ese modo, los invitados se relajaban y se relacionaban los unos con los otros abiertamente.

—Estás muy guapa, Tanya —comentó Douglas después de cenar.

Tanya estaba tumbada en una *chaise longue* observando las estrellas y se había cubierto los hombros con un chal de cachemir de color azul pálido —un tono que resaltaba el color de sus ojos.

—Se te ve relajada y feliz. Pareces una Madona —continuó Douglas admirándola como si fuera un cuadro—. Los momentos antes de empezar una película me encantan. Todo está a punto pero todavía no sabemos qué filmaremos ni cuál será la magia que nos rodeará. Ahora mismo, no podemos saber lo que nos aguarda. Pero una vez arranquemos, los días se convertirán en una sucesión de sorpresas. Lo adoro. Es como la vida misma, pero mucho mejor, porque aquí podemos controlar lo que sucede.

Douglas confirmaba con sus palabras lo que Tanya ya intuía: el control era algo esencial para él.

Con un helado de chocolate y un barquillo, Jean Amber se acercó a Douglas y a Tanya para charlar con ellos. Acababan de servir suflés recién hechos y pastelitos Alaska. A Max le encantaba tostar las «nubes» en las llamas de los suflés pero se quejaba de que nunca duraban tanto como él quería. El director hacía gala de un enorme sentido del humor y tenía fama de gastar todo tipo de bromas durante los momentos de descanso del rodaje. A su lado, Douglas parecía representar el papel de hombre serio y controlador y, ciertamente, prefería los rodajes tranquilos. También era de la opinión de que los descansos en el rodaje debían aprovecharse para estudiar el guión y las escenas pendientes. Douglas podría ser el director de un colegio y Max el profesor divertido, cálido y extravertido que adora a sus alumnos. Para el director, los actores siempre eran sus niños —fuera cual fuese su edad—, y esa faceta paternal de su carácter era muy valorada por los que participaban en sus películas. Su categoría extraordinaria como director y su incomparable bondad hacían que lo adoraran y lo respetaran.

Por su parte, Douglas era el que debía mostrar más rigidez y estar pendiente de los seguros y los presupuestos. Debía reconducir al director y a los actores cuando las cosas se descontrolaban y vigilar que todo se llevara a cabo según el programa previsto. La verdad era que nunca dejaba que las cosas se torciesen: llevaba las riendas de sus películas con mano firme y supervisaba meticulosamente el presupuesto. Aunque eso no impedía que disfrutase mimando a los actores. Consideraba que se lo merecían y que era el premio a un trabajo exigente. De ahí que pusiera particular interés en celebrar ese tipo de fiestas para el equipo de rodaje antes de comenzar la película, ya que era una forma de dar el pistoletazo de salida y empezar a trabajar.

En la fiesta volvían a encontrarse personas que habían trabajado juntas en anteriores filmes y que se mostraban encantadas ante la perspectiva de compartir reparto de nuevo. Parecían niños recién llegados a un campamento de verano, felices de ver a sus amiguitos del verano anterior, o asiduos viajeros de crucero que descubren que han coincidido con amigos que hicieron en otro crucero.

De hecho, coincidir con las mismas personas en el rodaje de una película era una cuestión de suerte. Sin embargo, tanto a Douglas como a Max se les daba bien reunir a un buen equipo donde primara el talento y la compatibilidad de caracteres, de tal modo que el ambiente de trabajo fuera bueno. Ambos creían que ese era un buen equipo y consideraban que Tanya era un excelente fichaje.

La mayoría de la gente que le habían presentado se mostraba emocionada de tenerla entre ellos y algunos incluso habían leído su libro. Tanya estaba conmovida. Hubo quienes incluso citaron los relatos que más les habían gustado, así que la guionista pudo comprobar que lo habían leído realmente y que no lo decían solo por quedar bien.

Se respiraba un ambiente cordial y de entusiasmo. Todos se mostraban encantados con la película, con el gran número de estrellas y con la presencia de Max como director. Se sentían afortunados por formar parte de aquel equipo y por haber sido invitados a casa de Douglas y a aquella fiesta previa al rodaje. Aquel era el reino de los sueños y ellos eran los elegidos, los que más fortuna habían tenido, los que habían llegado a la cumbre de Hollywood y tenían la oportunidad de acariciar la suerte de mantenerse en ella. De cualquier modo, por el momento, todos ellos estaban en la cima.

Todos los actores y actrices más famosos del momento participaban en aquel filme y no habría llegadas imprevistas más tarde. A Max le gustaba que el equipo del reparto estuviera cohesionado y que, de principio a fin, trabajasen juntos y armónicamente. Solo si el equipo se mantenía unido y se conocía a fondo, podía darse un ambiente de solidaria colaboración. Tanya podía percibir que se estaban convirtiendo en una gran familia. Como si alguien hubiera lanzado unos polvos mágicos sobre sus cabezas, allí, delante de sus ojos, esa familia se estaba construyendo. Estaba empezando. Ya había empezado.

Cerca de la una de la madrugada, cuando la fiesta llegó a su fin, Max se ofreció a acompañar a Tanya en su coche hasta el hotel Beverly Hills. Aunque a Tanya le habían ofrecido la limusina para que dispusiera de ella durante toda su estancia, se habría sentido culpable por tener al conductor pendiente de ella toda la noche cuando iba a limitarse a ir del hotel a la fiesta, y de allí, de vuelta al hotel. Había pensado coger un taxi de regreso, pero cuando se lo comentó a Max, este le colocó el dedo sobre los labios y la reprendió.

—No digas eso. Si te oye Douglas, te quitará la limusina y siempre puede ir bien tenerla.

Tanya fue a despedirse de Douglas y a darle las gracias por la cena y por la hermosa velada. Se sentía como una colegiala que tiene que despedirse del director. Douglas y Jean Amber estaban en ese momento manteniendo una acalorada discusión en la que la actriz le llevaba la contraria al productor con vehemencia pero también con simpatía y le decía lo equivocado que estaba.

—¿Queréis que os ayude a llegar a un acuerdo? —se ofreció Max, siempre con ganas de colaborar.

—Sí —dijo Jean con resolución—. Yo opino que Venecia es mucho más bonita y más romántica que Florencia o Roma.

—Yo no voy a Italia en plan romántico —bromeó Douglas, encantado de meterse con la joven actriz. No le planteaba ningún problema estar rodeado de mujeres hermosas, ya que así había construido su carrera—. Voy a Italia para disfrutar de su arte. La galería de los Uffizi es el paraíso para mí, así que Florencia gana por goleada.

—Tuve que permanecer en Florencia tres semanas sin moverme durante el rodaje de una película y estábamos en un hotel horrible —explicó Jean.

La actriz contaba con la amplia experiencia de una joven de veinticinco años que ha viajado mucho más que el resto de la gente de su edad. Pero el motivo de sus viajes siempre era el rodaje de alguna película, así que tenía muy poco tiempo para disfrutar de los lugares en los que trabajaba. Llegaban a un lugar y, en cuanto acababan, se trasladaban al siguiente destino, sin tiempo para visitas turísticas. Era una perspectiva reducida del mundo, pero por lo menos tenía esa. Tanya pensó en lo mucho que le gustaría que sus hijos la conocieran y en lo impresionados que se quedarían. Confiaba en que lo hicieran en el futuro. Parecía una jovencita encantadora.

—Yo prefiero Roma —comentó Max complicando más la

discusión—. Hay unas cafeterías estupendas, buena pasta, un montón de turistas japoneses y es la ciudad de Italia donde más monjas se ven. A mí me encantan las viejas costumbres y ya no se ven monjas en ningún sitio.

Tanya se echó a reír.

—A mí las monjas me dan miedo —terció Jean—. De pequeña fui a un colegio católico y no me gustó nada. En Venecia, en cambio, no vi a una sola monja.

—Supongo que para ti eso es algo favorable. Yo besé a una chica bajo el Puente de los Suspiros cuando tenía veintiún años —añadió Max—. Cuando el gondolero me dijo que eso significaba que estaríamos juntos para siempre, casi me dio un ataque. La chica tenía una piel horrible y unos dientes de conejo; acababa de conocerla. Creo que desde entonces Venecia me da grima. Es curioso lo que determina tus sentimientos hacia una ciudad. En Nueva Orleans tuve un ataque de vesícula y nunca más he regresado.

—Yo rodé una película allí —comentó Jean—. No me gustó. Es tan húmedo... Tenía todo el día el pelo encrespado.

—Yo perdí el mío en Des Moines —bromeó Max tocándose la calva ante el regocijo de todos los presentes.

Tanya volvió a agradecer a Douglas la invitación y se fue con Max. Tenía que reconocer que estaba sorprendida de lo bien que se lo había pasado.

—Y bien, ¿qué te parece Hollywood? —le preguntó Max en el viaje de vuelta.

El director encontraba a Tanya muy atractiva y de no ser porque estaba casada le habría echado los tejos. Pero Max sentía un enorme respeto por la sagrada institución del matrimonio; además, no le parecía una mujer proclive a la infidelidad. Le parecía una persona seria y tenía ganas de trabajar con ella. Sentía, al igual que el productor, un enorme respeto por el trabajo de Tanya y había descubierto que también le gustaba como persona.

—Por lo que he hablado con algunos de los invitados esta

noche, me parece un ambiente un poco excéntrico, pero divertido al mismo tiempo —le respondió Tanya con sinceridad—. A causa de mis telenovelas, había venido varias veces a Los Ángeles. Pero esto es otra cosa.

Hasta entonces, Tanya solo había conocido a los actores habituales de las telenovelas que, en su ámbito, eran auténticas celebridades. Pero eran un campo más reducido. Aquella noche, sin embargo, Tanya había conocido a un sinfín de impresionantes figuras, a los verdaderamente grandes.

—Es un pequeño universo muy especial y tiene algo de incestuoso. El cine en Hollywood es como un microcosmos que no tiene nada que ver con la vida real, y el rodaje de una película es un poco como hacer un crucero: la gente se conoce, se convierten en íntimos amigos en un instante, se enamoran, se lían, la película se rueda, todo termina y se pasa a otra cosa. Durante un brevísimo espacio de tiempo, parece que es real. Pero no es así. Lo descubrirás cuando empecemos a rodar. Ya verás como durante la primera semana habrá cinco apasionados romances. Es una vida de locos, pero nunca es aburrida.

A Tanya no le cabía ninguna duda. Durante la fiesta, se había fijado en que varios actores y actrices jóvenes estaban tonteando los unos con los otros. Entre ellos, por supuesto, los dos protagonistas, Jean Amber y Ned Bright, quienes se habían estado observando durante la velada y apenas habían intercambiado unas palabras. Tanya se preguntó en qué acabaría aquello.

—Por lo que comentas, si estás en el mundo del cine, debe de ser muy difícil tener una relación de verdad —dijo Tanya cuando ya se acercaban al hotel.

—Lo es, por eso la mayoría de la gente no la tiene. Juegan y simulan tener una vida de verdad, pero no la tienen, aunque a veces ni se den cuenta de ello. Solo creen tenerla. Es el caso de Douglas. Me parece que no ha tenido una relación seria desde la Edad de Hielo. De vez en cuando sale durante una temporada con alguna mujer importante, pero tampoco deja que entre demasiado en su vida. No es su estilo. Para él, todo gira alrededor del poder, de los grandes negocios o de la adquisición de importantes obras de arte. Pero no le interesa el amor, o eso creo. Hay hombres así. —Y con una sonrisa, añadió—: Yo, en cambio, todavía estoy buscando el Santo Grial.

Era imposible que Max no despertase afecto en los demás. Tenía un corazón de oro y se le notaba.

—Nunca salgo con actrices —continuó el director—. Busco una buena mujer a la que le gusten los hombres calvos y con barba y que quiera acariciarme la espalda por la noche. Estuve saliendo con la misma mujer durante dieciséis años y éramos el uno para el otro. No recuerdo que tuviéramos una sola pelea.

—¿Y qué pasó? —preguntó Tanya al tiempo que se detenían bajo el toldo del hotel Beverly Hills, su hogar en aquellos momentos.

Tanya todavía no podía sentir que aquel bungalow fuese su casa; todavía le parecía que no le correspondía alojarse allí y que estaba fuera de lugar. No se consideraba una estrella en absoluto y a menudo le parecía que en cualquier momento le dirían que tenía que marcharse.

—Murió —musitó Max sin dejar de sonreír. El recuerdo de aquel amor todavía enternecía su mirada—. Cáncer de mama, una mierda. Nunca encontraré otra mujer como ella. Era el amor de mi vida. Después de aquello he salido con otras, pero no es lo mismo. Sin embargo, no estoy mal, voy tirando. Era escritora, como tú. Escribía guiones para las miniseries en una época en que estas tenían muchísimo éxito. Hablábamos siempre de casarnos, pero nunca fue necesario. En nuestro corazón, ya estábamos casados. Cada año, entre un rodaje y otro, suelo ir de vacaciones con sus hijos. Son dos chicos estupendos. Ambos están casados y viven en Chicago. Me recuerdan a su madre. Mis hijas también les adoran.

—Por lo que cuentas, era una gran mujer —comentó Tanya en tono cariñoso todavía dentro del coche.

A pesar de la enorme cantidad de dinero que ganaba Max con sus películas, el director seguía conduciendo un viejo Honda algo destartalado. Era evidente que la ostentación no iba con él. Por el contrario, Douglas alardeaba de una casa fabulosa y unos cuadros increíbles. Como cualquier invitado que iba allí por primera vez, Tanya se había quedado muy impresionada. Jamás había visto cuadros tan fabulosos fuera de un museo.

—Era una buena mujer —continuó Max. Miró a Tanya con una sonrisa y añadió—: Tú también lo eres.

A Max le agradaba Tanya; todo en ella dejaba traslucir lo que era realmente. Nada más conocerla le había gustado y aquella noche confirmaba su opinión. La veía como una mujer genuina y sólida, algo muy poco habitual en Hollywood.

—Tu marido es un tipo con suerte.

—Yo soy una mujer con suerte —dijo ella sonriendo melancólicamente.

Echaba mucho de menos a Peter. Habían perdido el contacto físico diario y la calidez del lecho compartido. Habían perdido mucho y tenía unas ganas enormes de llegar a su habitación para llamarle, a pesar de la hora. Le había prometido que así lo haría aunque ello supusiera despertarle. Antes de ir a la fiesta, había llamado a su casa y su marido le había dicho que se las estaban arreglando bastante bien. Solo faltaban dos días para volver a Marin. Se moría de ganas.

—Mi marido es un gran hombre.

—Tanto mejor. Espero conocerle algún día. Debería venir durante el rodaje y traerse a los chicos.

—Lo hará —afirmó Tanya.

Dio las gracias a Max por acompañarla y se bajó del coche. En ese momento, se acordó de que al día siguiente había quedado para almorzar con Douglas en el Polo Lounge, un sitio idóneo para Tanya.

—¿Vendrás mañana a comer con nosotros? —le preguntó a Max.

—No, he quedado con los cámaras para hablar del equipo que necesitamos.

Max utilizaba unos objetivos complicados y poco habituales con los que conseguía los efectos cinematográficos que le habían hecho famoso y quería estar seguro de que todo estaba en orden.

—A Douglas le gusta conocer a la gente individualmente. Nos veremos la semana que viene, cuando empecemos con las reuniones. Disfruta del fin de semana en casa.

Mientras se alejaba con el coche, Tanya agitó la mano en señal de despedida y se encaminó deprisa hacia el bungalow con una sonrisa en el rostro. Iba a ser fantástico trabajar con Max. Pero no estaba tan segura de poder decir lo mismo de Douglas. Tenía que reconocer que aquella noche le había encontrado más agradable —imponía menos con la actitud relajada que había mostrado en su casa—, pero todavía la ponía nerviosa.

Telefoneó a Peter nada más entrar en el bungalow y, aunque estaba medio dormido —era la una y media de la madrugada—, esperaba su llamada.

—Siento llamar tan tarde. No se acababa nunca —dijo casi sin aliento, después del rápido trayecto hasta la habitación.

—No te preocupes, ¿qué tal ha ido? —preguntó Peter con un bostezo.

Tanya podía imaginarle perfectamente en la cama, lo que hizo que le echara aún más de menos.

—Divertido, extraño e interesante. Douglas Wayne tiene unos cuadros impresionantes: Renoir, Monet, alucinante. Y en la fiesta estaban todas las nuevas estrellas, Jean Amber, Ned Bright —Tanya nombró una retahíla de actores—. Parecen buenos chicos. Me he acordado tanto de Molly, de Megan y de ti... Te echo de menos. Ah, y el director, Max Blum, es muy agradable. Esta noche he estado hablándole de ti, creo que te gustaría.

—Dios mío, no querrás volver a Ross después de esto, Tanny. Demasiado glamour para nosotros.

Sabía que no hablaba en serio, pero, de todos modos, a Tanya no le gustó el comentario. Era lo mismo que Douglas le había dicho por teléfono aquella tarde, y precisamente era lo último que Tanya quería que ocurriera. No quería formar parte de Hollywood, sino seguir con su vida en Ross.

—No seas bobo, no me importan lo más mínimo todas estas chorradas. Pagarían por tener una vida como la nuestra.

—Sí, seguro —ironizó Peter soltando una carcajada que hizo que Tanya pensara en sus hijos—. No estoy tan seguro. Te echarán a perder.

—No, no es verdad —musitó Tanya algo alicaída, tumbada ya en la cama después de descalzarse—. Te echo de menos y me gustaría que estuvieras aquí.

—Dentro de dos días estarás en casa. Yo también te echo de menos. Esto está muerto sin ti. Hoy se me ha quemado la cena.

—Este fin de semana os prepararé un manjar —prometió Tanya.

El sentimiento de culpabilidad no remitía y ardía en deseos de volver a casa para estar con Peter y las chicas. Llevaba solo tres días fuera, pero tenía la sensación de haber pasado media vida en Hollywood. Qué largos se le iban a hacer aquellos nueve meses... Asistir a la fiesta aquella noche había sido una obligación —tenía que conocer al resto del equipo—, pero se le había hecho muy raro salir sin Peter. Había sido una velada agradable, pero no dejaba de ser una imposición y sabía que con Peter se habría divertido más. Cuando su marido estaba fuera —algo muy poco habitual— jamás salía por la noche sin él. A Tanya no le interesaba tener vida social propia, y menos allí. No tenía nada en común con la gente que la rodeaba en Los Ángeles ni tampoco con Douglas Wayne. En cambio, podía imaginarse saliendo a cenar una hamburguesa con Max Blum. Tanya no sabía si existirían los amigos verdaderos en Hollywood, pero, de haberlos, Max Blum era el candidato idóneo.

—Tengo muchas ganas de verte. Es tan raro estar aquí sola... Os echo mucho de menos a todos.

No le gustaba en absoluto dormir sin Peter y llevaba tres noches sintiéndose muy sola y triste. A Peter también se le estaba haciendo duro; se dormía abrazado a la almohada.

—Nosotros también te echamos de menos —dijo Peter bostezando de nuevo—. Será mejor que intente dormir. Mañana tendré que sacar a las niñas de la cama y Meg tiene natación a las siete y media.

Peter echó un vistazo al reloj y, a pesar de que era él quien no había querido dormirse sin haber hablado antes con Tanya, añadió con un gruñido:

—Tengo que estar en pie dentro de cuatro horas y media. Hablaremos mañana. Que duermas bien, cariño. Te echo de menos.

—Yo también —dijo Tanya dulcemente—. Buenas noches, dulces sueños.

—Lo mismo digo —le deseó Peter y colgó.

Tanya se quedó tumbada en la cama del bungalow pensando en su marido con añoranza. Después, se levantó a lavarse los dientes con el corazón encogido. Qué ganas tenía de volver a casa. Se dijo a sí misma que tanto Peter como Douglas se equivocaban al afirmar que no iba a querer volver a Ross, pues era lo que más deseaba. Echaba de menos su cama, a su marido, a sus hijos. No podía imaginar nada en aquella ciudad que fuera comparable a lo que tenía en su casa. Habría cambiado todos los lujos de su bungalow por una noche con Peter en su cama. Como siempre, no había nada para ella mejor que el hogar.

6

Al día siguiente, Tanya se reunió con Douglas en el Polo Lounge a la una de la tarde. Iba vestida con unos vaqueros y un jersey rosa. Él tenía el mismo aspecto elegante e inmaculado de siempre, con un traje de excelente corte de color caqui, camisa azul, corbata amarilla de Hermès y unos impecables zapatos marrones. Cuando Tanya llegó, ya le estaba esperando tomándose un Bloody Mary charlando animadamente con alguien con quien se había encontrado. Tanya casi se desmayó cuando descubrió que el amigo en cuestión era Robert De Niro. Se lo presentó, intercambiaron algunas palabras y el célebre actor se despidió. Tanya estaba impresionada, pero debía irse acostumbrando, ya que a partir de entonces aquello sería algo habitual. Aunque deseaba contárselo a Peter, no quería volver a oír ni en boca de su marido ni en la de nadie, nada más sobre su nueva y glamourosa vida ni sobre lo que le costaría regresar a la normalidad. Todo en aquel lugar era irreal, y ella ni se sentía parte de ese entorno, ni tenía deseo alguno de formar parte de él. Solo quería hacer su trabajo y volver a casa. Qué equivocados estaban todos cuando le decían que se convertiría en alguien sofisticado y que se echaría a perder. Tanya sabía quién era, se conocía bien y tenía los pies firmemente apoyados en el suelo.

—Gracias por la maravillosa velada de anoche —le dijo

a Douglas al sentarse—. Fue muy divertido conocer al resto del equipo. Tienes una casa preciosa.

—Me alegra que te gustara —dijo él sonriéndole—. Tienes que venir algún día a mi barco. Es una maravilla.

Era un yate de sesenta metros de eslora del que Tanya había visto fotos en casa del productor la noche anterior. Le pareció inmenso y pensó inmediatamente en lo mucho que les gustaría a sus hijos.

—¿Qué haces en verano, Tanya? ¿Qué has hecho este año? —le preguntó.

Tanya sonrió. Le pareció como si tuviera que escribir una redacción de primero de primaria. «Mis vacaciones de verano, por Tanya Harris.» Afortunadamente, su vida era mucho más tranquila que la de él en todos los aspectos. No necesitaba un yate.

—En agosto vamos a Tahoe. Cada año alquilamos allí una casa. A los niños les encanta y lo pasamos muy bien todos juntos. Peter y yo estábamos pensando en hacer un viaje por Europa el verano que viene, ahora que los niños son más mayores y ya no es tan complicado viajar. Hace años que no lo hacemos.

Tanya se sentía como una idiota contándole esas cosas. No debía de importarle lo más mínimo lo difícil que pudiera resultar viajar con críos, de la edad que fueran. Y comparado con tener un yate gigantesco amarrado en la Riviera francesa, una casa de alquiler en Tahoe debía de parecerle patético. La absurda comparación hizo que lanzara una carcajada. Pidió un té helado; tenía intención de trabajar aquella tarde.

—Cada año, paso dos meses navegando con el barco por el sur de Francia —comentó Douglas como si fuese lo más habitual del mundo (para él, sí lo era)—. Suelo visitar Cerdeña, que es maravillosa, Córcega, Capri, Ibiza, Mallorca o Grecia, depende del año. Si el verano próximo vais a Europa, tenéis que venir al barco unos días.

Douglas no solía invitar a gente con hijos al barco, pero el verano todavía quedaba algo lejos. Además, en unos pocos días no podían destrozarlo todo. Tanya era una persona educada, así que daba por sentado que sus hijos serían chicos civilizados, bien educados y, por otro lado, estaban en edad de ir a la universidad. Jamás habría invitado a alguien con niños pequeños. De todos modos, con un fin de semana sería más que suficiente. Seguro que acabarían mareándose.

—Les encantaría. Tengo muchísimas ganas de explicarles que conocí a Ned anoche. Y a Jean. Voy a dejarles impresionadísimos.

—Deberían estarlo —dijo Doug sonriendo—. Yo lo estoy pero contigo, más que con Ned o Jean.

A pesar de sus palabras, a Tanya le había dado la impresión de que Douglas se divertía conversando con Jean. La joven tenía un físico espectacular, pero había que admitir que era una cría y que parecía demasiado infantil para su edad. En cierto modo, los actores vivían protegidos y en los rodajes se encerraban en una diminuta burbuja sin contacto con el mundo real.

—Parecen unos chiquillos —comentó Tanya al tiempo que Doug pedía un segundo Bloody Mary.

—Lo son. Los actores y las actrices son como niños. Viven en una burbuja, aislados de la realidad. Siempre ha sido así. Juegan a disfrazarse y se lo pasan bien. Algunos trabajan duro, pero no tienen ni idea de cómo vive el resto del mundo. Están acostumbrados a que los productores y los agentes les mimen, les protejan y satisfagan todos sus caprichos. No llegan a crecer nunca y cuanto más famosos son, más irreal es todo. Cuando trabajes con ellos te darás cuenta de lo increíblemente inmaduros que son.

—Me parece imposible que todos sean así —le rebatió Tanya con interés.

No era una opinión muy positiva, pero nadie podía negar que Douglas conocía bien el negocio y sabía lo que decía.

—No todos, pero sí la mayoría. Son narcisistas y consentidos, solo piensan en sí mismos. Al final uno acaba hartándose. Por eso nunca salgo con actrices —dijo Doug mirándola a los ojos.

Tanya apartó la vista. Le incomodaba la capacidad de Douglas para cruzar la invisible barrera que los separaba. Por un lado, se mantenía fuera del alcance de Tanya, pero por otro, la trataba con mucha intimidad, quizá demasiada. Sin acercarse un milímetro, invadía el espacio de Tanya.

Pidieron el almuerzo y Tanya le preguntó sobre la película y las reuniones que iban a tener la semana siguiente. Tenía la intención de escribir un último borrador del guión aquel fin de semana y había una serie de cambios que Doug quería que incluyera. Tanya estuvo de acuerdo con todas las propuestas y el productor se mostró complacido al comprobar que era fácil trabajar con ella y que mostraba una actitud razonable. Parecía que su ego no interfería demasiado en su trabajo.

Ya habían terminado de comer cuando Douglas volvió a llevar la conversación hacia el terreno personal, algo a lo que parecía tener cierta tendencia. Le preguntó por su infancia y por sus padres, por sus sueños, sus decepciones, por sus comienzos como escritora. Era sorprendente que le preguntara aspectos tan íntimos de su vida. Douglas, por su parte, no dio ni una sola pista de sí mismo. Tanya no se sorprendió. Ya se había dado cuenta de que era un hombre que no dejaba entrever nada de su interior.

—Es todo de lo más corriente —respondió Tanya con tranquilidad—. No hay tragedias ni oscuros secretos. Tampoco he tenido grandes decepciones. Por supuesto, la muerte de mis padres fue un duro golpe. Pero Peter y yo hemos sido muy felices estos veinte años.

—Es algo encomiable —comentó Douglas con cierto sarcasmo.

—Supongo que hoy en día lo es —musitó Tanya, pensativa.

—Sí lo es, es cierto —comentó Douglas mirándola.

Tanya se sintió incómoda. La miraba como si no creyera sus palabras y quisiera encontrar la verdad en sus ojos.

—¿Tan inconcebible te parece que la gente esté felizmente casada?

Tanya lo veía como algo natural aunque también se sentía afortunada por ello. En Ross había un montón de parejas que llevaban veinte o treinta años felizmente casados. La mayor parte de sus amigos, por ejemplo. Aunque era cierto que Peter y ella daban la impresión de ser el matrimonio más sólido. También conocían a mucha gente que se había separado, pero algunos de ellos habían vuelto a casarse y formaban nuevas parejas felices. Tanya vivía en un mundo pequeño y sano, muy lejano de este en el que ahora se encontraba.

En el mundo de Douglas la gente no solía casarse, y cuando lo hacía era por razones casi siempre equivocadas: por presumir de pareja, por cuestiones de poder o para obtener algún beneficio material. El productor conocía a muchos hombres casados con mujeres a las que mostraban como un trofeo. En Marin y en el ambiente de Tanya, no había mujeres trofeo.

—Mis dos matrimonios fueron un absoluto error —dijo Douglas con sinceridad—. Mi primera esposa, con la que me casé hace treinta años, era una famosa actriz. Los dos éramos absurdamente jóvenes. Yo era un crío recién llegado que, con solo veinticuatro años, quería ser actor. La pasión por actuar se me pasó muy pronto, y la pasión por ella, también. Estuvimos menos de un año casados y, gracias a Dios, no tuvimos hijos.

—¿Se convirtió en una gran estrella? —preguntó Tanya muerta de curiosidad.

No quería preguntarle directamente quién era pero se moría de ganas de saberlo. Aunque sabía que debía esperar a que fuese Douglas quien se lo dijera si quería.

—No —contestó sonriendo—. Nunca lo fue. Sin embargo, era una chica hermosa. Abandonó la carrera de actriz y se casó con un tipo de Carolina del Norte. Después de su boda, no volví a saber de ella. Un amigo común me dijo que había tenido cuatro hijos. Solo le pedía a la vida un marido, niños y un trozo de tierra. Supongo que consiguió las tres cosas, pero desde luego no de mí. Ni siquiera entonces era la vida que yo deseaba.

Por su manera de hablar, no dejaba lugar a dudas. Seguía sin ser su estilo de vida. Tanya no lograba imaginar a Douglas Wayne con críos.

—La segunda era más interesante, una estrella de rock de los años ochenta. Tenía un talento increíble y podría haber tenido una carrera extraordinaria.

El tono de Douglas era casi nostálgico. Tanya le miró a los ojos, pero no lograba interpretar lo que veía: arrepentimiento, dolor, quizá duelo, desilusión. Evidentemente, aquella relación se había acabado también ya que ni estaba casado ni quería estarlo.

—¿Y qué le pasó? ¿También dejó el mundo del espectáculo?

—No, murió en un accidente aéreo durante una gira. Ella y todo su grupo. El batería pilotaba el avión, y evidentemente no era lo suyo. A lo mejor estaba fumado. Ya nos habíamos divorciado cuando murió, pero lo sentí muchísimo. Era una criatura tan dulce... Seguramente has oído hablar de ella.

Tanya se quedó impresionada cuando le dijo su nombre. Solía escucharla en su época universitaria y hasta conservaba algunas cintas antiguas de la banda. Se acordaba del accidente y de que había ocupado las portadas de los periódicos de la época. Hacía siglos que no se acordaba de aquella cantante y se le hacía muy extraño oír hablar de ella de forma tan personal. Los ojos de Douglas reflejaban su tristeza y Tanya pensó que, al fin y al cabo, era humano y había algo de ternura en su interior.

—¿Por qué fue un error? —preguntó dulcemente Tanya.

Se estaba tomando la revancha acosándole con preguntas, con tanta curiosidad por él como la que él sentía por ella.

—No teníamos nada en común. Y el mundo de la música era una locura entonces. Tomaba muchas drogas, aunque aseguraba que no estaba enganchada. No era una adicta, solo una hermosa muchacha, salvaje y alocada. Decía que cantaba mejor cuando había fumado. No creo que fuera verdad, pero tenía una voz extraordinaria —dijo con una mirada soñadora y distante que le hizo parecer otra persona, alguien más dulce y más humano. Tanya se preguntó si habría sido el amor de su vida, si es que eso existía en su mundo—. Nos divorciamos porque no nos veíamos nunca. Ella se pasaba nueve o diez meses al año de gira. En aquel entonces, yo ya me había metido en la producción, por lo que aquel matrimonio no tenía mucho sentido. Su mala fama suponía un lastre en mi carrera. Tomar cocaína estaba de moda, o al menos era habitual. La detuvieron varias veces, lo que para mí era nefasto.

Como lo era también el número de hombres con los que se acostaba. Pero eso no se lo iba a contar a Tanya.

—Eran años locos y ella era una chica muy lanzada. A mí nunca me han gustado las drogas, y siguen sin gustarme. Para ella, en cambio, formaban parte de su vida. También quería ser madre, pero yo no me veía teniendo hijos con ella. Estaba seguro de que con seis años serían todos drogadictos. No es lo mío —insistió—. Nunca lo ha sido. Yo estaba demasiado ocupado intentando tener éxito y ganándome la vida. Produje mis primeras películas y tener una mujer en rehabilitación o en la cárcel no me habría ayudado precisamente en mi carrera. No voy a negarte que como yo, había un montón de gente. Además, sufría mucho pensando en el peligro de una sobredosis, algo que no llegó a suceder.

—¿Así que te divorciaste de ella?

A Tanya le parecía que había sido una decisión interesada. Era alguien que perjudicaba su carrera, así que la echaba de su vida. Sus prioridades estaban claras. También tuvo la sensación de que había algo que no le estaba contando y, aunque sentía curiosidad, no quería ser entrometida. Se preguntó si esa era la razón por la que Douglas era tan hermético o si siempre había sido su carácter. Daba la impresión de que Douglas nunca —o solo muy brevemente— había tenido una relación cálida o cercana con alguien.

—En realidad, fue ella quien se divorció de mí. Me dijo que era un gilipollas estirado, pretencioso, arrogante y oportunista. Y que lo único que me importaba era el dinero. Palabras textuales. Lo cierto es que tenía razón —reconoció con una sonrisa y sin asomo de culpa o de disculpa. Así se había descrito a sí mismo muchas veces desde entonces—. Desgraciadamente, todos esos adjetivos son los ingredientes del éxito. Tienes que ser todo eso para abrirte camino en este mundo, y yo estaba decidido a producir grandes películas. Ella brillaba con luz propia y no me necesitaba.

—¿Eso te molestaba? —preguntó Tanya con curiosidad.

Era un hombre complejo y le apetecía averiguar cuál era su personalidad.

—Sí, me molestaba —contestó—. Me molestaba no tener el control sobre nada de lo que hiciera. No escuchaba ni pedía consejo. Jamás me contaba lo que pasaba con su grupo. En aquella época, la mitad de ellos habían estado en la cárcel por culpa de las drogas. Eso no dañaba su carrera, pero sí la mía. La gente que alterna con drogadictos no llega lejos en este mundo, por lo menos no en aquellos tiempos. Hace veinte años, las cosas eran todavía más rígidas que ahora y eso que se creía que la cocaína no era peligrosa. Desde entonces, hemos aprendido mucho. Sé que tarde o temprano se habría enganchado o habría acabado en la cárcel. Quizá fue mejor que muriera.

Era muy fuerte decir algo así.

—¿Estabas enamorado de ella? —preguntó Tanya con dulzura.

De cualquier modo, era una historia triste. La pérdida de una vida joven, y con ella, la de todos los componentes de la banda. Tanya lo recordaba con claridad.

—Probablemente no —contestó Douglas honestamente—. No creo haber estado nunca enamorado, pero tampoco es algo que eche de menos. —Y con una sonrisa apesadumbrada, añadió—: Suelo preferir cerrar un buen trato que salir con alguien. Es más fácil.

—Pero no es tan divertido —puntualizó Tanya.

—Es verdad. No tengo ni idea de por qué me casé con ella. Creo que estaba impresionado. Era una chica espectacular con una voz extraordinaria. En ocasiones todavía escucho su música —confesó.

Tanya le sonrió. Confiaba en que estuvieran empezando a ser amigos.

—Yo también —añadió Tanya.

Se había deshecho de muchas cintas de música de sus años de universidad, pero había guardado algunas para escucharlas de vez en cuando.

Douglas parecía algo deprimido después de aquella conversación. Hacía mucho tiempo que no se acordaba de su segunda esposa. Si obviaba los motivos del divorcio, podía recordarla incluso con placer y ternura. Después de separarse, su ex mujer había estado en la cárcel en dos ocasiones más. Cuando supo que había salido, se alegró. Todavía recordaba con claridad la rabia que le invadía al ver cómo aquella hermosura se echaba a perder. Durante su matrimonio, había disfrutado presumiendo de esposa; sin duda, fue lo más parecido a una mujer trofeo que había tenido nunca. Después de aquello, no había querido volver a casarse. Funcionaba mejor estando solo y últimamente le bastaba con algún encuentro sexual de vez en cuando. Ni siquiera necesitaba ya estar acompañado.

Jamás se comprometía emocionalmente, y en sus escarceos sexuales nunca ponía el corazón. Cuando quería que una mujer colgase de su brazo, escogía con sumo cuidado. Le gustaban las mujeres inteligentes que resultasen una compañía interesante, que no le hicieran sombra y que en las fotos de los periódicos quedaran bien a su lado. Solían ser estrellas importantes y consagradas, escritoras famosas, alguna política casada o esposas de amigos que en aquel momento estaban ausentes. Tampoco quería que las mujeres que le acompañaban fueran carnaza para la prensa. Su reputación era la de un hombre importante que había hecho historia en el mundo del espectáculo, así que no quería que su vida sentimental fuera de interés para nadie. Sobre todo, porque no lo era ni siquiera para él.

Pensó que cuando la conociera un poco mejor, estaría bien salir con Tanya. Lo había pensado la noche anterior en la fiesta. Era una mujer interesante, inteligente, tenía un fino sentido del humor y era hermosa. Sin duda, tenía el perfil exacto del tipo de mujer que le gustaba llevar del brazo. Además, podía medirse con él, algo que Douglas apreciaba. En cierto modo era como si le estuviera haciendo una prueba como posible acompañante para eventos sociales, o incluso como anfitriona en sus fiestas. Hasta el momento, todo en ella le gustaba. Y puesto que iban a trabajar juntos durante los meses siguientes, si aparecían públicamente juntos, todo resultaría de lo más decoroso. No le gustaban los cotilleos. Tanya tenía un aspecto tan respetable que los rumores maliciosos parecían altamente improbables. Era el tipo de mujer que provocaba alabanzas, no críticas.

—¿Qué haces este fin de semana? —preguntó despreocupadamente al terminar de almorzar.

—Me marcho a casa —respondió ella con una luminosa sonrisa.

Era evidente la alegría que le producía el mero hecho de pensarlo. A Douglas le parecía una bobada. En su espíritu, no había el menor átomo de sentimentalismo.

—Realmente te gusta todo ese rollo de ama de casa de Marin, ¿verdad? —dijo para avergonzarla y forzarla a negarlo.

—Sí, me gusta —contestó ella, radiante—. Sobre todo el

rollo de mi marido y mis hijos. Ellos son la mejor parte. Toda mi vida gira a su alrededor.

—Tú eres mucho más que eso, Tanya; mereces una vida más excitante —insistió intentando alabarla.

—No quiero una vida excitante —respondió Tanya.

Siempre le había gustado la vida rutinaria que llevaban Peter y ella, las cosas cotidianas que aportaban normalidad y solidez. De Hollywood solo quería la experiencia de escribir un guión para una película; la vida allí le parecía falsa, superficial y absolutamente vacía. Sentía lástima por la gente que creía ver en ella algo más. Como Douglas, por ejemplo. Sin embargo, ella no le veía ninguna sustancia ni mérito. Estaba segura de que de haber formulado aquella opinión en voz alta, Douglas habría estado completamente en desacuerdo. Él adoraba el arte de la interpretación y formaba parte del consejo de administración del Museo de Los Ángeles. Le había explicado que, siempre que podía, iba al teatro o se escapaba a San Francisco para asistir a un concierto o a un ballet. Disfrutaba con los eventos culturales y sociales. Incluso volaba hasta la ciudad de Washington para asistir a estrenos en el Kennedy Center, o al Lincoln Center y el Met en Nueva York. En las cuatro ciudades, Douglas Wayne era alguien importante y también viajaba a Europa con relativa frecuencia. Una vida como la de Tanya le habría aburrido soberanamente. Ella, por el contrario, la adoraba. No cambiaría su vida por la de él ni loca.

—Quizá cuando lleves una temporada en Los Ángeles, se amplíen tus horizontes. Eso espero, por tu bien —dijo mientras atravesaban el Polo Lounge ante las miradas de todos los comensales, que se estarían preguntando quién era la nueva acompañante de Douglas Wayne.

Nadie conocía a Tanya, de modo que, aunque despertaba curiosidad, no originaba muchos comentarios. Era una mujer bonita de mediana edad vestida con unos vaqueros y un jersey rosa, nada más. Pero si le acompañaba a algún acto público, enseguida averiguarían quién era. Algunas mujeres de Los Ángeles habrían matado por tener una oportunidad así. Pero a Douglas lo que le gustaba era precisamente que a Tanya le traía sin cuidado. Ella no intentaba utilizarle, y, de cualquier modo, no parecía una mujer interesada. En ese sentido, había acertado. No era alguien oportunista. Era una mujer íntegra y digna, con la cabeza bien amueblada y mucho talento. No necesitaba engañar a nadie para prosperar, y tampoco lo habría hecho.

Tanya le agradeció la comida y él le deseó un feliz fin de semana. Realmente había resultado más agradable de lo que ella esperaba. Douglas era una compañía grata y no se había pasado de la raya. En realidad, se había comportado con más corrección de la que había esperado y no la había presionado criticando su vida hogareña.

Douglas, por su parte, creía que Tanya merecía metas más interesantes que las que tenía en Marin —una vida, a su entender, algo simple—, pero si eso era lo que ella quería y era su manera de disfrutar de la vida, no ofendía a nadie. Sabía que su vida se enriquecería y se volvería más interesante después de su estancia en Los Ángeles.

Mientras se acercaban a la recepción del hotel, Douglas sintió que podrían llegar a ser amigos algún día. Le gustaba esa idea y era una posibilidad que Tanya también contemplaba, aunque no con tanta expectación como él. Quería mostrarse cautelosa y no generar en el productor expectativas de ningún tipo. Dejando a un lado el poco aprecio que mostraba hacia su estilo de vida, había algo en él que la incomodaba. No tenía interés alguno en los valores familiares, le ponían nervioso los niños y los votos matrimoniales no eran más que un problema. Douglas quería estar con gente a la que pudiera presionar o sobre los que pudiera tener algún tipo de control. Por ello, Tanya pensó que mientras tuviera claro ese aspecto de su personalidad, marcara unos límites claros y mantuviera la cabeza fría, podrían llevarse bien. Con él, no se podía bajar la guardia.

De cualquier modo, por el momento era solo alguien con quien mantenía una relación profesional y tenía la intención de que siguiera siendo así. Quizá con el tiempo, cuando se conocieran un poco más, podrían ser amigos. Pero, primero, Douglas Wayne tendría que ganarse su amistad.

Tanya estuvo trabajando el resto de la tarde en su habitación y cenó también en el bungalow. Max la llamó para preguntarle qué tal iba todo y discutió con él algunos problemas que ya intuía que iba a dar el guión. Max le propuso algunas soluciones que agradaron a Tanya. Probó a ponerlas sobre el papel y, para su satisfacción, descubrió que funcionaban. Estaba completamente convencida de que iban a disfrutar trabajando juntos. Le habría gustado volver a casa aquella noche pero Douglas le había dado a entender que debía estar disponible por si había alguna reunión el viernes por la mañana.

A mediodía del viernes no había recibido ninguna llamada, así que cogió un taxi en dirección al aeropuerto. Ya había mandado a su casa al chófer de la limusina y solo llevaba consigo el equipaje de mano. Llegó al vuelo de la una y media de la tarde a San Francisco y a las tres y veinte entraba por la puerta de su casa. No había nadie, pero Tanya se sintió tan feliz que tuvo ganas de ponerse a bailar y a cantar en medio del salón. No podía contener la alegría. Abrió la nevera y los armarios y descubrió que estaban medio vacíos, así que fue al supermercado en busca de provisiones para diez días. Estaba guardando la compra cuando las mellizas llegaron a casa; dieron un grito al verla. Por un instante, hasta Megan pareció feliz. Sin embargo, inmediatamente, su cara se ensombreció y, acordándose de que se suponía que estaba enfadada con su madre, se marchó escaleras arriba. Pero, por un momento, había dejado entrever sus verdaderos sentimientos y Tanya se alegró. Molly se lanzó encima de su madre como una cría y empezó a darle abrazos y besos. La miró y volvió a abrazarla.

—Te he echado mucho de menos —reconoció.

—Yo también —dijo Tanya devolviéndole el abrazo.

—¿Cómo ha ido? —preguntó la muchacha con interés y muerta de ganas de escuchar a su madre.

—Bien. Cené con Ned Bright y con Jean Amber la otra noche. Él es guapísimo —le confesó Tanya con una sonrisa de completa felicidad por estar de nuevo juntas.

—¿Cuándo podré conocerle? —preguntó Molly con impaciencia.

—En cuanto vayas a visitarme —contestó Tanya mientras acababa de guardar las cosas—. Podrás venir a ver el rodaje. El director es encantador.

Unos minutos más tarde, Molly se fue a su habitación deseosa de llamar a sus amigas para contarles las noticias de su madre. Tanya todavía estaba ordenando la cocina cuando llegó Peter, que volvía a casa antes de lo habitual sabiendo que su mujer habría regresado. En cuanto la vio, la cogió en sus brazos y la besó ávidamente en la boca. Después, la sujetó muy fuerte contra su pecho. Estaban tan felices de volver a verse... Una hora antes de cenar, Peter y Tanya subieron a su habitación y echaron el pestillo a la puerta con discreción. Fue la mejor de las bienvenidas, en todos los sentidos.

Aquella noche, Tanya se encargó de la cena y preparó el plato de pasta preferido de la familia y una enorme ensalada verde. Peter asó carne en la barbacoa y todos se sentaron alegremente alrededor de la mesa. Tanya les contó la velada en casa de Douglas Wayne y nombró a las grandes estrellas que le habían presentado. Después de cenar, las chicas salieron con sus amigos y Peter y Tanya regresaron a su habitación.

Era una noche de viernes normal y Peter y Tanya se pasaron horas charlando abrazados. Antes de dormirse, volvieron a hacer el amor. Habían sobrevivido a la primera semana de Tanya en Los Ángeles y, en sus vidas, todo iba bien.

7

El fin de semana pasó demasiado deprisa para todos. El domingo por la mañana, Tanya se levantó deprimida y Peter tampoco parecía feliz. Aunque ella no se marchaba hasta la noche, solo de pensar que tenía que irse hacía que todos estuvieran alicaídos.

A la hora de comer, Megan perdió el control y discutió con su madre en la cocina por una camiseta que la lavadora había estropeado, una mera excusa para transmitir a su madre su enfado por que volviera a irse a Los Ángeles. Sabiendo que ese era el motivo de la furiosa reacción de Megan, Tanya intentó no perder los nervios, pero finalmente tuvo que pedirle que se comportara.

—Esto no tiene nada que ver con la camiseta, Meg —dijo Tanya sin rodeos—. A mí tampoco me apetece irme. Hago lo que puedo.

—No, no lo haces —le recriminó Megan—. Lo que estás haciendo es egoísta y estúpido. No tenías por qué escribir el guión para esa película. Reconócelo, mamá, eres una mala madre. Nos has abandonado a todos para poder escribir eso. No te importamos ni nosotras ni papá. Solo piensas en ti.

Tanya se quedó sin habla durante un rato y después notó que las lágrimas le nublaban la visión. Era duro tener que defenderse ante semejantes acusaciones y se preguntó si Megan tendría razón. Irse a Los Ángeles a escribir un guión era un acto de completo egoísmo.

—Lamento que veas así las cosas —dijo Tanya con tristeza—. Sé que es un mal año para hacerlo, pero ha sido ahora cuando he tenido la oferta y quizá no vuelva a tener una oportunidad así.

Confiaba en que lo entendieran y le perdonasen, pero quizá Megan era incapaz de hacerlo. Su rabia seguía sin amainar. Allí estaban las dos, en medio de la cocina, retándose con la mirada —la de Megan desafiante y la de Tanya desesperada—, cuando entró Peter. Había oído las palabras de Megan y venía desde el salón para exigirle que se disculpase con su madre. Pero Megan no solo no quiso hacerlo sino que afirmó que creía en cada una de las palabras que había dicho y, sin más, se marchó dando grandes zancadas escaleras arriba. Tanya miró a su marido y rompió a llorar. Peter la rodeó con los brazos.

—Solo está desahogando su rabia.

—No la culpo. Yo me sentiría igual que ella si mi madre me abandonase en mi último año de instituto.

—Estás en casa los fines de semana. Además, entre semana apenas están; llegan para cenar, llaman a sus amigas y se meten en la cama. En realidad no te necesitan —insistió intentando convencerla.

Pero Tanya siguió llorando, y a su tristeza se unía el dolor de tener que separarse de Peter.

—Les gusta saber que estoy aquí —dijo Tanya sonándose la nariz.

—A mí también. Pero estás aquí los fines de semana. Y no va a ser para siempre. Esta semana nos hemos organizado bien y antes de que te des cuenta, la película habrá terminado. ¿Y si ganaras un Oscar, Tan? Piensa en ello. Haciendo una película con Douglas Wayne, podría pasar. —Él ya había ganado al menos una docena—. Por cierto, ¿qué tal es?

Aquel fin de semana, Peter le había preguntado en varias ocasiones cómo era el productor. Sabía que era un hombre atractivo y no quería pensar en que pretendiera conquistar a Tanya. Peter no era un hombre celoso, pero Hollywood era otro mundo, así que confiaba en que las intenciones del productor fueran honestas. A pesar de todo, se fiaba de su esposa.

—Es extraño. Egoísta, muy cerrado, casi diría que hermético. Odia a los niños, tiene un yate, un montón de cuadros y una casa maravillosa. Eso es todo lo que sé de él. Eso y que estuvo casado con una estrella de rock que murió en un accidente de aviación cuando ya estaban divorciados. No es precisamente un hombre afable y acogedor, pero es muy inteligente. El que me gusta mucho es el director, Max Blum. Parece Santa Claus y es muy dulce. Su novia murió de cáncer de pecho y tiene un gran danés llamado Harry.

—Realmente sabes cómo sacarles información personal, ¿eh? —comentó Peter riéndose. Había hecho una descripción muy detallada de cada uno de ellos—. Debe de ser porque eres escritora. La gente siempre te confiesa cosas que a mí tardaría un millón de años en contarme. Y además, sin que les preguntes.

La gente siempre le contaba a Tanya sus secretos más íntimos, algo que a Peter le fascinaba y había comprobado en innumerables ocasiones.

—Debo de ser empática. Además, soy madre, aunque últimamente parece que no se me da muy bien.

—No es verdad. Meg es muy dura.

Sus padres lo sabían muy bien. Megan exigía mucho de las personas a las que quería y juzgaba con mucha severidad a aquellos que le fallaban, incluidas sus amigas. Megan no solo era exigente con los demás, sino también consigo misma. Tanya creía que lo había heredado de su madre. En cambio, Molly era mucho más comprensiva y amable.

Tanya preparó la comida para todos pero Megan no se sentó a la mesa. Se despidió de su madre y se marchó a comer fuera. Probablemente no quería estar presente cuando Tanya tuviese que volver a marcharse. Cada persona se despide a su manera y a Megan no se le daban bien los adioses. Le resultaba más fácil enfadarse y salir dando un portazo que mostrar su pena entre lágrimas. Molly estuvo abrazada a Tanya hasta el último minuto y, camino del aeropuerto, la dejaron en casa de una amiga, no sin antes darle un último abrazo a su madre.

—Te quiero mucho... Pásatelo bien y saluda a Ned Bright de mi parte. Dile que le adoro... ¡Pero a ti más! —exclamó después de bajarse del coche, darse la vuelta ligeramente y salir corriendo hacia casa de su amiga.

Tanya y Peter disfrutaron de unos minutos de soledad y tranquilidad antes de llegar al aeropuerto. Peter le contó a su mujer el caso en el que estaba trabajando; Tanya le habló de los cambios que había hecho en el guión; después, se quedaron en silencio, felices de estar juntos. Aquel fin de semana habían hecho el amor mucho más de lo habitual y Peter bromeó al respecto.

—A lo mejor este asunto de Los Ángeles mejora nuestra vida sexual.

Parecía como si los días que estaban separados, se dedicaran a almacenar el amor que se profesaban y eso les ayudara a la hora del reencuentro.

Tuvieron que despedirse antes de pasar el control de seguridad —Peter no tenía tarjeta de embarque, claro está— y Tanya volvió a ponerse triste en el momento en el que su marido le daba un beso de despedida.

—Ya te echo de menos —musitó sintiéndose muy desgraciada.

Peter volvió a besarla con gran entereza y dijo:

—Yo también, nos vemos el viernes. Llámame cuando llegues.

—Lo haré. ¿Qué harás para cenar?

Las mellizas cenarían con sus amigas y Tanya había olvidado dejarle algo preparado para que pudiera calentárselo en el microondas.

—Le he dicho a Alice que pasaré por su casa. Esta semana

ha venido un par de veces para ver cómo estaban las chicas, así que, como agradecimiento, encargaré un poco de sushi y cenaré con ella.

—Salúdala de mi parte. Quería llamarla durante el fin de semana, pero al final se me ha pasado. Dile que lo siento y dale las gracias por vigilar a las chicas.

—Me parece que lo hace encantada. Creo que echa de menos a sus hijos y que le resulta menos duro si tiene que venir a echar un vistazo a las nuestras camino de su casa. Se queda apenas un par de minutos. Está demasiado ocupada con la galería.

Era una suerte para Alice tener una empresa propia. La muerte de Jim había sido un duro golpe y, aunque había mostrado una fortaleza impresionante, Tanya conocía su dolor. Ella la había ayudado a salir adelante durante el primer año, el peor. Y ahora, en la medida de sus posibilidades, Alice estaba intentando corresponder. Era un justo intercambio entre amigas que siempre se habían prestado ayuda. Tanya agradecía la presencia de Alice en aquellos momentos.

Antes de pasar el control, Tanya dio la vuelta y corrió hacia Peter para darle un último beso. Después, se apresuró para llegar a la puerta de embarque con la bolsa de viaje al hombro. Fue la última en entrar en el avión y, nada más sentarse, apoyó la cabeza en el respaldo y cerró los ojos pensando en el fin de semana. Había sido maravilloso estar en casa con Peter y las chicas y detestaba tener que marcharse de nuevo.

Cuando el avión enfiló la pista de aterrizaje, apagó el teléfono y, una vez en el aire, se quedó medio dormida. Había sido un fin de semana intenso emocionalmente y Tanya estaba cansada. Además, la pelea con Meg la había dejado exhausta. ¿La perdonaría algún día? ¿Volverían las cosas a ser como antes? Confiaba en que así fuera. Pero a Megan le costaba tanto perdonar... su rencor podía ser eterno.

Seguía pensando en su hija cuando bajó del avión, salió de

la terminal y cogió un taxi. La idea de que la recogiese una limusina en el aeropuerto no le apetecía en absoluto, así que no había avisado a su chófer de su regreso. Todavía le resultaba extraño aprovecharse de las ventajas de su contrato.

Entró en el bungalow y, sorprendida, descubrió que le parecía un lugar agradable y familiar. Había cogido más fotos de su familia para distribuir por las habitaciones: de Peter, de los chicos y una de Alice con James y Jason. El fin de semana, había podido hablar con su hijo y se le notaba feliz. Estaba tan ocupado con su nueva vida universitaria que no tenía tiempo de llamar a su familia, para disgusto de sus hermanas.

En cuanto se sentó, llamó a Peter al móvil. Todavía estaba cenando en casa de Alice, así que Tanya habló también con ella. Aquella conversación hizo que se sintiera aún más sola. Le habría gustado poder estar con ellos cenando sushi. Alice le aclaró que sin ella la cena no era lo mismo y que la echaban mucho de menos. Tanya le explicó que se había llevado una foto de ella para que le hiciera compañía en Los Ángeles.

Después de colgar, Tanya encendió la tele y se sintió terriblemente sola. Para relajarse, decidió darse un buen baño, por lo que puso en funcionamiento el jacuzzi de la enorme bañera. Más tarde, conectó el ordenador y trabajó un poco más en el guion. Tenía programada una reunión con el director y el productor a las ocho y media de la mañana del día siguiente y una con los actores al cabo de dos días. Iba a ser una semana de duro trabajo, ya que tendría que recoger los comentarios sobre el guion de todos ellos y tratar de incorporar los cambios necesarios. Pero, por supuesto, tenía muchas ganas de seguir todo el proceso y de oír sus opiniones. Tanya trabajó hasta las dos de la madrugada y pidió que la despertasen a las siete.

Cuando sonó el teléfono, se incorporó de golpe, pero inmediatamente dejó caer la cabeza sobre la almohada con un gruñido. Le parecía que acababa de cerrar los ojos. Llamó a Peter inmediatamente. Ya le echaba de menos. Su marido se había levantado, se había arreglado y estaba a punto de preparar el desayuno para las mellizas. Al hablar con su marido, su sentimiento de culpa afloró de nuevo. Ella no estaba con las chicas y él sí. Pero se abría un largo período en el que sería él quien prepararía el desayuno y quien estaría largas noches sin ella en su cama de Marin. Un curso escolar completo sin Tanya. Ella lo vivía como si fuera una pena de cárcel.

Mantuvieron una breve conversación antes de afrontar sus respectivos días de trabajo.

—Te echo mucho de menos —lamentó Tanya con tristeza—. Me siento fatal al pensar que tienes que encargarte tú de todo.

—Tú lo has estado haciendo durante dieciocho años, así que no creo que importe demasiado que yo me ocupe durante unos meses —dijo Peter con dulzura pero con prisas.

—Tengo un marido que es un santo —afirmó Tanya, agradecida. Era un hombre increíble.

—No, tienes un marido que no consigue poner a la vez sobre la mesa los huevos, el zumo y los cereales. Soy un cocinero disléxico, así que tengo que dejarte. Que te vaya bien el día.

—Eso espero —dijo Tanya nerviosa.

Era su primera verdadera reunión de trabajo; por fin iban a entrar en materia. Tal vez rechazarían sus cambios, y no podía saber lo que iban a decirle o cómo actuarían. Todo era nuevo para ella.

—Todo irá bien, no dejes que impongan sus tonterías. Lo que he leído hasta ahora es genial.

—Gracias, te llamaré cuando salga de la reunión. Buena suerte con el desayuno y... Peter —musitó Tanya con ojos llorosos—, lamento todo esto. Me siento tan mala madre y tan mala esposa... Eres un héroe por dejarme hacer esto.

En aquellos momentos Tanya seguía sintiéndose culpable por haber transferido todas las responsabilidades domésticas —de las que llevaba ocupándose veinte años— a su marido.

—Eres una esposa inmejorable. Y para mí, eres una estrella.

—Tú eres la estrella, Peter —le rectificó Tanya dulcemente. Tenía unas ganas enormes de que llegara el fin de semana para poder volver a casa.

—Adiós, pórtate bien... te quiero —se despidió Peter, y colgó rápidamente.

Tanya se lavó los dientes y se cepilló el pelo. Pidió el desayuno en la habitación, un menú muy diferente al que Peter y sus hijas engullirían. El chófer y la limusina la esperaban fuera. Tanya llegó al estudio a las ocho y media en punto. Douglas todavía no había llegado pero Max Blum ya estaba allí.

—Buenos días, Tanya, ¿qué tal el fin de semana? —le preguntó amablemente.

Iba cargado con una pesada maleta que parecía a punto de estallar. Se dirigieron hacia la sala de reuniones y Max se dejó caer en una silla. Durante todo el proceso de preproducción, habían alquilado unas oficinas a una de las cadenas de televisión y a Tanya le habían asignado un despacho. Ella había asegurado que prefería trabajar en el hotel. Sabía que en el bungalow tendría más tranquilidad y no habría distracciones.

—Demasiado corto —contestó Tanya, que aquella mañana echaba de menos a Peter y a sus hijos más que nunca—. ¿Y el tuyo?

—Bueno, no ha estado mal. He ido a ver un par de partidos de béisbol, he leído *The Wall Street Journal,* el *Variety* y *The New York Times.* También he tenido varias conversaciones intelectuales con mi perro. Nos acostamos bastante tarde ayer, así que hoy estaba demasiado cansado para venir a trabajar. Vida de perro —comentó Max mientras una secretaria les ofrecía un café que ambos rechazaron.

Max llevaba en la mano un capuchino de Starbucks y Tanya ya había tomado bastante té en el hotel. Estaban charlando animadamente cuando llegó Douglas, con su aspecto habitual de portada de *GQ.* Olía estupendamente y se había cortado el pelo durante el fin de semana. Incluso a esa hora de la mañana, estaba impecable. Max, por el contrario, iba de lo más desaliñado: parecía que había olvidado peinarse el poco pelo que le quedaba, llevaba los vaqueros medio rotos, las zapatillas deportivas estaban usadas y viejas y se veía un agujero en los calcetines. Iba limpio, pero hecho un desastre. Tanya iba vestida con vaqueros, una sudadera y zapatillas deportivas. No se había molestado en maquillarse. Se disponía a trabajar.

Se pusieron manos a la obra inmediatamente. Había varias escenas que Douglas quería cambiar y Max tenía problemas con una en particular que le parecía demasiado rápida, lo que imposibilitaba que los actores mostraran sus emociones en profundidad. Quería que Tanya la reescribiera para que los espectadores se dieran un hartón de llorar.

—Hazles sangrar —comentó.

A media mañana, Douglas y Tanya se enzarzaron en una discusión sobre uno de los personajes y el modo como Tanya lo había caracterizado. Para el productor, el personaje resultaba aburrido.

—La odio —dijo con rotundidad y sin molestarse en suavizar sus palabras—. Y al público le pasará lo mismo.

—Se supone que es aburrida —replicó Tanya defendiendo su trabajo ardientemente—. Es una mujer terriblemente aburrida. No me molesta que la odies. No es alguien agradable. Es tediosa, una llorica y traiciona a su mejor amiga. ¿Por qué demonios tendría que gustarte?

—No quiero que me guste. Pero si tiene las narices de traicionar a su mejor amiga, debe tener algo de personalidad. Concédele por lo menos eso. La has retratado como si estuviera muerta —insistió Douglas en un tono insultante.

Tanya finalmente cedió y aceptó cambiar el personaje, pero seguía sin estar de acuerdo con Douglas. Max intercedió y propuso una solución intermedia para satisfacer a ambas partes. Podía seguir siendo aburrida y desagradable, pero debía parecer envidiosa y amargada; con eso bastaría para que la traición final tuviera más sentido. Tanya lo aceptó. Cuando acabaron de repasar todas las observaciones y la reunión tocó a su fin, eran cerca de las tres de la tarde y Tanya estaba agotada. No habían hecho una pausa ni siquiera para almorzar, porque para Douglas la comida era una distracción. Cuando se levantaron, Tanya podía sentir la falta de azúcar en la sangre y la ausencia de energía en todo su cuerpo.

—Una buena reunión —dijo Douglas, de un humor excelente.

Max había estado mordisqueando barritas de chocolate y algunas nueces que había llevado consigo. Había trabajado ya en muchas películas con Douglas y conocía su forma de trabajar.

Tanya, por el contrario, no sabía nada y se sentía agotada y herida por algunos de los comentarios del productor. Después de haber estado lanzándole dardos, no se había disculpado. A Douglas solo le interesaba hacer la mejor película posible, sin importarle a costa de quién. En aquella ocasión, le había tocado recibir a Tanya. No estaba acostumbrada ni a su estilo ni a tener que justificar hasta tal punto su trabajo o a defenderlo de aquel modo. Los productores de las telenovelas eran de trato más fácil.

—¿Estás bien? —le preguntó Max cuando salieron del edificio.

Douglas había salido disparado porque tenía una cita; habían quedado en volver a reunirse todos allí al día siguiente, esta vez también con los actores. Tanya estaba aterrorizada. Aquello era más duro de lo que esperaba; además, no tenía ni idea de cómo afrontar el personaje que Douglas tanto odiaba. Iba a pasarse la tarde y la noche trabajando en ello. Se sentía como si tuviera que preparar un examen. Sus palabras habían sido muy duras.

—Sí, estoy bien. Solo me siento cansada. No he desayunado demasiado, así que hace una hora que he empezado a derrumbarme.

—Cuando nos reunamos con Douglas, tráete siempre comida. Trabaja como un maníaco y nunca hace pausas para comer. Por eso está tan delgado. Para él, la comida es un simple acontecimiento social. Si no lo tiene en su agenda, no come, y los que le rodean van cayendo como moscas —le comentó Max riéndose.

—Para mañana ya lo sé —dijo Tanya mientras Max la acompañaba a su limusina.

—Oh, no, mañana será diferente. Mañana estaremos con las estrellas y a ellas hay que alimentarlas, y generalmente con *caterings* carísimos. Pero los directores y los guionistas no necesitamos comer. Podrás mendigar un poquito del plato de los actores. A lo mejor te lanzan un poco de caviar o un muslo de pollo. —Max estaba bromeando y exagerando, pero tampoco demasiado—. Siempre está bien que haya un par de actores en las reuniones. Suelo pedirlo, así puedo comer.

Tanya se echó a reír. Era como si un alumno veterano le estuviera explicando cómo funcionaba el colegio. Agradecía su ayuda y su buen humor.

—Mañana también traeré a Harry. Nadie quiere alimentar a un director con sobrepeso pero sí a un perro. Tiene un aspecto totalmente famélico y además gime y babea un montón. Una vez, hace tiempo, me puse a gemir como él, pero me echaron de la sala y amenazaron con llamar al sindicato, así que prefiero traer a Harry.

Tanya siguió riéndose. Max la animó para que no se sintiera decaída por tener que reescribir el personaje ni por los duros comentarios de Douglas. Era su forma de trabajar. Había productores mucho más duros, que incluso obligaban a reescribir el guión mil veces. Tanya se preguntó cuáles serían los comentarios de los actores y con cuánto detenimiento se habrían leído el guión. En las telenovelas en las que había trabajado, los actores se limitaban a salir a escena y soltar la parrafada. Pero estaba claro que en una película el trabajo era mucho más preciso.

Aquella tarde se pasó siete horas trabajando e incorporando todos los comentarios que habían hecho Douglas y Max. Pidió que le llevaran a la habitación unos huevos escalfados y una ensalada y a medianoche seguía trabajando. Cuando terminó, llamó a Peter. Se le había pasado la tarde volando y no había tenido un minuto para hablar con sus hijas, aunque a esa hora sabía que estarían ya durmiendo. Peter, sin embargo, estaba todavía despierto esperando su llamada. No había querido molestarla, ya que, al no saber nada de ella, había dado por sentado que estaba ocupada escribiendo y había optado por esperar.

—¿Qué tal ha ido? —preguntó con interés y curiosidad, convencido de que si Tanya no había llamado hasta la medianoche era porque había tenido un día intenso.

—Pues no lo sé —contestó Tanya, dejándose caer sobre la cama—. Creo que bien. Douglas odia a uno de mis personajes femeninos y me ha dicho que es muy aburrida. Así que me he pasado toda la noche reescribiendo sus escenas. Pero me temo que la he empeorado. Hemos tenido una reunión hasta las tres de la tarde sin parar ni un momento, ni siquiera para comer; pensé que me moría. Y, desde entonces, he estado trabajando como una burra en la habitación. Sin embargo, no estoy segura de haberlo arreglado. Mañana hemos quedado con los actores para repasar sus comentarios.

—Suena agotador —dijo Peter comprensivo.

Pero también sabía que Tanya ya había sospechado que sería de ese modo y también que era una trabajadora incansable. No paraba hasta que resolvía el problema, ya fuese a la hora de escribir o en cualquier otra faceta de su vida. Era una de las muchas cosas que admiraba en su esposa.

—Y tú, ¿qué tal el día? —preguntó ella relajándose al oír su voz.

A pesar de haber estado concentrada trabajando, le había echado terriblemente de menos durante todo el día. Qué larga se le haría la semana que la esperaba...

—Se me ha olvidado llamar a las chicas —continuó Tanya—. Estaba trabajando y no me di cuenta de la hora. Las llamaré mañana.

—Están bien. Alice nos ha traído lasaña y su famoso bizcocho. Nos lo hemos zampado entero. Yo me he encargado de preparar una ensalada. Hoy he optado por algo sencillo.

Y tenía todo el derecho después de un duro día trabajando con un cliente cuyos problemas acabarían probablemente en litigio.

—¿Se ha quedado Alice a cenar? —preguntó Tanya despreocupadamente.

Se sorprendió al oír la respuesta afirmativa de Peter. Era de agradecer que les llevase comida. Probablemente, después del apoyo de Tanya durante el largo año después de la muerte de Jim, Alice se sentía en deuda con ella.

—Después de esto voy a deberle un montón de favores. Si sigue así, tendré que cocinar para ella durante los próximos diez años.

—Tengo que admitir que es una ayuda. También acompañó a Meg a su partido de fútbol porque Molly necesitaba el coche. No podía salir antes de la oficina, así que la llamé y estaba justo saliendo de la galería. Pudo hacerme el favor. Me ha salvado la vida.

Tanya había hecho lo mismo por los hijos de Alice durante muchos años, pero no por ello dejaba de estar menos agradecida. El hecho de que Alice les estuviera echando una mano aliviaba la culpa de Tanya, aunque, por otro lado, la acentuaba. La tranquilizaba saber que había alguien ayudando a Peter con las mellizas, pero, al mismo tiempo, hacía que se sintiera aún más culpable por no estar allí. Sin embargo, no le quedaba más remedio que asumir la situación mientras durase la película. Por encima de todo, la presencia de Alice era de gran ayuda para Peter y había que agradecérselo. Su marido tenía mucho trabajo y no podía ocuparse de todo.

Charlaron de un montón de cosas pero, aunque se habrían pasado horas al teléfono, los dos tenían que madrugar y debían descansar para afrontar el duro día de trabajo que les aguardaba, así que se despidieron. Tanya prometió a Peter que le llamaría más temprano al día siguiente y le mandó un fuerte abrazo para las niñas. Casi se sintió como una extraña al decirlo. Para ella, era inaudito mandar un beso en lugar de estar allí para dárselo. De acuerdo con la mentalidad de Tanya, aunque para Peter no fuera así, era ella quien debía estar junto a la cama de sus hijos para dar ese beso.

A la mañana siguiente, Tanya se encontró de nuevo en la sala de reuniones del día anterior. Max llegó acompañado de su perro, si es que podía dársele tal nombre a semejante animal. Harry parecía un caballo pequeño, pero era un perro muy bien educado: se instaló en un rincón y apoyó su gigantesca cabeza en las pezuñas. Pasada la sorpresa inicial que causaba su tamaño, todos olvidaron su presencia. Hasta que apareció la comida. En ese momento, Harry se levantó alertado y empezó a lanzar lastimeros aullidos y a babear como un loco. Max le dio algunos trozos de comida de las fuentes que había repartidas por toda la mesa y el resto de los presentes le imitó. Seguidamente, el perro se echó a dormir. A media reunión, Tanya felicitó a Max por el increíble buen comportamiento del animal.

—No es un perro, es mi compañero de piso —bromeó Max—. Una vez rodó un anuncio e invertí el dinero que ganó en la Bolsa. Me ha dado grandes beneficios, con los que puedo pagar la mitad del alquiler. Yo lo veo más bien como un hijo.

A Tanya no le cabía ninguna duda.

La reunión fue larga y difícil, aunque Douglas, con la ayuda de Max, la dirigió bastante bien. Tanya se quedó muy sorprendida al ver las numerosas notas que aportaban los actores. Algunas eran muy sensatas y útiles para el guión; otras eran totalmente irrelevantes y poco elaboradas. Pero, en general, la mayoría de ellos tenían algo que decir y querían que se cambiasen algunas cosas. Lo más complicado era cambiar los diálogos que los actores no sentían «suyos». Tanya tuvo que esmerarse y trabajar con cada uno de los actores para escoger las expresiones que más se adecuasen a su manera de hablar y con las que se sintieran más a gusto. Era un proceso largo y tedioso y el estrés de Douglas iba en aumento. En algún momento, llegó a mostrarse irritado con todos y cada uno de los reunidos. Con Tanya volvió a enfrascarse en una discusión a propósito de una escena en la que aparecía el personaje que tanto desagradaba a Douglas y por el que ya habían discutido el día anterior.

—¡Por el amor de Dios, Tanya! —le gritó—. Deja de defender a esa zorra. ¡Cámbiala de una puta vez!

Tanya se quedó anonadada. Estuvo un buen rato sin hablar, a pesar de las miradas de apoyo de Max, muy consciente de que la guionista se había ofendido y que las palabras de Douglas habían herido sus sentimientos.

Cuando los actores empezaron a marcharse eran casi las seis de la tarde; las bandejas de comida habían ido entrando en la sala de reuniones sin descanso. Max estaba en lo cierto. Habían comido durante todo el día sushi y tofu, y por la tarde, para merendar, pastelitos de nata y fresas. Después de la reunión, todos los actores tenían planes para ir al gimnasio o a sesiones con sus entrenadores personales. Tanya, por su parte, solo quería volver al bungalow y dejarse caer rendida sobre la cama. Después de pasar todo el día concentrada en lo que los demás tenían que decirle y en trabajar con ellos cada uno de los cambios, estaba exhausta.

Cuando ya salían de la sala, Douglas se detuvo junto a ella como si nada hubiera ocurrido y le comentó en tono agradable:

—Siento haber sido un poco duro contigo hoy.

Tanya se sentía como si le hubiera atropellado un autobús y Douglas se había dado cuenta de ello.

—Estas reuniones con los actores me sacan de quicio —añadió—. Cogen cada palabra y cada detalle y solo se preocupan de cómo sonará en sus bocas. Según sus contratos tienen derecho a exigir cambios en el guión, pero me da la impresión de que si no piden al guionista que reescriba cada línea creen que no han hecho su trabajo. Al cabo de unas horas, me entran ganas de estrangular a todo el mundo. Además, estas reuniones no se acaban nunca. En fin, siento que te hayas llevado la peor parte.

—Tranquilo —dijo Tanya con calma—. Yo también estaba cansada. Son muchos los detalles, y lo único que intento es preservar la integridad del guión y que todo el mundo esté contento.

No siempre era fácil y Douglas lo sabía. Llevaba años haciéndolo, cientos de veces con cientos de guiones.

—He estado trabajando en el personaje que tanto odias y no creo haber resuelto el problema, pero sigo intentándolo. Lo que ocurre es que veo el trasfondo del personaje, sus intenciones y pensamientos ocultos, y entonces no la veo tan aburrida como parece. O quizá es que me identifico con ella y yo soy igual de aburrida —bromeó Tanya.

Douglas negó con la cabeza y sonrió. Tanya agradeció que el productor se hubiera parado a charlar con ella para aliviar un poco la tensión. La había intimidado mucho durante las últimas horas y no era una sensación agradable. Ahora estaba mejor.

—No es así como yo te describiría, Tanya. Eres cualquier cosa menos aburrida, y espero que lo sepas.

—Solo soy un ama de casa de Marin —dijo con honestidad, y Douglas se echó a reír.

—Esa cantilena se la vendes a otro. A Helen Keller quizá. Lo de ser un ama de casa es tu juego o tu máscara, aún no sé por qué decidirme. Pero estoy seguro de que no eres eso. Si lo fueras, no estarías aquí. No habrías aguantado ni un minuto.

—Soy un ama de casa en excedencia para escribir un guión —insistió Tanya sin convencer a Douglas en absoluto.

—Tonterías. Ni por asomo. No sé a quién pretendes engañar, pero yo no me lo trago, Tanya. Eres una mujer refinada con una mente fascinante. Encasillarte como ama de casa en Marin es más o menos como si un alienígena trabajara en un McDonald's. Puede que sean capaces de hacerlo, pero ¿por qué echar a perder tanto cerebro y tanto talento?

—No es echarlo a perder. Están mis hijos.

A Tanya no solo no le gustaba lo que Douglas decía o cómo la veía, sino que le molestaba. Ella era exactamente quien decía ser y lo que aparentaba. Además, estaba orgullosa de ello. Siempre le había gustado ser madre y ama de casa y le seguía gustando. También disfrutaba con su escritura, sobre todo en aquellos momentos. Para ella, era un desafío. Pero no tenía ningún interés en formar parte de Hollywood, aunque parecía que lo que Douglas insinuaba era que su lugar estaba allí y no en Ross. Tanya no solo no quería que así fuera, sino que sabía a ciencia cierta que aquel no era su sitio y que únicamente estaba de paso. Después, volvería a casa y se quedaría allí. Era una decisión firme.

—La dirección de la corriente ha cambiado, Tanya, te guste o no. No puedes volver. No funcionará. Solo llevas aquí una semana y aquello ya se te ha quedado pequeño. Se había quedado pequeño antes de que vinieras. El día en el que decidiste que harías la película, la suerte ya estaba echada.

Tanya sintió un escalofrío. Era como si con sus palabras, Douglas borrara el camino de regreso a su casa. Tanya quería asegurarse de que no era cierto, y cada vez que hablaba con el productor de ello tenía unas ganas locas de correr a los brazos de Peter. Se sentía como la protagonista de la ópera *Porgy y Bess*, intentando escapar de las garras del malvado Crown. Douglas transmitía algo aterrador e hipnotizador a un tiempo y Tanya solo quería huir de él.

—Has tenido mucha paciencia con los actores —la felicitó Douglas—. Son terriblemente difíciles.

—Creo que los comentarios de Jean sobre su personaje

eran muy interesantes. Y los de Ned también tenían sentido —dijo Tanya mostrándose justa y haciendo caso omiso de las críticas del productor.

No iba a ponerse a discutir con él sobre si era o no un ama de casa. En realidad, solo convivirían durante el rodaje de la película, así que su opinión no importaba. Aquel hombre no tenía poder alguno sobre su vida, y tampoco era un adivino o un psiquiatra. Él estaba obsesionado con Hollywood y ella no. Tanya estaba empezando a darse cuenta de que era un hombre borracho de poder, una faceta de su carácter que unas veces se hacía evidente y otras disimulaba con sutileza. Dependía de lo que más le conviniese en cada momento. En eso era todo un profesional y era tan interesante observarle como asistir a una final del torneo de Wimbledon.

Después de la reunión, Tanya volvió al hotel y se pasó horas trabajando en el guión. Introdujo algunos cambios, aunque otros le resultaron más difíciles. Al día siguiente, llamó varias veces a Max para discutir algunos aspectos, pero él le aseguró que no debía preocuparse demasiado. Le explicó que más adelante, durante el rodaje, habría más cambios, sutiles variaciones. De todos los profesionales del cine con los que trabajaba, Max era el más dúctil; Tanya apreciaba su buen talante ante cualquier cuestión. Era sabio y de trato fácil; la combinación perfecta. Por el contrario, Douglas transmitía tensión y obsesión por el control; algo que acababa siendo, a menudo, incómodo.

Fue una semana intensa para Tanya. Peter, por su parte, estaba a las puertas de un juicio y también tenía mucho trabajo. Tanya siguió reuniéndose con Max, Douglas y el resto del equipo y dando vueltas al guión. Muy a su pesar, programaron varias reuniones para el sábado y le dijeron que era importante que estuviera presente. Así que el jueves por la tarde no tuvo más remedio que llamar a su marido y decirle que no podría ir a casa el fin de semana. Le pidió que fueran ellos a Los Ángeles.

—Mierda, Tan... Me encantaría ir, pero Molly tiene un partido de fútbol importante y sé que Megan había pensado ir a la ciudad con John White. Tenían algo programado, así que no querrá irse. Y yo pensaba llevarme un montón de trabajo a casa el fin de semana. Si fuese, me pasaría todo el día trabajando en el hotel y estaría muy nervioso. No creo que sea el fin de semana más apropiado.

—Yo también me pasaré el fin de semana trabajando —dijo Tanya con pesar—. Me da una rabia terrible no veros. A lo mejor podría volar el viernes a última hora y pasar la noche en casa. Tengo que estar a las nueve de la mañana del sábado en una reunión, pero tal vez podría coger el avión de las seis de la mañana.

—Es una locura —dijo Peter, con razón—. Estarás agotada. Déjalo. Ya vendrás a casa el fin de semana siguiente.

Aunque se lo habían advertido, Tanya no esperaba que organizaran reuniones de fin de semana tan pronto y, a pesar de todo el trabajo que tenía por delante, le deprimía enormemente no poder ir a casa.

Aquella noche llamó a sus hijas para disculparse. El móvil de Megan estaba apagado, así que le dejó un mensaje en el buzón de voz. Molly tenía prisa, por lo que se limitó a decirle que no se preocupara. Tanya se sintió fatal y, para colmo, Peter estaba hablando por teléfono cuando le llamó y tampoco pudo hablar con él. Tres intentos, todos fallidos. Incluso llamó a Jason para decirle si quería ir a pasar la noche a Los Ángeles. Pero su hijo tenía una cita bastante interesante, así que le dio las gracias por la idea y le dijo que le encantaría ir otro fin de semana, pero no ese precisamente.

Se pasó el viernes y el sábado de reunión en reunión con Max, Douglas y los actores. También tuvo una reunión a solas con Jean para discutir los entresijos de su personaje. Jean se tomaba su papel muy en serio y quería meterse por completo en la mente y en la piel del personaje. Cuando Tanya llegó al hotel el sábado a las ocho de la tarde, estaba agotada.

Se sintió aún más cansada cuando oyó un mensaje de Douglas pidiéndole que le llamara.

—Mierda, ¿qué querrá ahora? —murmuró.

Llevaba toda la semana con él y ya había tenido más que suficiente. Su personalidad era tan fuerte que bastaba una pizca de Douglas para saturarla. Pero era el productor de la película, así que no había elección. Le había dado su teléfono particular, el de casa, algo que introducía automáticamente a Tanya en Hollywood. Precisamente, lo que menos le importaba. Marcó aquel número que tanto significaba para cualquiera.

—Hola, acabo de llegar y he oído tu mensaje —dijo simulando una alegría que estaba muy lejos de sentir, sobre todo después de haber intentado hablar con toda su familia y haber descubierto que todos estaban ocupados.

Fue directa al grano:

—¿Qué quieres?

Deseaba tumbarse en la bañera y relajarse. Si no le hubiera parecido muy extravagante, incluso habría pedido un masaje. Se lo merecía, desde luego, pero le parecía un gasto demasiado frívolo y no quería aprovecharse de su contrato. Un buen baño era suficiente.

—He supuesto que estarías triste por no haber podido ir a casa este fin de semana, y me preguntaba si te gustaría venir mañana a mi piscina a tomar el sol, si es que sueles hacerlo —dijo Douglas riéndose y demostrando que se había fijado en el ligero bronceado que lucía Tanya—. Será algo totalmente informal. Puedes leer el periódico y, si quieres, no tienes ni que dirigirme la palabra. Resulta un poco triste pasar el domingo en un hotel.

Tenía toda la razón del mundo, pero Tanya no estaba segura de querer pasar el domingo con él. Al fin y al cabo, era su jefe y no podía tumbarse al sol y no hacerle caso. Pero también era cierto que un día en su jardín resultaba de lo más apetecible, mucho más que pasarse el domingo en la piscina del hotel, rodeada de aspirantes a estrella y modelos a la caza de algún hombre poderoso. Además, se sentiría totalmente fuera de lugar sin un tanga y unos tacones de seis centímetros, y parecería una paleta. Aunque aquella semana —pagando de su bolsillo— se había hecho la manicura y la pedicura y se había sentido un poco mejor. Además, le habían hecho la manicura mientras ella repasaba los cambios en el guión, de modo que no perdiera ni un minuto de trabajo. En Los Ángeles, todas las mujeres llevaban las uñas de los pies y de las manos impecables, así que se había sentido más animada y más acorde con el lugar.

—Es muy amable por tu parte —le agradeció a Douglas—. Pero no quiero interferir en tus planes.

No sabía si aceptar o rechazar el ofrecimiento. Mientras Max, poco a poco, se iba convirtiendo en una especie de hermano mayor para Tanya, con Douglas nunca lograba sentirse relajada. Era un hombre muy controlador y nunca estaba segura de sus intenciones, así que su compañía era muy estresante. Tanya no podía imaginar al productor pasando un domingo —o cualquier otro día de la semana— relajado y sin hacer nada.

—No serás ninguna interferencia. No nos haremos ni caso. Nunca hablo con nadie los domingos. Tráete algo para leer, lo que quieras; yo pongo la comida y la piscina. Y, sobre todo, no te maquilles ni te arregles demasiado.

Parecía haberle leído el pensamiento, porque lo último que le apetecía a Tanya era tener que arreglarse en domingo. Sin embargo, tampoco lograba imaginarlo despeinado. A Max, sí. A Douglas, ni por asomo.

—Si voy, te tomo la palabra —aceptó Tanya con cautela—. Ha sido una semana muy larga y estoy cansada.

—Esto es solo el principio, Tanya. Reserva fuerzas para más adelante, porque las necesitarás. En enero y febrero, estos días te parecerán de chiste.

—Quizá debería volver a casa y saltar de un puente ahora

mismo —dijo Tanya, asustada y deprimida al mismo tiempo.

Le resultaba muy duro no ver a su familia, pero, además, empezaba a preguntarse si estaría a la altura del trabajo que le habían encomendado.

—Para entonces ya te habrás acostumbrado. Te lo tomarás con calma, créeme. Y cuando acabe, lo único que querrás es volver a empezar.

Siempre decía lo mismo y parecía estar convencido de ello. Era su verdad.

—¿Por qué será que no te creo cuando dices eso? —preguntó Tanya.

—Créeme, lo sé. Quizá trabajemos juntos en otra película —dijo él con voz segura y esperanzada, como si fuera algo fácil de prever.

No habían empezado ni siquiera la primera, pero todo el mundo en Hollywood quería trabajar en las películas de Douglas Wayne. Actores y guionistas le acosaban para que los incluyera en su equipo, porque Douglas significaba, casi con seguridad, un premio de la Academia y el Oscar era lo máximo a lo que podía aspirar cualquiera en aquella profesión. Por supuesto, para Tanya también tenía cierto atractivo, pero en aquellos momentos solo aspiraba a aprender cómo funcionaba una película, sobrevivir, no hacer el ridículo y lograr un resultado decente. Toda la semana había sido un constante desafío y, en más de una ocasión, el desánimo había hecho mella en ella.

—Bueno, entonces ¿vienes mañana? ¿A las once?

Tanya vaciló por un instante y luego claudicó. Era demasiado complicado decir que no, así que aceptó.

—Muy bien. De acuerdo —respondió educadamente.

—Te veo mañana entonces, y no lo olvides: nada de maquillaje. Y si no quieres, ni te peines.

«Sí, seguro —pensó Tanya utilizando una habitual expresión de Megan—. Y yo me lo creo.»

Pero le hizo caso. Al día siguiente se recogió el pelo en

una simple coleta y no se puso ni pizca de maquillaje. Aunque durante toda la semana tampoco había invertido mucho tiempo en arreglarse, era agradable no tener que hacer ningún esfuerzo. Para las reuniones, ni tan siquiera los actores se arreglaban demasiado. Pero aquella mañana de domingo, desde luego, no perdió ni un minuto delante del espejo. Se puso una camiseta gastada de Molly, unas chancletas y sus vaqueros más viejos. Cargó un montón de folios que quería repasar, un libro que llevaba un año queriendo empezar y el crucigrama de *The New York Times*, uno de sus pasatiempos favoritos. Había dado el día libre a su chófer —al fin y al cabo, era domingo—, así que cogió un taxi hasta la casa de Douglas.

Fue el productor mismo quien le abrió la puerta y se fijó en que había llegado en taxi. Llevaba una camisa inmaculada, unos vaqueros perfectamente planchados, unas sandalias de cocodrilo de color negro y ni un solo mechón de pelo fuera de lugar. En la casa se respiraba una tranquilidad absoluta. El día de la fiesta había habido una legión de camareros atendiendo a los invitados, pero aquel domingo no había un solo sirviente en toda la finca. Se respiraba silencio y paz.

Douglas condujo a Tanya hasta la piscina y la invitó a sentarse, tumbarse o hacer lo que le apeteciera. Junto a la *chaise longue* en la que estaba instalado, él también tenía un montón de papeles. Desapareció al instante y volvió al cabo de un momento con una bebida que depositó en la mano de Tanya, a pesar de que ella no había pedido nada. Era un Bellini —champán con zumo de melocotón—, una de sus bebidas favoritas. Un poco temprano para Tanya, pero la probó y descubrió que estaba muy suave.

—Gracias —dijo Tanya, sorprendida y sonriente.

Él se llevó un dedo a los labios y la miró con el ceño fruncido.

—¡Chis! —la riñó con gravedad—. Ni una palabra. Has venido a relajarte. Luego, si quieres, hablamos.

El productor se instaló en una silla al otro lado de la piscina y estuvo leyendo un rato el periódico. Después se puso crema protectora en el rostro y los brazos y se tumbó a tomar el sol. No le dirigió ni una sola palabra, así que, finalmente, Tanya logró relajarse. Leyó plácidamente e hizo el crucigrama mientras daba pequeños sorbos de vez en cuando al Bellini. Sorprendentemente, resultó una maravillosa manera de pasar el domingo. Douglas seguía tumbado sin moverse y Tanya supuso que se habría dormido. Después, ella también se tumbó a tomar el sol. Era una hermosa tarde de septiembre y hacía un calor agradable. Se oía el piar de los pájaros y Tanya se sintió completamente relajada.

Más tarde, cuando abrió los ojos, se sorprendió al ver a Douglas cerca de ella mirándola con una cálida sonrisa. Tenía la sensación de haber dormido durante horas.

—¿He roncado? —preguntó somnolienta.

Él se echó a reír. Era la primera vez que Tanya había conseguido relajarse junto a Douglas, una sensación agradable que había propiciado la amable actitud del productor. Tanya se preguntó si podrían llegar a ser amigos. Hasta entonces, no se le había pasado por la cabeza, pero en esos momentos estaba viendo otro aspecto de su persona.

—Muchísimo —dijo bromeando—. No solo me has despertado sino que han venido los vecinos a quejarse.

Tanya se echó a reír. Douglas le tendió un plato donde había dispuesto fruta en rodajas, ensalada, un poco de queso y tostadas.

—Pensé que tendrías hambre al despertarte.

Douglas se mostraba tan atento que Tanya empezó a sentirse como una holgazana niña mimada. Era un anfitrión fantástico y había cumplido estrictamente su palabra: la había dejado sola y apenas habían conversado.

Douglas desapareció de nuevo y, al cabo de un instante, Tanya oyó el piano. El instrumento estaba instalado en la salita de música que había junto a la piscina y que se cerraba con una cristalera corredera. Cuando terminó de comer, Tanya se levantó y se dirigió hacia allí. Douglas estaba tocando una complicada pieza de Bach y no se fijó en su presencia. Tanya se sentó y se dejó llevar por su maestría y talento. Finalmente, él levantó la vista y la miró.

—Siempre procuro tocar el piano los domingos —dijo con una amplia sonrisa—. Es el mejor momento de la semana, y cuando no puedo hacerlo, lo echo de menos.

Tanya se acordó de lo que le habían contado sobre los estudios de piano de Douglas. Se preguntó por qué no habría seguido su carrera. Estaba claro que le encantaba tocar y que tenía un talento extraordinario.

—¿Tocas algún instrumento? —preguntó él.

—Mi ordenador —contestó ella con una sonrisa tímida.

Era un hombre de lo más peculiar, con una gran variedad de habilidades e intereses.

—Una vez yo mismo monté un piano, una experiencia divertidísima —dijo apartando los dedos del teclado—. Logré hacerlo funcionar y ahora está en el barco.

—¿Hay algo que no sepas hacer?

—Sí —dijo él asintiendo con énfasis—. No sé cocinar. Me aburre comer, me parece una pérdida de tiempo.

Eso explicaba por qué estaba tan delgado y por qué nunca hacía un descanso en sus reuniones.

—Como porque no me queda más remedio, para sobrevivir. Sé que para cierta gente es una afición, pero yo no lo soporto. No tengo paciencia ni para pasarme un montón de rato cocinando ni para estar cinco horas sentado a la mesa degustando platos. Aparte de la cocina, tampoco juego al golf, aunque sé jugar. Pero también me aburre. Antes solía jugar al bridge, pero ahora ya no. La gente se vuelve mezquina y malvada con el juego. Si tengo que pelearme con alguien o insultarle, prefiero hacerlo por algo que me importe de verdad, no por un juego de naipes.

Tanya se echó a reír ante su razonamiento.

—A mí me pasa lo mismo con el bridge. Jugaba en la uni-

versidad, pero precisamente por la misma razón que tú comentas, no he vuelto a jugar. ¿Juegas a tenis? —preguntó Tanya, solo por seguir con la conversación.

Douglas comenzó a tocar otra pieza menos exigente y
contestó:

—Sí, pero me gusta más el squash. Es más rápido.

Estaba claro que era un hombre con poca paciencia; un
hombre al que le gustaba que las cosas se movieran deprisa.
Era una persona interesante, alguien a quien estudiar, y Tanya pensó en que estaría bien incluir un personaje como él
en alguno de sus relatos. Podría hacer algo increíble con alguien tan polifacético.

—He jugado a squash alguna vez pero no soy muy buena.
Mi marido también juega. Se me da mejor el tenis.

—Tendríamos que jugar algún día —dijo concentrándo-
se de nuevo en la música, mientras Tanya le escuchaba com-
placida.

Al cabo de un rato, Tanya volvió a salir al jardín y se tumbó a tomar el sol. No quería molestar a Douglas. Parecía abs-
traído en la pieza de música; se pasó una hora tocando. Cuando salió, Tanya le dijo con admiración:

—Me encanta oírte tocar.

Douglas parecía renovado y lleno de energía. Tenía los
ojos brillantes, por lo que era fácil adivinar los beneficios que
le aportaba el instrumento. Era muy bueno tocando y un auténtico placer escucharle.

—Tocar el piano alimenta mi espíritu —dijo él con senci-
llez—. No podría vivir sin tocar.

—Yo siento lo mismo con la escritura —confesó Tanya.

—Se puede adivinar leyendo lo que escribes —dijo él observándola.

Tanya estaba relajada y cómoda, algo que no había creído
posible el día anterior, cuando recibió su invitación. La había
sorprendido; estaba resultando un día agradable y totalmente
relajante.

—Por eso quise trabajar contigo. Al leerte supe que sentías auténtica pasión por tu trabajo, como me ocurre a mí con el piano. La mayoría de la gente no goza tanto de las cosas. Con las primeras líneas que leí de tu trabajo, supe que tú sí. Es un don poco común.

Tanya asintió, halagada, pero no respondió. Se quedaron sentados en silencio un rato y después ella echó un vistazo a su reloj. Sorprendida, descubrió que eran ya las cinco de la tarde y que las seis horas que llevaba con él habían pasado volando.

—Debería irme. Si llamas a un taxi, volveré al hotel —dijo a la vez que empezaba a recoger sus cosas y las metía en la bolsa.

Douglas movió la cabeza con un gesto negativo y afirmó:

—Te llevo yo.

No estaban lejos, pero Tanya no quería molestarle. Ya había hecho bastante por ella. Había sido un día perfecto y la pena y la culpa que sentía por no haber podido ver a su familia se habían esfumado.

—Puedo coger un taxi.

—Ya sé que puedes. Pero me encantaría poder acompañarte —insistió Douglas.

Entró en casa a coger las llaves y salió al instante. Fueron juntos al garaje, tan impoluto como una sala de operaciones, y le abrió la puerta de un Ferrari plateado. Tanya se sentó en el asiento del copiloto y Douglas puso el coche en marcha. Se dirigieron hacia el hotel compartiendo un silencio que, después de aquella tranquila tarde de domingo, ya no era incómodo. Aunque no habían hablado mucho, Tanya sentía que se habían hecho amigos. Aquella tarde, había conocido cosas de él que no habría adivinado, y le había encantado escuchar cómo tocaba el piano en el momento culminante del día.

El Ferrari se deslizó por el camino que conducía al hotel y se paró bajo el alero de la entrada del Beverly Hills. Douglas miró a Tanya, sonrió y dijo:

—Ha sido un día estupendo, Tanya, ¿verdad?

—Me ha encantado —dijo ella con sinceridad—. Me ha parecido que estaba de vacaciones.

Sorprendentemente, aquel había sido el mejor plan posible, una vez descartada la posibilidad de volver a casa. Siempre había estado tensa a su lado; hoy, en cambio, se había quedado dormida en su piscina y se había pasado horas leyendo junto a él sin decir palabra. Aparte de Peter, había muy poca gente con la que pudiera estar así. Era una sensación extraña.

—A mí también. Eres la invitada ideal de domingo, dejando de lado los ronquidos, claro —dijo echándose a reír.

—¿De verdad he roncado? —preguntó Tanya, avergonzada.

—No te lo diré —contestó Douglas haciéndose el misterioso—. La próxima vez te sacudiré un poco. Dicen que funciona.

Tanya se echó a reír y de pronto, por increíble que pareciese, le dio igual haber roncado o no. Aquella tarde había logrado sentirse cómoda al lado de Douglas y eso haría que el trabajo junto a él fuese mucho más agradable.

—¿Quieres que cenemos juntos? —preguntó él de pronto, como si acabase de ocurrírsele la idea—. Iba a coger algo de comida china para llevar. Podíamos comerla en el restaurante o traerla aquí al hotel. Ambos tenemos que comer y es mucho menos aburrido cenar con un amigo. ¿Te apetece?

Tanya aceptó. Su plan inicial era pedir cualquier cosa para seguir trabajando, pero cenar comida china le parecía más divertido.

—Sí, me parece bien. ¿Por qué no la traes aquí?

—Perfecto. ¿A las siete y media? Tengo que hacer algunas llamadas y siempre nado un rato por la tarde.

Estaba claro que era un hombre activo y atlético, lo que una vez más explicaba por qué estaba tan esbelto y en forma.

—Estupendo —respondió Tanya.

—¿Qué es lo que te gusta? —preguntó.

—Los rollitos de primavera, cosas agridulces, ternera, gambas, lo que quieras.

—Pediré un poco de todo —prometió él.

Tanya le dio las gracias y después se bajó del coche. Douglas salió disparado en su brillante coche plateado saludándola con la mano. Al llegar al bungalow, comprobó si había mensajes. Tenía una llamada de Jean Amber acerca del guión, pero cuando Tanya le devolvió la llamada, había salido ya. Después llamó a Peter y a las chicas. Acababan de llegar de un partido de béisbol. Eran seguidores de los Giants y tenían abonos de temporada. Estaban todos de buen humor y no parecían muy molestos por su ausencia. Se sintió aliviada y triste al mismo tiempo.

—¿Qué tal el partido? —preguntó con interés.

—¡Genial! Hemos ganado, por si no lo has visto en la tele —le contó Peter, exultante.

—No, no lo he visto. He pasado el día en casa de Douglas Wayne.

—¿Y cómo ha ido? —preguntó Peter, sorprendido.

—Bien, muy bien, la verdad. Espero que sea positivo para el trabajo. Ha sido muy amable y apenas hemos intercambiado diez palabras en todo el día.

Iba a contarle que habían estado solos, pero en ese momento Molly cogió el teléfono.

—Hola, mamá. Un partido fantástico. Te hemos echado de menos. Hemos ido con Alice, en agradecimiento por todas las cenas que nos ha preparado. Y Jason ha venido a casa para ver el partido.

—Creía que estaba ocupado —dijo Tanya sintiéndose repentinamente excluida—. Le llamé el jueves y me dijo que tenía una cita.

—La chica la anuló, así que ha venido a ver el partido.

Tanya no pudo evitar pensar que su hijo, en lugar de llamarla a ella, después de la anulación de la cita, había preferido ir a casa a ver el partido de béisbol. Habían estado todos juntos con Alice y ella había estado sola en Los Ángeles.

—Se ha ido después del partido, así que esta noche ya estará de vuelta en Santa Bárbara.

Se le hacía muy extraño que toda su familia hubiera ido a ver el partido y se lo hubieran pasado en grande sin ella. Se sintió como una niña a la que no invitan a una fiesta de cumpleaños. Sin embargo, era una tontería exigirles que se quedasen en casa en su ausencia, cuando ella estaba trabajando en Los Ángeles. Ellos no eran los responsables de la situación.

Molly le pasó a Megan, que se mostró bastante correcta; después, Alice cogió el teléfono y le contó que todo iba de maravilla y que su familia la echaba de menos. Le confesó que ella también la echaba de menos y la animó a viajar a casa el fin de semana siguiente para poder sentarse las dos a charlar un buen rato. Las dos amigas conversaron animadamente y, antes de colgar, volvió a ponerse Peter un momento. Estaban a punto de pedir una pizza, una tradición del domingo por la noche.

—Te echo de menos —le recordó Tanya.

Peter le dijo que él también la echaba de menos. Cuando colgó, Tanya se dio cuenta de que no le había mencionado a su marido que iba a cenar con Douglas aquella noche. No era importante, pero le gustaba contarle a Peter todo lo que hacía, para que él se sintiera parte de su vida. Se dijo a sí misma que era una tontería y lo olvidó.

Se dio una ducha rápida. Apenas se había vestido, cuando apareció Douglas con la cena. Tanya se había puesto unos vaqueros limpios y otra camiseta. Cuando abrió la puerta del bungalow para dejarle entrar, todavía iba descalza. Tanya se hizo a un lado y el productor entró en la habitación.

—Conozco este bungalow. Estuve alojado aquí en una ocasión, cuando estaban haciendo reformas en mi casa. Me gusta —dijo él echando un vistazo a su alrededor.

—Es muy cómodo —corroboró Tanya—. Cuando vengan mis hijos, será una gozada.

Tanya cogió dos platos de la cocina y se sirvieron directamente de los cinco recipientes que Douglas había traído del restaurante. El menú consistía en todo lo que le gustaba a Tanya y, además, langosta y arroz frito con gambas. Se sentaron a la mesa y cenaron relajada y amigablemente.

—Gracias. Ha sido magnífico. Realmente hoy me has mimado mucho.

—Tengo que cuidar de mi guionista estrella —dijo Douglas sonriendo—. No podemos permitir que te pongas nostálgica y te pases el día suspirando o decidas volver corriendo a Marin.

Tanya se dio cuenta de que le estaba tomando el pelo, pero no le importó.

—Pensé que estaría bien que supieras que en Los Ángeles también tenemos comida china para llevar —bromeó Douglas, tendiéndole una de las galletas de la fortuna.

Cuando leyó la suya, lanzó un gruñido de sorpresa y preguntó a Tanya:

—¿Has puesto esto aquí dentro cuando no estaba mirando?

Tanya negó con la cabeza y Douglas le tendió la nota.

—Hoy la fortuna te sonríe con una nueva amistad —leyó Tanya en voz alta, y después, sonriendo a Douglas, dijo—: Qué bien. Parece que han acertado.

—Siempre espero que ponga algo más excitante. ¿Qué pone en la tuya? —preguntó Douglas, divertido.

Tanya lo leyó y arqueó las cejas.

—¿Qué pone? —insistió Douglas.

—La recompensa es un trabajo bien hecho. Tampoco suena muy excitante. Me gusta más la tuya.

—A mí también —dijo él sonriendo de nuevo—. A lo mejor ganas un Oscar con tu guión.

Era lo que Douglas deseaba, claro, además del Oscar a la mejor película para él. Esa era su meta, siempre.

—No es eso lo que dice la nota de la fortuna —señaló Tanya, mientras recogía la mesa.

—La próxima vez las escribiremos nosotros —decidió Douglas.

Ayudó a Tanya a recoger los restos de la cena y al cabo de un rato se marchó. Antes de despedirse, ella le dio las gracias y él le dijo que había disfrutado de un día excelente.

Tanya también. La galleta de la fortuna de Douglas había acertado. La buena noticia del día había sido el nacimiento de una nueva amistad. Por primera vez desde que se conocían, Tanya sentía que Douglas podía llegar a ser su amigo, y un amigo muy interesante.

8

Las dos semanas que siguieron, Tanya pudo volver a casa los fines de semana y disfrutar de su familia. El sábado, Tanya y Alice almorzaron juntas y estuvieron charlando sin parar de toda la gente que Tanya había conocido. Su amiga estaba tan emocionada como las mellizas.

—No entiendo por qué te molestas en venir a Ross —bromeó Alice—. Comparado con Hollywood, esto debe de resultarte muy aburrido.

—No seas tonta —protestó Tanya—. Prefiero mil veces estar aquí con Peter y las niñas. Allí nada es real, todo es pura ficción.

—A mí me parece muy real —aseguró Alice sin disimular su admiración.

Se alegraba sinceramente de que la carrera de Tanya fuese viento en popa y de que estuviera disfrutando de aquella experiencia. Según ella, las chicas lo estaban llevando bastante bien y apaciguó el temor de Tanya de que Megan no llegara nunca a perdonarla. Al parecer, Megan hablaba de su madre con orgullo. Tanya se quedó muy sorprendida.

—Apenas me dirige la palabra. Lleva enfadada desde el verano —comentó Tanya, aunque algo más aliviada por lo que acababa de contarle su amiga.

Últimamente, Alice pasaba más tiempo que ella con sus

hijas; realmente parecía estar al tanto de lo que pensaban, así que confiaba en sus impresiones.

—Quiere que creas que está más enfadada de lo que en realidad está. Me parece que te está castigando un poco. No le prestes demasiada atención, ya verás como al final claudicará.

Aquellas palabras le sonaron a gloria. Al regresar a casa, lo comentó con Peter, que estuvo totalmente de acuerdo con la opinión de Alice.

—Quiere apretarte un poco las tuercas, eso es todo. Yo la veo bien —le aseguró Peter.

Cuando, un poco más tarde de lo habitual, Megan llegó a casa, Tanya optó por simular que no había enemistad alguna entre ellas y, con una sonrisa, le preguntó una tontería sobre el colegio. Megan la miró fijamente como si la mera idea de preguntarle algo fuera una ofensa, y cuando su madre le propuso que empezaran a rellenar juntas las solicitudes para la universidad, pareció ofenderse aún más. Megan afirmó que prefería hacer las solicitudes con Alice; aquello fue un bofetón para Tanya y un rechazo en toda regla. Se sintió profundamente herida.

—Podríamos, por lo menos, repasarlas juntas —insistió Tanya con dulzura.

Pero Megan volvió a rechazar su propuesta.

—Quizá la próxima vez que venga a casa —dijo Tanya, esperanzada.

Megan se encogió de hombros y después murmuró:

—Sí, claro, cuando vengas...

Acto seguido se marchó escaleras arriba. A pesar de que tenía el corazón encogido, Tanya intentó no darle excesiva importancia. Además, Molly sí quería rellenar las solicitudes universitarias con su madre y ya le había mostrado a Tanya varios de sus trabajos.

—Me parece que Megan sigue apretándome las tuercas —comentó Tanya a su marido con gesto compungido, a lo que Peter respondió con una sonrisa.

El primer fin de semana de octubre, Tanya y Jason coincidieron en Marin. Su hijo había viajado desde la universidad porque aquel fin de semana se jugaba la Serie Mundial de la liga de béisbol. Fueron todos juntos a ver a los Giants contra los Red Sox. Fue un partido magnífico y los Giants se colocaron los primeros en la clasificación. Después de aquel fin de semana fantástico que habían pasado todos juntos en familia, Tanya y Jason volaron de vuelta a Los Ángeles. A su llegada —a pesar de que a su hijo le daba algo de vergüenza— Tanya acompañó a Jason a la universidad en la limusina. En realidad, al chico también le apetecía presumir un poco.

El segundo fin de semana de octubre, Peter y las mellizas viajaron a Los Ángeles y se alojaron en el bungalow de Tanya, para felicidad de las chicas. Jason fue a pasar el sábado con ellos y se marchó después de cenar.

Tanya y sus hijas pasaron la mañana del sábado de compras por Melrose, y después almorzaron todos juntos en Fred Segal's. Más tarde, las mujeres volvieron a ir de compras por una zona de pequeñas tiendas que Tanya había descubierto y que hizo la delicia de las muchachas, mientras Jason y Peter pasaban la tarde en la piscina del hotel. Jason estaba obnubilado ante la belleza de aquellas mujeres. Fueron a cenar a Spago, donde coincidieron con Jean Amber. La actriz dio un gran abrazo a Tanya; estuvo muy simpática con las chicas y bastante coqueta con Jason. Las mellizas la encontraron maravillosa y Jason se ruborizó. Después del encuentro, todos se quedaron un poco cortados.

—Cuando empecemos la película y volváis a venir, os presentaré a Ned Bright —les prometió Tanya.

Al cabo de un momento, entró otra famosa estrella en el local y Jason, Megan y Molly la observaron boquiabiertos. De vuelta al hotel, decidieron tomar algo en el bar, que estaba abarrotado de actores y actrices famosos. Tanya no les conocía pero sus hijos sabían quiénes eran. Las chicas todavía eran menores de edad, así que tuvieron que conformarse con unos refrescos. De vuelta al bungalow no cabían en sí de gozo después de pasar todo el día viendo caras famosas. Jason se despidió de su familia y la limusina de Tanya le llevó de vuelta a la universidad.

—¡Uau, mamá, es increíble! —exclamó Molly con los ojos como platos.

Por primera vez en meses, Megan le sonrió y, dándole un gran abrazo, dijo:

—Gracias por traernos aquí, mamá.

Alice tenía razón. Estaba a punto de perdonarla y el fin de semana en Los Ángeles había solucionado las desavenencias. Echaban de menos a su madre, pero se habían divertido tanto que se morían de ganas de repetirlo y de conocer a Ned Bright y al resto del reparto.

Cuando las chicas se metieron en su habitación riendo como locas, Tanya se dio cuenta de golpe de que el que parecía menos emocionado era Peter. Se le veía cohibido, y al meterse en la cama comentó que estaba agotado. Para él, la semana había sido muy dura —había trabajado a destajo en un caso muy complejo— y el día había sido muy largo.

—¿Estás bien, cariño? —preguntó Tanya acariciándole la espalda.

—Cansado, nada más.

Peter no había disfrutado demasiado del día y apenas había visto a Tanya. Su mujer había estado todo el día de compras con las chicas y, para él, ver estrellas de cine no era demasiado excitante. Ni siquiera sabía sus nombres. La mayoría eran estrellas de culto entre los jóvenes. Por supuesto, había reconocido al instante a Jean Amber y le había parecido una mujer hermosísima.

La joven actriz había tratado a Tanya como si fueran íntimas amigas, pero ella no se hacía ilusiones. Sabía que esa actitud encantadora se debía a que trabajaban juntas en una película. En seis meses, aquello sería historia.

Tumbados en la cama, Tanya vio tristeza en los ojos de su marido.

—¿Cómo podrás volver a Ross después de todo esto, Tan? No podemos competir con esta vida.

—No tenéis que competir —respondió ella con calma—. Ganáis por goleada. Esto no significa nada para mí. Es muy emocionante trabajar en la película, pero la vida que conlleva no me interesa lo más mínimo.

—Eso es lo que piensas ahora —dijo mirándola fijamente y con gesto de preocupación—. Solo llevas aquí seis semanas, pero cuando lleves más tiempo, no sabes qué pensarás. Mira cómo vives: tienes tu propia limusina, te alojas en el hotel Beverly Hills en un bungalow solo para ti, las estrellas de cine te abrazan por la calle. Esto es muy fuerte, Tan. Es adictivo. Dentro de seis meses, Ross te parecerá Kansas.

—Lo que yo quiero es estar en Kansas —insistió Tanya con firmeza—. Quiero que estemos juntos; adoro nuestra vida. No podría vivir aquí por nada del mundo. Me volvería loca.

—No lo sé, Cenicienta. Cuando la carroza vuelva a convertirse en una calabaza, quizá no te guste.

—En cuanto acabemos la película, me quitaré los zapatos de cristal y volveré a casa. Y no hay nada más que añadir. He aceptado un trabajo, no una forma de vida. No cambiaría lo que tenemos por nada del mundo.

—Ya me lo dirás de aquí a siete meses. Espero que para entonces sientas lo mismo.

Tanya se quedó preocupada al oír hablar a Peter de ese modo. Después de hacer el amor, seguía sintiéndose triste. Era como si en su marido algo se hubiera apagado, como si hubiera salido derrotado y fuera incapaz de competir con su nueva vida. El temor de Peter coincidía con las predicciones de Douglas: Tanya se volvería una adicta a la vida de Los Ángeles y no querría volver a casa. Incluso Alice había dicho algo parecido. ¿Qué era lo que todos veían? ¿Acaso no querían escucharla? Ella deseaba regresar a casa cuando acabara la película, no quedarse allí. La sola idea le horrorizaba.

Pero Peter parecía no creerla y al día siguiente, cuando fueron a almorzar a Ivy, estuvo muy callado y seguía alicaído. Se habían sentado en la terraza y las mellizas estaban emocionadas. Sobre todo cuando Leonardo di Caprio se sentó en la mesa de al lado y les sonrió. Tanya se sentó junto a su marido, le dio la mano y le colmó de besos y caricias continuamente. Le echaba tanto de menos cuando estaban separados que le encantaba tenerle cerca. Después de comer, Peter se animó un poco. Sin embargo, parecía que no quisiera creer que Tanya echaba de menos su antigua vida. Y ella no tenía más opción que esperar a terminar la película y demostrárselo volviendo a casa. Le irritaba que todos estuvieran tan convencidos de que iba a quedarse en Hollywood. Ella sabía quién era, pero, desde luego, le preocupaba que su marido no confiara en lo que ella decía. No podía pasarse el día atenazado por el miedo a que Tanya prefiriese su nuevo estilo de vida, mientras ella lo vivía como un paréntesis, un año sabático en Los Ángeles que beneficiaría su carrera, sin otro interés añadido.

Después de almorzar, volvieron al hotel y se quedaron un rato en la piscina. Las chicas estuvieron nadando y Peter y Tanya se quedaron charlando en las hamacas. Él pidió un destornillador, una bebida que tomaba en muy contadas ocasiones. Tanya notaba que su marido estaba aterrorizado y su mutismo la preocupaba enormemente.

—Cuando todo esto acabe volveré a casa, cariño. No me gusta esto. Solo estoy aquí para trabajar. Me gusta nuestra vida en Marin.

—Eso es lo que piensas ahora, Tan. Pero después de esto, te aburrirás lo indecible allí. Y el año que viene las chicas ya no estarán. No tendrás nada que hacer.

—Te tendré a ti —dijo ella con cariño—. Y nuestra vida. Mi escritura. Esto de aquí no es una forma de vida, Peter. Es una bobada. Solo quería vivir la experiencia de escribir un guión para una película. Tú mismo me convenciste para que lo hiciera.

Peter asintió a las palabras de Tanya. Tenía razón, pero ahora se arrepentía de haber insistido. Empezaba a darse cuenta del riesgo que había corrido y no podía ocultar su preocupación.

—Ahora me da miedo, Tan. Por nosotros. Simplemente me parece imposible que tengas los mismos sentimientos cuando todo esto acabe —dijo Peter con los ojos llenos de lágrimas.

Tanya se quedó petrificada. Nunca le había visto tan alterado.

—¿Cómo puedes creer que soy tan superficial? —preguntó sintiéndose muy desgraciada—. ¿Por qué crees que voy a casa los fines de semana? Porque quiero estar allí, y porque te quiero a ti. Esa es mi casa. Esto es solo un trabajo.

—Está bien —dijo él tomando aire y queriendo creerla.

Peter sabía que Tanya pensaba realmente lo que decía, pero no sabía por cuánto tiempo. Creía que tarde o temprano aquel estilo de vida penetraría en ella y Tanya descubriría que el mundo era muy amplio y que no tenía suficiente con su antigua vida en Marin. No quería que ocurriera, pero ya no estaba seguro de poder impedirlo. Hasta aquel momento, no había sabido plenamente cómo era su vida en Los Ángeles y había resultado ser mucho más tentadora de lo que había supuesto. Era muy duro competir con todo aquello.

Las chicas salieron de la piscina y se reunieron con ellos, así que no pudieron seguir con la conversación. Aunque casi fue mejor, ya que no hacían más que dar vueltas sobre lo mismo y Tanya se daba cuenta de que no podía convencer a Peter. Estaba segura de que el tiempo le daría la razón, pero, de momento, Peter estaba aún más preocupado que el día anterior. Cuando regresaron a la habitación, Tanya le rodeó con los brazos y le atrajo hacia ella con fuerza.

—Te amo, Peter —dijo suavemente—. Más que a nada.

Él la besó y Tanya le sujetó con fuerza un buen rato. No quería que se marchara. Pero en ese momento las mellizas entraron en la habitación y les recordaron que tenían que dirigirse hacia el aeropuerto. Tanya sentía que el fin de semana había servido para tranquilizar a sus hijas y asustar a Peter. Los ojos de su marido reflejaban cuánto le había alterado aquella visita a Los Ángeles. De camino hacia el aeropuerto estuvo callado y cuando le dio un beso de despedida, lo hizo distraídamente.

—Te amo —le recordó ella de nuevo.

—Yo también, Tan —dijo él sonriendo con tristeza y, en un susurro, añadió—: No te dejes seducir por esto. Te necesito.

Parecía tan vulnerable que Tanya casi se echó a llorar.

—No lo haré —prometió—. Tú eres todo lo que quiero. El viernes estaré en casa.

Tanya supo que en aquella ocasión, pasara lo que pasase, tenía que cumplir su promesa. Quería que Peter supiera que más allá de lo que ocurriera en Los Ángeles, de la gente que conociera, de lo que descubriera o de lo bien que se lo vendieran, ella era, por encima de todo, su esposa. Y que eso era lo más importante en su vida.

9

Tal como había prometido, Tanya fue a pasar los siguientes dos fines de semana a casa. Peter pareció tranquilizarse un poco. Era como si se sintiera más seguro si ella llegaba cada viernes por la noche tal como habían planeado. Reconoció que el fin de semana que habían pasado en Los Ángeles le había puesto muy nervioso, pero en cuanto había visto a su mujer de nuevo en Marin, se había sentido a salvo. No quería formar parte de la vida que Tanya llevaba en Los Ángeles. Y ella seguía intentando convencerle de que ella tampoco. Lo único que quería era vivir la emoción de escribir el guión de una película y volver a casa.

Durante aquellos fines de semana, pareció que volvían a la normalidad. Esos viajes significaron que se perdiera dos reuniones importantes, pero no quiso que Peter lo supiera. A Douglas y a Max les puso como excusa necesidades de sus hijos. Aunque no les hizo mucha gracia, todavía no habían empezado el rodaje, así que optaron por dejar que se marchara.

El rodaje de la película arrancó el primer día de noviembre y, a partir de entonces, la vida de Tanya se transformó en una completa locura. Rodaban de día y de noche, cambiaban de escenario, se metían en un estudio o se sentaban en sillas plegables en una esquina de la calle para rodar las escenas octurnas. Mientras tanto, Tanya escribía y reescribía frenéticamente. Se pasaba el día entre bastidores. Jean resultó ser muy difícil —no había manera de que recordase el guión y quería que Tanya estuviera todo el rato ajustándolo para ella—; sin embargo, Ned era un encanto. Tanya y Max trabajaban mano a mano en cada una de las escenas y Douglas iba y venía, supervisándolo todo.

Después de empezar el rodaje, Tanya logró milagrosamente escapar a casa el primer fin de semana. Prometió que estaría localizable en el móvil si surgía cualquier imprevisto y les aseguró que haría los cambios desde casa y se los mandaría por correo electrónico. Sin embargo, los dos fines de semana siguientes, no pudo ausentarse del rodaje. Debían rodar sobre la marcha y tenía que reescribir cuatro escenas; entre ellas, estaban algunas de las más difíciles de la película. Max le prometió que después podría cogerse varios días libres, pero que en aquellos momentos, la necesitaba al pie del cañón. No tenía elección. Ni las chicas ni Peter se mostraron muy contentos al saberlo, pero Peter lo entendió, o eso dijo. Él estaba preparando un juicio que comenzaba en unas pocas semanas y tenía muchísimo trabajo.

Tanya pudo regresar a Marin para la fiesta de Acción de Gracias y cuando entró por la puerta de su casa, después de dos semanas fuera, casi se echó a llorar de felicidad. Era miércoles por la tarde y Peter y las mellizas estaban colocando la enorme compra que habían hecho para celebrar la fiesta familiar, siguiendo las instrucciones de Tanya. Sería ella quien cocinaría el pavo al día siguiente. El vuelo había llegado con dos horas de retraso y había estado al borde de un ataque de nervios al pensar que no llegaría a tiempo. Jason llegaría aquella misma noche, pues volvía con unos amigos —entre ellos James, el hijo de Alice— en coche.

—Dios mío, ¡qué alegría veros! —exclamó Tanya dejando la bolsa en el suelo de la cocina—. Creía que iban a cancelar mi vuelo.

Se sentía como si llevara años sin verles y Peter se mostró exultante al verla. Cruzó la cocina y le dio un gran abrazo.

—Nosotros también estamos contentos de verte —dijo.

Molly se acercó a abrazar a su madre. Tanya notó al instante que Megan tenía un aspecto más taciturno del habitual y los ojos rojos. No comentó nada, para no alterarla. Le dio un beso, pero Megan apenas se inmutó y, al cabo de un momento, desapareció.

—¿Ha sucedido algo? —preguntó a Peter con calma mientras le ayudaba a recoger.

—No lo sé —respondió mientras subían la escalera—. Ha ido a casa de Alice después del colegio. Cuando has llegado tú, acababa de entrar en casa. He ido a comprar con Molly. Quizá deberías preguntárselo a Alice. A mí Megan no me cuenta nada.

Ni a su madre, pensó Tanya. Un año atrás las cosas eran de otro modo, pero desde que había empezado a trabajar en Los Ángeles, todo era tan distinto... Ahora Alice era la confidente de Megan y Tanya era la madre ausente a la que ya no le contaba ni sus alegrías ni sus penas más íntimas. Ojalá las cosas volvieran a ser como antes.

Tanya y Peter estuvieron charlando tranquilamente, poniéndose al día. Ella le contó cómo avanzaba el rodaje y la enorme presión con la que trabajaban, la locura del día a día —una manera habitual de trabajar en Hollywood— y los conflictos y problemas que surgían continuamente. Era una experiencia interesante; no podía negarlo.

Un poco más tarde, Molly entró en la habitación de sus padres y le contó a Tanya que Megan había cortado con su novio porque él le había sido infiel con otra chica. Megan estaba en casa de Alice explicándoselo y Tanya sintió que el corazón se le hacía añicos. Era como si estuviera perdiendo a su hija en favor de su mejor amiga. Sabía que era irracional pensar de ese modo y que debía agradecer a Alice todo su apoyo, pero le dolía terriblemente que Megan ya no confiara en ella.

Sin embargo, Tanya también sabía que la confianza no era algo que pudiera exigírsele a una hija y que era el precio por no estar en casa. Debía sentirse afortunada por tener a Molly. Aunque fuera estúpido, sentía celos de Alice y de la relación que había establecido con Megan. Era consciente de que su pérdida iba en beneficio de Alice.

Megan no volvió a casa hasta la hora de cenar, y si lo hizo fue porque Tanya había llamado a Alice para pedirle que mandara a la chica de vuelta a casa.

—¿Cómo está? —había preguntado Tanya a su amiga con preocupación.

—Dolida —contestó Alice con amabilidad y simpatía—. Pero se le pasará. Son cosas de adolescentes. Se ha portado como un cerdo, pero ¿no lo son todos a esa edad? Le ha puesto los cuernos con su mejor amiga y a Megan le parece el fin del mundo.

—¿Con Maggie Arnold? —preguntó Tanya, horrorizada. Maggie siempre había sido buena chica.

—No —respondió Alice, que parecía muy enterada—. Con Donna Ebert. Megan y Maggie llevan meses sin ser amigas. Se pelearon la primera semana de clase.

Tanya no tenía ni idea, lo que hizo que se sintiera aún peor. Alice estaba al tanto de todo; en cambio, Tanya se encontraba fuera de onda.

Aquella noche cenaron tranquilamente en la cocina y después las chicas ayudaron a Tanya a preparar la mesa para la comida del día siguiente. Sacaron la cristalería y la vajilla para las ocasiones especiales y un mantel que había sido de la abuela de Peter y con el que adornaban la mesa cada día de Acción de Gracias. Megan no le contó nada a su madre sobre lo mal que lo estaba pasando. Se limitó a estar allí y después se fue a su habitación. Trataba a su madre como a una completa extraña. Ya no parecía enfadada, pero cada vez que Tanya intentaba hablar con ella, la trataba con frialdad o indiferencia. Había rellenado todas las solicitudes para la universidad con Alice y ni siquiera se las había enseñado a su madre.

—Estoy bien, mamá —dijo apartándose de ella.

Tanya había vuelto a perder todo lo que había recuperado en Los Ángeles y que parecía haberse consolidado durante los fines de semana que Tanya había ido a casa. La conexión con Megan había vuelto a cortarse después de aquellas semanas de ausencia desde el comienzo del rodaje de la película. Tanya se sentía incapaz de salvar el abismo que las distanciaba, creía no poder soportarlo más y sentía que había fracasado como madre. Megan tampoco se lo ponía fácil. Su actitud era hermética y, en cuanto podía, se marchaba de la habitación. Por el contrario, la actitud de Molly era de completa confianza. Era increíble lo diferentes que habían sido las reacciones de sus dos hijas.

La llegada de Jason fue un alivio. Acababa de dejar a sus amigos y se dirigía directamente hacia la nevera; de pasada, dio un beso a su madre.

—Hola, mamá. Me muero de hambre.

Tanya sonrió ante aquel comentario que le resultaba tan familiar y se ofreció a prepararle chile. Jason aceptó encantado la sugerencia y se sentó a la mesa de la cocina con un vaso de leche en la mano. Mientras Tanya vaciaba una lata de chile en una fuente y la metía en el horno, Jason y Molly estuvieron charlando sobre la escuela. Cuando entró Peter, en la cocina se respiró un ambiente festivo. A los pocos minutos, llegó Megan.

Miró a su hermano y, antes de que Jason tuviera tiempo de saludarla, le dijo:

—He cortado con Mike. Se ha liado con Donna.

Compartía su dolor con todo el mundo menos con su madre. Hasta la vecina había sabido la noticia antes que Tanya.

—Qué mierda —comentó Jason con cariño—. Es un capullo. En una semana, pasará de ella.

—No quiero volver con él —dijo Megan, y empezó a hablar con su hermano mayor.

Estaban todos juntos en la cocina, pero Tanya se sentía como si la hubieran dejado de lado. Antes, toda la familia había girado alrededor de ella, pero ahora se sentía invisible. Ella había sido indispensable, pero ya sabían valerse por sí mismos y ella solo servía para abrir una lata de chile y meterla en el horno. Aparte de eso, no era de ninguna utilidad. Observó a Jason, que hablaba con Peter de su posición en el ranking del equipo de tenis, mientras escuchaba la vida amorosa de Megan y se dio cuenta de que nadie hablaba con ella, que la habían aislado y que, sin pretenderlo, actuaban como si no estuviera. Se sentó a la mesa de la cocina con su familia y participó de las conversaciones todo lo que pudo.

Jason ayudó a meter los platos en el fregaplatos y los tres hermanos se marcharon hablando animadamente de mil cosas a la vez. Antes de salir de la cocina, Jason se volvió y dijo a su madre:

—Gracias por el chile, mamá.

—El gusto es mío —contestó mirando a Peter, que estaba allí sentado observándola.

—Eres tan eficiente... Yo sigo organizando un terrible follón cada noche en la cocina —dijo su marido sonriendo, feliz de tenerla de nuevo en casa.

A Peter se le habían hecho muy largas aquellas dos semanas, pero era consciente de la locura que significaba un rodaje.

—Es tan maravilloso estar de vuelta en casa —dijo Tanya sonriéndole—. Pero también se me hace extraño —añadió—. Es como si los chicos ya no supieran quién soy. Sé que es una tontería, pero me molesta que Megan hable con Alice de su vida amorosa y a mí no me diga una palabra de ello. Solía contármelo todo.

—Cuando vuelvas a casa, lo hará de nuevo. Saben que estás muy ocupada, Tan. No quieren molestarte. Estás trabajando en una película. Alice no tiene nada más que hacer y está aquí al lado. La galería le divierte pero no le lleva mucho tiempo.

Echa de menos a sus hijos, así que adora pasar algún tiempo con los nuestros.

—Me siento como si me hubieran despedido —se lamentó Tanya con tristeza, mientras subían despacio a la habitación.

Podían oír a sus hijos reunidos en la habitación de Jason riéndose y charlando, con música de fondo. La casa había cobrado vida de nuevo.

—No te han despedido —la tranquilizó Peter con delicadeza mientras cerraba la puerta de su habitación—. Solo estás de excedencia. Es muy distinto. Cuando vuelvas a casa, estarán todos agobiándote de nuevo. Al igual que ahora agobian a cualquiera. Se hacen mayores.

Sabía que Peter estaba en lo cierto, pero eso también la deprimía. Empezaba a tener el síndrome del nido vacío, pero en su caso, ella había sido quien había abandonado el nido. Desde luego, antes que sus hijas. En realidad, había alterado el orden natural de las cosas y era normal que Megan le guardase rencor. Tanya no la culpaba en absoluto. Por el contrario, era ella la que estaba sumida en un mar de culpa.

—Me siento tan mala madre... Sobre todo viendo que busca el apoyo de Alice.

—Es una buena mujer, Tan. No le dará malos consejos.

—Ya lo sé, no es esa la cuestión. Lo que importa es que yo soy su madre y Alice no lo es. Creo que a veces Megan lo olvida.

—No, no lo olvida. Solo necesita alguien que esté cerca. Una mujer. A mí tampoco me cuenta sus cosas.

—Podría llamarme al móvil siempre que quisiera. Molly lo hace y tú también.

—Dale un respiro, Tan. Ella es la que peor se ha tomado tu marcha. Te ha perdonado, pero ha perdido la costumbre de charlar contigo.

Tanya asintió. Era cierto, pero esa verdad dolía horrores. Se sentía como si hubiera perdido a una de sus hijas. Molly no había dejado de apoyarla y Jason la llamaba cada vez que estaba aburrido o quería pedirle consejo sobre cualquier cuestión de la universidad. Pero Megan se había separado de su madre casi por completo. Tanya no dejaba de preguntarse si en el futuro salvarían el abismo que las separaba. En aquellos momentos, solo le era útil a su hija para presentarle estrellas de cine, y eso le causaba un dolor insoportable. Se sentía como si hubiera perdido una pierna o un brazo. Por otro lado, era consciente de que para Megan también debía de ser doloroso. No sabía cómo hablar de ello con ella y aunque Peter consideraba que tenía que darle tiempo, Tanya no estaba segura de que esa fuera la solución.

Su hija la había abandonado por Alice. Y la única culpable era Tanya.

—Intenta no preocuparte tanto —dijo Peter con cariño—. Creo que todo se arreglará cuando vuelvas a casa.

—Pero faltan meses para eso —se lamentó Tanya, desolada—. Ya casi han acabado las solicitudes para la universidad y yo ni siquiera he estado aquí para ayudarlas.

La culpa la acosaba de nuevo y sentía que se estaba perdiendo lo más importante: los amoríos, las rupturas, las solicitudes para la universidad, los resfriados y los detalles cotidianos que sus hijas compartían ahora con Alice y con Peter, pero no con ella. Le dolía mucho más de lo que habría podido imaginar.

—He estado ayudándolas con las solicitudes estas últimas semanas —insistió Peter—. Y sé que Alice también les ha echado una mano. Tienen intención de acabarlas durante las vacaciones de Navidad. Entonces podrás ayudarlas y darles consejos sobre los trabajos que vayan a presentar. Pero creo que lo llevan bastante adelantado.

—¿Hay algo que Alice no pueda hacer? —soltó Tanya, malhumorada.

Peter la miró fijamente. Aunque habían sabido desde el principio que la separación sería dura, no habían sospechado que dolería tanto. Tanya había temido precisamente que ocurriera lo que ya estaba pasando: que la ausencia afectase la relación con sus hijos o con su marido. Hasta la fecha, su relación con Molly o con Peter no se había visto afectada, pero Megan era una de las bajas que había causado la película de su madre y Tanya temía que su hija nunca la perdonara.

—No es culpa de Alice —la reprendió Peter con delicadeza mientras Tanya se dejaba caer sobre la cama con un suspiro.

—Ya lo sé. Pero me siento frustrada y culpable. Si la culpa es de alguien, es mía. Gracias por dejar que me queje.

Peter siempre se mostraba tan comprensivo con todo... Sabía que era muy afortunada por tenerlo de marido y lo valoraba infinitamente. De no ser por él, su odisea hollywoodiense no habría podido tener lugar nunca. Pero se daba cuenta de que estaba arrepentida de haber aceptado. Si aquello le costaba la relación con uno de sus hijos, estaba claro que el precio habría sido demasiado elevado. Pero ya era tarde para echarse atrás. Solo podían seguir adelante y sacar el máximo partido posible.

—Puedes quejarte siempre que quieras conmigo —dijo Peter con una sonrisa mientras se sentaba a su lado en la cama y la abrazaba—. ¿A qué hora te levantarás para cocinar el pavo?

—A las cinco —dijo Tanya. Parecía cansada.

Se había estado levantando más temprano y acostándose más tarde de esa hora durante el rodaje de la película. Eran un trabajo y una vida de locos. Podía entender perfectamente que en aquella profesión hubiera tan poca gente con relaciones o matrimonios estables. El estilo de vida era demasiado extravagante e impedía cualquier tipo de normalidad. Además, las tentaciones eran enormes. Ya había visto cómo surgían varios romances en el rodaje, incluso entre gente casada. Parecía que quienes trabajaban en una película olvidaban todos los lazos que les unían a las personas externas al rodaje; era como un crucero o un viaje a otro planeta. Para ellos, solo eran reales las personas que veían cada día; en cambio, la gente de su vida real se volvía invisible. Vivían en el diminuto microcosmos del plató de rodaje. A Tanya no le había ocurrido y sabía que no le iba a ocurrir pero observaba a los demás entre fascinada y horrorizada.

—Despiértame cuando te levantes —le dijo Peter—. Si quieres, te haré compañía mientras empiezas con el pavo.

Tanya le miró y negó con la cabeza.

—¿Cómo he podido ser tan afortunada? —preguntó besándole—. No, no te despertaré. ¿Bromeas? Tienes que dormir, pero gracias por el ofrecimiento.

—Tú también necesitas dormir. Además, me gusta estar contigo.

—A mí también. No tardaré mucho. Volveré a la cama enseguida.

Poco después, se acostaron y Tanya se hizo un ovillo junto a Peter. Su marido la rodeó con los brazos, como hacía siempre, y su rostro se iluminó con una sonrisa de paz. Estaba feliz de tenerla de vuelta, tan feliz como estaba ella de haber regresado. A pesar de sus sentimientos de fracaso y de pérdida con respecto a Megan, era maravilloso estar en casa.

Tanya se levantó a la hora prevista para meter el pavo en el horno y preparó todo lo necesario. Después, volvió a la cama y durmió cuatro horas más. Se acurrucó tan cerca de Peter como pudo; se despertaron entre una maraña de sábanas, mantas, piernas y brazos. Aquello era mucho más placentero que dormir sola en el bungalow del Beverly Hills. Se desperezó y sonrió. No había mejor manera de comenzar el día.

—Es maravilloso tenerte en casa, Tan —dijo Peter, feliz.

Hicieron el amor y al cabo de un rato se levantaron. Peter se duchó, se vistió y bajó a la planta baja. Tanya le siguió en bata para comprobar cómo iban las cosas en la cocina. Al entrar, le sorprendió encontrar a Megan y a Alice conversando sentadas a la mesa. Su hija le había preparado un café a Alice y daba la impresión de que su amiga se sentía como en casa. Al ver a Peter y a Tanya, incluso se sorprendió un poco. A su lado, había un libro. Miró a Peter con una sonrisa complaciente.

—Te devuelvo el libro. Genial. De lo más divertido que he leído... —y añadió dirigiéndose a ambos—: Feliz día de Acción de Gracias.

Tanya se sintió de nuevo invisible en su propia vida, como si hubiera muerto y regresado en forma de fantasma. Por un instante, sintió como si Alice la hubiera mirado sin verla.

—¿Quieres que te prepare el desayuno? —se ofreció Tanya procurando no sentir ni rabia ni envidia por la profunda conversación que a todas luces estaban manteniendo Alice y Megan.

—No, gracias. Ya he desayunado. James y Melissa se han despertado antes del alba.

Jason y Molly se habían quedado despiertos hasta tarde y seguían durmiendo. Al parecer, Megan había tenido una horrible conversación con Donna, su ex mejor amiga, a primera hora de la mañana y ya no había vuelto a dormirse. Cuando Alice se acercó a casa de Tanya y de Peter con la intención de dejar el libro en la puerta, Megan la había visto y le había pedido que entrase para contarle su conversación con Donna.

—El pavo que tienes en el horno es impresionante, Tan —dijo Alice con admiración—. Yo no he podido encontrar nada decente este año. Ya los habían vendido todos.

Estuvieron charlando animadamente mientras Tanya servía un café a Peter, se preparaba un té y se sentaba a la mesa junto a su hija y su vecina. Peter le preguntó a Alice sobre el libro y esta repitió lo mucho que le había gustado y lo divertido que le había parecido. Se la veía encantada.

—Ya te dije que era de tu estilo. Ha escrito otro que es

aún más divertido. Ya lo buscaré, debe de estar arriba, en alguna estantería. Te lo daré más tarde —dijo Peter con absoluta familiaridad.

Mientras escuchaba hablar a su marido, Tanya se preguntó si un observador externo habría sido capaz de distinguir con cuál de las dos mujeres estaba casado. Aparte del pequeño detalle de que acababa de hacer el amor con ella, parecía perfectamente cómodo con ambas; entre él y Alice había un tono íntimo que, de pronto, puso a Tanya de los nervios. Sabía que no estaba acostándose con ella, pero estaba claro que se sentía cómodo y a gusto con Alice. Incluso demasiado a gusto, al parecer de Tanya. Parecían haber desarrollado una relación más estrecha desde que Tanya se había ido a Los Ángeles. Alice se pasaba el día entrando y saliendo, comprobando que las chicas estaban bien, llevándoles comida, o invitándoles a cenar a su casa. Había pasado de ser una amiga a convertirse en parte de la familia de sus hijos. Y de Peter.

Tanya se dio cuenta de que el nombre de Alice salía prácticamente en todas las conversaciones: o les había llevado algo o había hecho algo para ellos o había ido a algún sitio con alguna de sus hijas. Era una ayuda enorme para Peter, pero Tanya se sentía irritada.

Mientras la observaba aquella mañana, Tanya se hizo una pregunta. Creía saber la respuesta, pero no estaba tan segura como habría estado en septiembre. Pensó que era mejor preguntárselo más tarde a Peter, así que se quedó sentada a la mesa de la cocina, escuchándoles.

Finalmente, Alice se levantó y volvió a su casa con sus hijos. Megan se fue prácticamente a la vez que Alice y subió arriba. Hubo un momento de silencio durante el cual Tanya miró a Peter con la esperanza de que sus temores fueran infundados. Nunca había dudado de él hasta entonces; ni siquiera se le había pasado por la cabeza. Y ahora se sentía culpable por dudar. Sabía que todo aquello era culpa suya y de nadie más. Pero estaba claro que Alice estaba a gusto en su casa, y con Peter, mucho más de lo que nunca antes había estado.

—Sé que esto va a parecerte una locura, casi paranoico —dijo Tanya despacio mirando a su marido.

Hacía apenas una hora que habían hecho el amor y todo había ido bien. Pero nunca se sabía, la gente hacía cosas de lo más extrañas. Tal vez Peter se sentía solo y sabía que Alice llevaba dos años, desde la muerte de Jim, buscando a otro hombre.

—No estás teniendo una aventura con ella, ¿verdad? Te pido disculpas por el mero hecho de preguntártelo, pero empieza a parecer como si se hubiera trasladado a vivir aquí.

Por muy amigas que fueran, Alice nunca había estado tan presente en sus vidas. Y nunca había sido particularmente amiga de Peter. Sin embargo, ahora estaba muy presente.

—No seas ridícula —le dijo Peter, tal como era de esperar y utilizando la respuesta más apropiada. Se levantó a por otra taza de café mientras Tanya le miraba a los ojos—. ¿Por qué piensas eso?

—Veis mucho a Alice entre semana y vas mucho a su casa. Prácticamente ha adoptado a Megan. Cuando hemos entrado en la cocina, me ha parecido que estaba en su cocina. Nunca antes me había sentido así con ella. Como si las chicas y tú le pertenecierais a ella y no a mí. Las mujeres se vuelven así, posesivas con respecto a los hombres con los que se acuestan y con respecto a sus familias.

Tanya hablaba con evidente preocupación, pero Peter negó con la cabeza.

—Ha sido una gran ayuda mientras has estado lejos —dijo—. Pero no creo que se haga ilusión alguna con respecto a los chicos o con respecto a mí. Sabe que volverás.

Hubo algo en la forma de hablar de Peter que hizo que Tanya se sintiera incómoda.

—¿Qué quieres decir? ¿Que sabe que tiene que dejar que

te marches cuando acabe la película o que no ha ocurrido nada?

Había una diferencia no precisamente sutil entre las dos situaciones y Tanya había percibido algo en la forma de hablar de Peter que no le había gustado.

—No me estoy acostando con ella. ¿Te parece suficiente esta respuesta? —dijo Peter tajantemente dejando la taza en el fregadero.

No se estaba quieto y Tanya no sabía por qué, aunque, evidentemente, aquella conversación no era agradable para ninguno de los dos.

—Bien. Es suficiente. Me alegro —dijo y se acercó a darle un beso en los labios—. Me molestaría muchísimo que estuvieras acostándote con ella. Solo para que lo tengas claro.

Él la miró con un gesto extraño y le preguntó:

—¿Y tú, Tan? ¿No tienes tentaciones en Los Ángeles? ¿No te has cruzado con nadie con quien te gustaría tener una aventura fugaz o una aventura más larga, que durase lo que tardéis en rodar la película? Sé que durante los rodajes se hacen muchas locuras. Y eres una mujer hermosa.

Tanya le sonrió y no vaciló un solo instante antes de responder:

—No, en absoluto. Para mí no existe más hombre que tú. Comparados contigo, todos me parecen una birria. Estoy enamorada de ti.

Todavía lo estaba, después de veinte años.

—Yo también estoy enamorado de ti —dijo dulcemente, sin disimular la satisfacción que le habían producido las palabras de Tanya—. No te enfades con Alice. Simplemente, está sola y es amable con las chicas.

—De acuerdo, pero no quiero que sea demasiado amable contigo. Cuando estás tú, ella actúa como si yo no existiera —comentó de nuevo Tanya.

—Es una buena amiga. De verdad que aprecio su ayuda. A veces, no sé si me las podría arreglar sin ella. Cuando no consigo llegar pronto a casa, se preocupa de que todo esté bien. Y las chicas la quieren mucho. Siempre la han querido.

—Lo sé, yo también la quiero. Solo estoy preocupada. Es duro estar lejos cinco días a la semana.

Había resultado ser mucho más duro de lo que habían creído. Después de dos meses, las cosas se habían puesto difíciles. Y a Tanya le preocupaba no poder ir a casa los fines de semana durante el rodaje. Estaba decidida a ir lo más a menudo posible pero sabía que no siempre podría, como había sucedido recientemente. Desde luego, de lo que estaba segura era de que no quería que, como consecuencia de su ausencia, Peter tuviera una aventura. Ambos tenían que ser fuertes. Ella lo era. Y tenía que dar por sentado que Peter también lo sería, por muy sola que se sintiera Alice o por muy amable que fuera con las chicas. Tanya había sentido malas vibraciones en su presencia y había notado que Alice estaba incómoda. Se preguntó si no sería fruto de su sentimiento de culpa. Por lo que le decía Peter, estaba equivocada, pero se alegraba de haberlo preguntado, para aclarar las cosas. Se sintió aliviada con la respuesta de Peter y no iba a volver a hablar de ello. Una sola vez era suficiente.

Volvió a vigilar el pavo, que tenía buen aspecto, y subió a ducharse y vestirse. Oyó ruido en la habitación de Jason y se alegró de tenerle de vuelta en casa. Sonrió mientras se dirigía a su habitación. Al cabo de una hora reapareció en la cocina donde padre e hijo estaban charlando. Se ofreció a prepararle un desayuno ligero, para que no le quitara el hambre para el almuerzo. Tenían previsto empezar a comer un poco después de la una. Jason le dijo que ya se había servido él mismo de la nevera y que había desayunado tarta de queso y el chile que había sobrado de la víspera; un almuerzo perfecto para él.

A la una y media, todos estaban en el salón dispuestos a celebrar el día de Acción de Gracias y a las dos en punto pasaron al comedor. Peter empezó a trinchar el pavo y todos comentaron que aquel año toda la comida parecía mejor que cualquier otro año. Tanya miró a todos sus seres queridos y dio las gracias, como solía hacer, particularmente por estar todos juntos, por quererse y por tener tanto de lo que alegrarse, un año más.

—Gracias por la familia que tenemos —dijo suavemente antes de decir amén. Y en silencio, pidió a Dios que los protegiese en su ausencia.

10

El momento de marcharse el domingo después de Acción de Gracias fue uno de los más duros que Tanya había vivido en mucho tiempo. Le parecía que acababa de llegar e instalarse y sin embargo ya tenía que volver a irse. Ella y Molly habían compartido algunos momentos deliciosos y había sido un placer disfrutar de nuevo de la presencia de Jason en Marin. Además, el sábado por la tarde, finalmente, Megan había confiado en ella y le había contado todo lo que le había pasado con Mike. Al ver la evidente decepción en los ojos de su hija y comprobar que volvía a abrirse con ella, Tanya casi se echó a llorar. Peter y ella parecían más unidos de lo que habían estado en mucho tiempo. Por todo ello, había sido un maravilloso largo fin de semana. Tener que hacer las maletas el domingo por la tarde para volver a Los Ángeles casi le partió el corazón. Cuando Peter la acompañó al aeropuerto bajo una lluvia constante, ambos se sentían muy desgraciados.

—Dios mío, odio tener que volver —dijo cuando se aproximaron al aeropuerto.

Quería pedirle a Peter que diera la vuelta, volver a casa y abandonar la película. Estaba completamente arrepentida de haber adquirido semejante compromiso. Sentía que Peter y las chicas realmente la necesitaban y que ella también les necesitaba muchísimo.

—¿Qué crees que pasaría si lo dejo? —preguntó a Peter, una idea que le rondaba la cabeza desde el principio del fin de semana.

—Probablemente te demandarían. Por todo lo que ya te han pagado y por los perjuicios que podrías ocasionar a la película. No creo que sea una buena idea. Como abogado, debo aconsejarte que no lo hagas —dijo sonriéndole con tristeza mientras se paraba delante de la puerta de salidas del aeropuerto—. Como tu marido, debo admitir que me encanta la idea, así que, en esta ocasión, creo que es mejor que hagas caso al abogado y no al marido. Esa gente no se anda con tonterías, Tanya, y probablemente hundirían para siempre tu carrera de escritora, te hundirían en la mierda.

A Tanya no le parecía un gran sacrificio y realmente creía que merecía la pena.

—No merece la pena que te metas en un litigio, Tan. Sería un infierno.

Tanya hizo esfuerzos para no romper a llorar.

—Conseguiremos que todo salga bien. No durará para siempre. Solo quedan seis meses —la alentó Peter.

Sin embargo, a ambos les parecía cadena perpetua. La película ya no parecía tan buena idea, pero la única opción que tenía Tanya era resistir y hacerlo lo mejor posible. Era maravilloso volver a casa, pero la hora de marcharse era insoportable. Las mellizas se habían echado a llorar al decirle adiós y Tanya se había quedado con el corazón en un puño. Peter ponía cara de funeral y Tanya se sentía como si fuera a asistir a uno. ¡Qué gran error había resultado todo aquello! No quería volver a Los Ángeles.

—Gracias a Dios, las vacaciones de Navidad empiezan dentro de tres semanas. Tendré tres semanas libres.

Coincidiría con las tres semanas de vacaciones de los chicos —las de Jason eran más largas, pero se iba a ir a esquiar con sus amigos, así que podría estar con ellos durante aquel tiempo y todavía le quedarían unos días más.

—Si puedo, estaré en casa el próximo fin de semana.

—A lo mejor podría ir a pasar al menos una noche si te resulta imposible venir. Las chicas podrían quedarse con Alice —propuso Peter, que prefería no dejarlas solas.

—Me encantaría —respondió Tanya.

Como siempre, Tanya no llevaba equipaje para facturar, solo el de mano, así que Peter paró en la puerta de entrada.

—Te informaré enseguida de si tengo que trabajar o no el fin de semana —dijo Tanya antes de bajar.

—Cuídate mucho, Tan —le dijo Peter abrazándola con fuerza—. No trabajes demasiado, y gracias por un día de Acción de Gracias tan maravilloso. A todos nos ha encantado.

—A mí también... Te quiero —musitó ella acompañando sus palabras con un beso.

Era como si estuvieran rodeados por un aura de desesperación. Aquella mañana, al hacer el amor, Tanya así lo había sentido, como si se estuvieran ahogando, como si la corriente les estuviera alejando el uno del otro.

—Yo también te quiero. Llámame cuando llegues.

Los coches de detrás empezaron a hacer sonar el claxon, y Tanya saltó del coche. Antes de marcharse, miró a su marido y se agachó para darle un último beso. En esos momentos, un guardia de tráfico le obligó a arrancar. Peter se marchó y Tanya entró en el aeropuerto con la bolsa colgada del hombro.

Acababa de entrar en la terminal, cuando anunciaron que el vuelo salía con retraso. Tanya tuvo que esperar tres horas y no llegó al hotel hasta la una de la madrugada. Llamó a Peter desde el aeropuerto de Los Ángeles. El tiempo durante el vuelo había sido espantoso y seguía lloviendo en Hollywood. Un regreso deprimente. Ya echaba de menos a Peter y a las chicas y le daba pavor tener que volver al plató de rodaje a la mañana siguiente. Quería irse a casa.

Giró la llave del bungalow y al entrar se quedó sorprendida. Alguien había dejado las luces encendidas y sonaba una suave música ambiental, así que la habitación presentaba un aspecto hermoso, cálido y acogedor. En lugar de parecerle una solitaria habitación de hotel, se dio cuenta de que casi le parecía su hogar. Sobre una de las mesillas de la sala había un cuenco con fruta fresca, algunos pasteles y galletas, además de una botella de champán enviada por el director del hotel. Cálido y acogedor, efectivamente. Tanya se dejó caer en el sofá con un suspiro. Había sido un viaje interminable. Pero ahora que estaba de vuelta, no le resultaba tan terrible.

Entró en el baño y le pareció que la bañera la invitaba a relajarse. Echó sales de baño, encendió el jacuzzi y cinco minutos más tarde, se hundió en el agua. No había cenado y le dolía la cabeza, pero entonces recordó que podía llamar al servicio de habitaciones y pedir lo que quisiera. Un club sándwich y una taza de té le sabrían a gloria. Así que cuando salió de la bañera, se puso su bata de cachemir e hizo lo que había pensado. Diez minutos más tarde, tenía su té y su bocadillo. Esbozó una sonrisa al darse cuenta de que, después de todo, no estaba sufriendo ningún castigo. Al menos había algunos lujos y ventajas que lo hacían todo más llevadero. Encendió la televisión y estuvo viendo una vieja película de Cary Grant. Después se metió en la cama, perfectamente hecha. Añoró los brazos de Peter rodeándola, pero aparte de eso, durmió plácida y cómodamente, y a la mañana siguiente se despertó descansada.

Hacía un día soleado y la luz del sol bañaba toda la habitación. Al mirar a su alrededor, comprobó sorprendida que se sentía como en casa. Aquel era su pequeño mundo privado, lejos de su familia y de su hogar. Era tan extraño tener dos vidas... Una vida que adoraba, en la que vivía con la gente a la que quería, y otra en la que solo trabajaba. Aunque quizá no fuera tan terrible; además, en tres semanas estaría de vuelta en Ross. Con suerte, el siguiente fin de semana podría volver a casa. Por un instante, pensó que se había vuelto esquizofrénica: en Ross era una persona, y allí era otra distinta. Era la primera vez que se sentía así.

Llamó a Peter, que ya estaba batallando con el tráfico del puente camino del trabajo. Se había marchado de casa muy temprano aquella mañana y tenía otra llamada en espera. Quedaron que le llamaría aquella noche a casa y, antes de colgar, le dijo que le quería. Después se levantó y se vistió.

Cuando llegó al plató reinaba el habitual caos, pero se veía a la gente animada después de cuatro días de vacaciones. Max pareció feliz de verla e incluso Harry movió el rabo para saludarla. Era un poco como llegar a casa, la misma sensación que había tenido al entrar en el bungalow la noche anterior. La embargó un sentimiento de culpa por sentirse así. Pero, realmente, no era tan horrible como le había parecido cuando estaba en Ross con Peter y sus hijos. Se sentía dividida entre dos mundos diametralmente opuestos, aunque lo bueno era que podía disfrutar de ambos. Sin embargo, era extraño sentirse como dos personas en una. En aquellos momentos, no estaba muy segura de cuál de las dos era realmente: la escritora o la esposa y madre. Ambas. Le importaba más lo segundo, pero ser escritora tampoco estaba del todo mal. Cuando se sentó junto a Max y acarició la cabeza de Harry —a los que ahora veía como dos viejos amigos— sintió que traicionaba a los suyos.

—Bueno, ¿cómo ha ido tu felicidad doméstica el día de Acción de Gracias? —le preguntó Max.

—Genial —respondió Tanya, sonriendo—. ¿Y a ti?

—Seguramente no tan feliz como la tuya, pero no ha estado mal. Harry yo nos preparamos unos bocadillos de pavo y estuvimos viendo viejas películas en la tele.

Sus hijos vivían en la costa Este y a Max no le apetecía atravesar todo el país para cuatro días, así que se había quedado en Los Ángeles. Además, iría a verles en Navidad.

—Casi no vuelvo —reconoció Tanya—. Era tan bonito volver a estar todos en casa...

—Pero has vuelto. Por lo menos así sabemos que no estás loca. Douglas te habría demandado y te habría hecho la vida imposible por siempre jamás —dijo Max con calma.

—Eso es lo que dijo Peter.

—Un chico listo, y un buen abogado. Ya verás, antes de que te des cuenta, la película habrá acabado. Y después, querrás hacer otra.

—Eso es lo que dice Douglas, pero no lo creo. Me gusta estar en casa con mi familia.

—Entonces, es posible que no hagas más —dijo Max en tono filosófico—. Quizá tu caso es una excepción. Además de estar más sana mentalmente que todos nosotros, tienes algo por lo que merece la pena volver. Mucha gente solo tiene esto. Y es esto precisamente lo que acaba destrozando el resto de tu vida, así que no hay nada a lo que puedas volver. Estamos todos atrapados en una isla desierta de la que no podemos salir. Tú has tenido la sensatez de haber vivido una vida normal hasta ahora. Eres una turista, Tanya. No creo que el mundo del espectáculo se convierta jamás en tu vida.

—Eso espero. Para mí esto es una locura.

—Y lo es —confirmó Max sonriendo.

Acto seguido empezó a dar órdenes para que la gente se pusiera en marcha. Media hora más tarde, cuando instalaron las luces y los actores estuvieron listos, el rodaje volvió a comenzar.

No terminaron hasta medianoche. Tanya llamó a Peter desde el plató para no retrasarse más. Se alejó un poco del resto del equipo pero, aun así, solo podía hablar en susurros. Peter le contó que había tenido un buen día y que las chicas estaban bien y Tanya le contó su día de rodaje, que había resultado divertido. Después, tuvo que colgar porque Jean volvía a tener problemas con su guion, para variar. Tanya había reescrito su parte un millar de veces, pero seguía sin acertar. Era un trabajo agotador.

Los días eran eternos. Hasta la una de la madrugada no regresó al hotel, y cuando consiguió desconectar y dormirse, eran casi las dos. Al día siguiente, coincidió con Douglas en el plató. Este le preguntó cómo le había ido el día de Acción de

Gracias y ella respondió que estupendamente. Douglas —de acuerdo con su vida rodeada de lujos— había volado a Aspen a pasar tres días con unos amigos.

Invitó a Tanya a una fiesta el jueves por la noche. Iba a ser un día de rodaje más tranquilo, pero, aun así, Tanya vaciló. No estaba de humor para salir y después de un duro día de trabajo disfrutaba pasando la noche a solas en el bungalow. Le daba pereza ir a una fiesta elegante con Douglas, pero él insistió.

—Te irá bien, Tanya. No puedes estar todo el rato escribiendo. Hay vida después del trabajo.

—Para mí no —respondió Tanya sonriendo.

—Pues debería haberla. Te lo pasarás bien. Es el pase de un estreno. Será una noche informal, con gente divertida. A las once estarás en casa.

Al final, no solo aceptó sino que Douglas estaba en lo cierto: fue muy divertido. Conoció a algunas de las estrellas más famosas de Hollywood, a dos importantes directores y a un productor de la competencia, uno de los mejores amigos de Douglas. Fue una noche plagada de estrellas, la película estuvo genial, la comida exquisita, la gente guapísima y la compañía de Douglas, fantástica. Le presentó a todo el mundo y estuvo pendiente de ella en todo momento. Cuando la acompañó de vuelta al hotel, Tanya le invitó a entrar a tomar una copa en agradecimiento.

Douglas se sirvió una copa de champán y Tanya se limitó a su habitual taza de té. Le dio nuevamente las gracias por la velada.

—Tienes que salir más a menudo, Tanya. Tienes que conocer a gente.

—¿Para qué? Haré mi trabajo y después volveré a casa. No necesito hacer contactos.

—¿Sigues tan convencida de querer volver a casa? —preguntó con cierto cinismo.

—Sí, por supuesto.

—Muy poca gente vuelve. Quizá me equivoque, tal vez tú seas una de esas pocas personas que sí lo hace. Pero me parece que, al final, no querrás volver. Y creo que tú también lo sabes. Por eso luchas con tanta fuerza. Puede que lo que tengas es miedo de no desear volver.

—No —insistió Tanya con firmeza—. Quiero volver a casa.

No le contó que había estado a punto de no regresar a Los Ángeles después de Acción de Gracias.

—¿De verdad va tan bien tu matrimonio? —preguntó, algo más insistente y osado después de la copa de champán.

—Creo que sí.

—Entonces, eres una mujer con suerte. Y tu marido más aún. No conozco matrimonios así. La mayoría se desinflan como un suflé, sobre todo con la presión de las largas distancias y las tentaciones de Hollywood.

—Quizá por eso deseo volver a casa. Quiero a mi marido y me gusta nuestro matrimonio. No quiero estropearlo todo por esto.

—¡Por el amor de Dios! —exclamó Douglas con la misma expresión que le había visto al principio de conocerle y que había hecho que a Tanya le recordase a Rasputín.

Ahora le conocía mejor, pero seguía teniendo ese aire perverso y disfrutaba jugando a ser el abogado del diablo. Sin embargo, parecía más peligroso de lo que en realidad era.

—Una mujer virtuosa. La Biblia dice que una mujer virtuosa vale su peso en rubíes, más que eso. Y realmente es cara de encontrar. Yo nunca he estado con una mujer virtuosa —dijo sirviéndose otra copa de champán.

—Estoy segura de que te aburriría —bromeó Tanya.

—Me temo que tienes razón —comentó Douglas riendo—. La virtud no es mi fuerte, Tanya. No creo que pudiera hacer frente a semejante desafío.

—A lo mejor te sorprenderías a ti mismo si encontraras a la mujer adecuada.

—Quizá —admitió él observándola intensamente y dejando el vaso sobre la mesa—. Eres una mujer virtuosa, Tanya. Es algo que admiro en ti, a pesar de que odio reconocerlo. Tu marido es un hombre con mucha suerte. Espero que lo sepa.

—Lo sabe —dijo Tanya sonriendo.

Viniendo de Douglas, era un amable cumplido. Douglas sabía distinguir a las mujeres, y las virtuosas —como buen jugador que siempre había sido— no eran para él. Pero ahora que había llegado a conocer a Tanya, la respetaba y era capaz de disfrutar de su compañía. Habían pasado una velada muy agradable juntos. Tanya ya no se sentía presionada por él; desde el domingo que habían pasado en su piscina y que habían terminado cenando comida china, sentía que eran amigos.

Al cabo de un rato, Douglas se levantó para marcharse y Tanya volvió a darle las gracias por la velada.

—Siempre que quieras, querida. Me duele tener que admitirlo, pero creo que ejerces una buena influencia sobre mí. Me recuerdas lo que de verdad importa en la vida: la amabilidad, la integridad, la amistad, todas esas cosas que yo normalmente encuentro tan aburridas. Y sin embargo, tú nunca me aburres, Tanya. Todo lo contrario. Debo reconocer que me lo paso mucho mejor contigo que con la gran mayoría de la gente que conozco.

Tanya se sintió halagada y emocionada a un tiempo.

—Gracias, Douglas.

—Buenas noches, Tanya —se despidió él dándole un beso en cada mejilla.

En cuanto el productor se marchó, Tanya fue a coger el teléfono para llamar a Peter. Douglas había cumplido con su palabra: eran solo las once y media de la noche. Le sorprendió comprobar que Peter tenía el buzón de voz conectado. Llamó al teléfono fijo y Molly le explicó que Alice había tenido un escape en el sótano y que había ido a casa en busca de auxilio. Peter estaba ayudándola a repararlo. Tanya no quiso molestarle, y le pidió a su hija que su padre la llamara cuando regresara. Se tumbó en la cama a esperar y se quedó dormida. Se despertó con la luz de la mañana y volvió a llamar a casa. Las mellizas ya se habían ido al colegio y Tanya tenía que estar en el plató al cabo de veinte minutos.

—¿Arreglaste el escape? —preguntó bromeando—. Realmente eres un buen vecino.

—Sí, lo soy. Tiene un palmo de agua en el sótano. Un desastre. Se le ha roto una tubería. No pude hacer mucho, así que nos dedicamos a tomar unos mojitos.

—¿Mojitos? —preguntó Tanya, sorprendida.

Tanya se había dado cuenta durante su visita a Los Ángeles de que Peter bebía más de lo que era habitual en él.

—Sí, una bebida cubana. Con menta. Sabe muy bien.

—¿Os emborrachasteis? —preguntó con preocupación.

—Claro que no —contestó Peter riéndose—. Pero fue más divertido que estar en el sótano con el agua hasta la rodilla. Alice no había preparado un mojito en su vida, así que me utilizó de conejillo de Indias.

En la mente de Tanya volvió a aparecer la misma pregunta que la había acosado durante las vacaciones de Acción de Gracias, pero no insistió. Se había prometido que no volvería a formularla y no quería parecer paranoica. Ella había salido con Douglas la noche anterior y no había ocurrido nada, así que no había razón alguna por la que tuviera que haber pasado algo entre Alice y Peter. Todos estaban intentando sobrellevar la separación del mejor modo posible. Era duro estar solo cuando se estaba casado. Tal como decía Douglas, no podían quedarse en casa todas las noches. Había cosas mucho peores que beber unos mojitos con Alice, y Tanya sabía que Peter no era de esos. Pero no estaba tan segura de los sentimientos de Alice. Su marido era tan cándido y confiado que era capaz de no haberse dado cuenta. Alice estaba arrimándose a un árbol equivocado.

—Tengo que ir al plató. Solo quería darte un beso antes de que empezaras la jornada. Que tengas un buen día.

—Tú también. Hablamos más tarde.

Tanya se duchó a toda prisa, se vistió y se dirigió al plató. Cuando llegó, estaban acabando de apagar un pequeño incendio provocado por un cortocircuito. Los bomberos estaban allí y Harry gritaba como un loco. Debido a ello, el caos era aún mayor que cualquier otro día. Cuando tuvieron el plató debidamente iluminado y pudieron empezar, ya eran las doce del mediodía. Como consecuencia, estuvieron trabajando hasta las tres de la mañana y Tanya no pudo encontrar el momento para llamar a Peter o a las niñas. Fue uno de esos días interminables. Al llegar al hotel, cayó rendida en la cama después de pedir que la despertaran al cabo de cuatro horas.

Toda aquella semana fue caótica y ni ese fin de semana ni el siguiente pudo regresar a casa, pero solo quedaban unos días para empezar el paréntesis navideño y aguantó estoicamente. Cuando llegó la hora de volver a Marin, llevaba desde Acción de Gracias sin ver a Peter. Casi tres semanas.

—Me siento como si volviera de la guerra —dijo ella sin aliento cuando Peter, entusiasmado, la cogió en volandas.

Miró por encima del hombro de su marido y vio que Alice había entrado en la cocina detrás de Peter y estaba mirando a Tanya fijamente.

—Hola, Alice —dijo Tanya sonriéndole.

—Bienvenida a casa —saludó Alice y se marchó al instante.

—¿Está bien? —preguntó Tanya con preocupación.

—Sí, ¿por qué? —respondió Peter sirviéndose un vaso de agua distraídamete.

Acababa de llegar de casa de la vecina, pero parecía muy contento de verla, tan feliz como lo estaba Tanya de verle a él.

—Parecía preocupada.

—¿De verdad? No me he dado cuenta —respondió Peter con la misma expresión ausente.

En ese momento, sus miradas se encontraron y fue como si dos planetas colisionaran y estallaran en medio del universo. Tanya miró a su marido a los ojos y lo vio todo. Aquella vez no necesitaba preguntar nada. La respuesta no estaba en la mirada de su marido, sino en los ojos de Alice.

—Oh, Dios mío... —musitó Tanya sintiendo que la habitación daba vueltas a su alrededor.

Miró a Peter de nuevo y, aunque no quería saberlo, lo supo.

—Oh, Dios mío —repitió—. Te estás acostando con ella.

Era una afirmación, no una pregunta. No sabía cuándo ni cómo había sucedido, pero sabía que había pasado y que estaba pasando todavía. Tanya volvió a mirar a Peter y le preguntó:

—¿Estás enamorado de ella?

Peter podía ser estúpido pero no era mentiroso. No podía volver a mentirle. Dejó el vaso en el fregadero, se volvió para mirarla de frente y murmuró las únicas palabras que podía decir, las mismas que le había dicho a Alice minutos antes de que Tanya llegase.

—No lo sé —dijo palideciendo.

—Oh, Dios mío... —murmuró una vez más Tanya.

Peter salió de la habitación.

11

Tanto para Peter como para Tanya, las vacaciones de Navidad fueron una pesadilla. En un primer momento, Peter no quiso hablar de ello con su mujer, a pesar de que no tenía opción y de que no podía negarse a darle explicaciones. Tanya no se atrevía a salir de casa por no encontrarse con Alice, pero esta ni se dejó ver ni se acercó a casa de los Harris. Por otro lado, lo último que quería el matrimonio era que sus hijos se enteraran de lo que pasaba.

—¿Qué significa eso? —preguntó finalmente Tanya a Peter tres días después, cuando estaban los dos solos en la cocina.

Sus hijos habían ido a una fiesta navideña los tres juntos aquella tarde y parecían no haberse dado cuenta de nada, gracias a los grandes esfuerzos de sus padres por disimular la situación.

Tanya sentía que su mundo se había venido abajo, y con razón. Peter la había traicionado con su mejor amiga. Eran ese tipo de cosas que les ocurrían a los demás, pero que nunca había creído que pudieran pasarles a ellos. A pesar de que se lo había preguntado a Peter durante las vacaciones de Acción de Gracias, en realidad, confiaba en él completamente. Tanya consideraba que Peter no era de ese tipo de hombres, pero, al parecer, sí lo era y, para colmo, llevaba tres días sin apenas dirigirle la palabra.

Todo había cambiado en tres semanas. Estaban sentados frente a frente en la cocina, Tanya con una mirada desesperada y Peter angustiado, sintiéndose como si hubiera asesinado a su esposa. Tanya había perdido al menos tres kilos de peso en tres días, y eso era mucho en una persona con una complexión tan frágil. En sus ojos, era evidente el mazazo que había recibido: parecían dos profundos agujeros verdes rodeados de grandes ojeras. Peter, a su vez, también tenía un aspecto lamentable.

Desde el fatídico día en el que Tanya había llegado a casa y había descubierto lo ocurrido, nadie había vuelto a ver a Alice.

—No sé qué significa —dijo Peter honestamente y hundiendo la cabeza en las manos, superado completamente por las circunstancias—. Pasó, sin más. Nunca lo hubiera imaginado, jamás me había sentido atraído por ella. Creo que nos hemos ido acostumbrando a estar juntos durante tu ausencia, nada más. Ha sido de gran ayuda para las chicas.

—Y para ti también, por lo que parece —dijo Tanya con dureza—. Y dime, ¿fue ella la que lanzó la caña o fue idea tuya?

Tanya sabía que era mejor no conocer los detalles, pero una parte de ella quería que se los contase.

—Solo sucedió, Tan. Fuimos a su casa a tomar una pizza; luego las chicas se fueron para hacer los deberes. No sé... me sentía solo... estaba cansado... abrimos una botella de vino. Solo sé que al final acabamos en la cama —contestó Peter abatido, tan abatido como Tanya.

—¿Y cuándo sucedió exactamente? ¿Al mismo tiempo que me decías lo mucho que me querías cada vez que yo me alejaba una y otra vez del plató para llamarte? ¿Cuánto tiempo hace que dura esto?

Fuera cuando fuese, solo de pensarlo le resultaba espantoso, pero quería saber cuánto tiempo llevaba engañándola, cuántas semanas o meses había estado su marido mintiéndole. Había albergado sospechas durante las cortas vacaciones de Acción de Gracias, pero las había rechazado pensando que era una paranoica. Y así se lo había confirmado Peter al contarle sus sospechas. ¿Estaba mintiendo entonces? Eso sí quería saberlo. Quería conocer hasta qué punto era un mentiroso.

—Fue después de Acción de Gracias, hace dos semanas —dijo Peter, casi atragantándose con las palabras.

Tanya había estado fuera solo tres semanas, sin posibilidad alguna de regresar. Ahora estaba segura de que marcharse a Los Ángeles a rodar la película había sido un error garrafal. Si aquello destruía su matrimonio, nunca sería capaz de perdonárselo a sí misma. Ni a Peter.

—¿Ha sido una sola vez o ha habido más veces?

—Un par de veces —contestó vagamente—. Supongo que los dos nos sentíamos solos y Alice necesita alguien que cuide de ella.

Peter estaba terriblemente triste y sentía lástima por todos ellos. Nada volvería a ser lo mismo; aquel era el mayor temor de Tanya. Nunca hubiera podido imaginar que Peter o Alice le harían algo así. Tanya no podía concebir hacerles daño de ese modo a ninguno de los dos.

—Yo también necesito alguien que cuide de mí —musitó Tanya rompiendo a llorar.

—No, tú no —negó Peter mirándola con una expresión extraña—. Tú no me necesitas, Tan. Tú sola puedes mover montañas, siempre ha sido así. Eres una mujer fuerte con una vida propia y un trabajo.

—Estoy haciendo esta película porque tú me dijiste que debía hacerlo —dijo Tanya mirándole perpleja—. Dijiste que era una oportunidad que aparece solo una vez en la vida y que no debía perdérmela. No me he ido para prosperar en mi carrera profesional. Tanto tú como los chicos siempre fuisteis lo primero y todavía sigue siendo así.

Peter la miró como si no la creyera. Al mirarse el uno al otro a través de la mesa de la cocina, se dieron cuenta de que les separaba un abismo tan profundo como el Gran Cañón.

—Pues yo no lo creo. Me parece que ya no es así. Mira la vida que llevas en Los Ángeles. Asúmelo, Tan, nunca volverás aquí —afirmó con rotundidad.

—No me vengas tú también con esa mierda. Esa vida no me gusta y no es para mí. Quería trabajar en ese proyecto y descubrir cómo era el cine. Pero nada más. Para mí nada ha cambiado. Mi vida sigue aquí.

—Si tú lo dices... —replicó en el mismo tono que habría empleado Meg.

Tanya tuvo un irrefrenable deseo de darle una bofetada, pero se contuvo. Era evidente que Peter no la creía pero era él quien había faltado a su compromiso, no ella. Era cierto que estaba trabajando en Los Ángeles, pero no se había acostado con nadie. Peter, sí.

—¿Qué vas a hacer? ¿Qué es lo que quieres, Peter? —le preguntó conteniendo la respiración.

—No lo sé —respondió Peter apoyado sobre la mesa, después de mirar las manos de Tanya primero y su rostro después—. Todo es tan repentino... No pude preverlo, ni tampoco Alice.

Veía a su esposa como a una extraña y jamás la había visto tan furiosa. Tanya tenía el corazón destrozado pero solo podía exteriorizar su rabia.

—Eso sí que no me lo creo —dijo Tanya, furibunda—. Lo que creo es que ha ido detrás de ti y de los niños desde el principio. En cuanto salí por esa puerta, vio que tenía una oportunidad de oro. Lleva trabajándose a Megan desde el verano.

—Eso no es cierto. Alice quiere a Megan —dijo Peter defendiendo a Alice.

Aquella reacción de Peter no hizo más que empeorar las cosas.

—¿Y tú qué tienes que decir? —preguntó Tanya con voz angustiada mientras las lágrimas le caían por sus mejillas—. ¿Estás enamorado de ella?

—No lo sé, solo sé que estoy muy confuso. Jamás te he sido infiel, Tan, jamás en estos veinte años. Quiero que lo sepas.

—¿Y eso qué importa ahora? —gimió Tanya.

Peter alargó la mano para tomar la de Tanya entre las suyas pero ella le rechazó.

—A mí sí me importa —repuso él dejando entrever su enorme angustia—. Si no te hubieras marchado a Los Ángeles, esto jamás habría ocurrido.

Era tremendamente injusto que la culpara a ella de lo sucedido, pero no era solo Peter quien la acusaba. Ella misma también se sentía culpable.

—¿Y ahora qué se supone que debo hacer? Te recuerdo que después de Acción de Gracias no quería regresar, pero tú me dijiste que me demandarían.

—Y así era, probablemente.

De cualquier modo, era demasiado tarde, el daño ya estaba hecho y Peter tenía que tomar una decisión. Ambos debían tomarla.

—¿Qué vas a hacer con Alice? —preguntó Tanya, sintiendo que se apoderaba de ella el pánico—. ¿Es solo una aventura o es algo más? Has dicho que no sabes si estás enamorado de ella. ¿Qué significa eso?

Tanya apenas podía hablar, pero quería saber. Tenía derecho a preguntar si Peter tenía algo que responder.

—Significa lo que he dicho: no lo sé. La quiero como amiga y es una mujer maravillosa. Lo pasamos bien con los chicos y vemos la vida del mismo modo. Hay muchas cosas de ella que me gustan, pero antes jamás había reparado en ello. Y a ti también te amo, Tan. Siempre que te lo he dicho ha sido porque era verdad. Pero no puedo imaginarte viviendo aquí de nuevo, es como si lo hubieras dejado todo atrás. Tú todavía no lo sabes, pero cuando estuve en Los Ángeles, lo vi con claridad. Ahora eres una de ellos. Alice y yo somos más parecidos; ahora tenemos más cosas en común de las que tengo contigo.

—¿Cómo puedes decir eso? —exclamó Tanya, horrorizada, sin poder procesar las palabras brutalmente dolorosas de su marido y mirándole boquiabierta—. ¿Cómo puedes ser tan injusto? Estoy trabajando en una película, escribiendo el guión. No formo parte de ella ni soy una estrella. Sigo siendo la misma persona que se marchó hace tres meses. Es absolutamente injusto por tu parte que des por sentado que me he metido en esa mierda de vida y que ya no volveré nunca a casa, o que si lo hago seré infeliz. No es eso lo que yo quiero. Yo quiero la vida que siempre hemos llevado. Yo te amo de verdad y no he estado tirándome a nadie en Los Ángeles. No lo haría, no quiero hacerlo.

Tanya le miró profundamente dolida.

—Se me hace difícil creer que quieras volver a vivir como antes —insistió Peter, profundamente abatido y justificando de ese modo lo sucedido.

—¿Qué me estás diciendo? ¿Has contratado a una sustituta antes de que yo abandone mi puesto? ¿Qué has estado haciendo? ¿Selección de personal? «Se necesita ama de casa, abstenerse guionistas.» ¿Cuál es tu problema? ¿Y el de Alice? ¿Dónde quedan la decencia, la confianza y el honor? Alice asegura que es mi mejor amiga. Pero ¿resulta que de repente es aceptable darme la puñalada y traicionarme solo porque estoy rodando una película en Los Ángeles? Y con tu aprobación, debo añadir.

Tanya hablaba con los ojos inyectados en sangre, pero más allá de la rabia, sentía un profundo dolor. Peter no sabía qué contestar y aunque era consciente de que ella tenía razón, eso no cambiaba las cosas. No podían olvidar lo que había sucedido: se había acostado con Alice.

—¿Por qué sigues aquí, Peter? ¿Qué vas a hacer?

—No lo sé —musitó sin disimular su consternación.

Aquella misma mañana, Alice le había hecho la misma pregunta. En un abrir y cerrar de ojos, la vida de los tres era un desastre.

—¿Tienes intención de dejar de verla y luchar para salvar tu matrimonio? —preguntó Tanya con una mirada profunda y dura.

Sabía que nunca más podría fiarse de él. Además, ¿cómo iba a evitar a Alice, si vivía justo al lado? En cuanto Tanya volviese a Los Ángeles, estarían juntos de nuevo. No se fiaba de ninguno de los dos. Un rayo había impactado sobre Tanya y su matrimonio y no sabía cómo continuar adelante. Habría deseado conocer los sentimientos de Peter pero ni siquiera él parecía conocerlos. Su marido todavía estaba sorprendido por lo que había ocurrido y, más aún, por haber sido descubierto. Sus vidas habían sido arrasadas por un maremoto.

—No lo sé —volvió a decir Peter mirando a Tanya a los ojos y comprendiendo que ambos estaban destrozados—. Quiero recuperar nuestro matrimonio, Tan. Quiero que las cosas vuelvan a ser como antes de que te marcharas a Los Ángeles. Pero también quiero averiguar qué es lo que siento por Alice. Algo debe de haber; de lo contrario, nada habría ocurrido. Me sentía solo y estaba cansado de llevar todo el peso de la casa y las niñas. Pero no sé si es esa la única razón. Quizá haya algo más. Me gustaría poder decir que ha sido un error o un simple polvo, pero me temo que no sería sincero. Creo que por ti, por Alice y por mí mismo, debería averiguar qué es lo que siento.

—¿Y cómo pretendes hacerlo? ¿Pretendes hacernos pasar alguna prueba? ¿Cuánto margen debo darte? Me has destrozado la vida; los dos habéis destrozado mi vida, mi familia y todo aquello en lo que creía. Confiaba en ti... ¿qué se supone que debo hacer ahora? —preguntó Tanya gimiendo desconsolada—. ¿Qué es lo que quieres?

—Necesito tiempo para saber cuáles son mis sentimientos —contestó Peter casi sin voz.

Todos necesitaban tiempo. Alice le había explicado a Peter que estaba enamorada de él, que lo había estado desde la muerte de su esposo, pero que nunca había creído tener la menor opción. Ahora, sin embargo, creía que tenían una oportunidad. Peter no sabía qué hacer con aquella confesión de Alice y el resultado era que, entre las palabras de la una y de la otra y su propia confusión, se estaba ahogando.

—¿Quieres que abandone la película? Lo haré —dijo Tanya, pero Peter negó con la cabeza.

—La demanda podría ser espantosa. Nos demandarían por daños y perjuicios, por el montante de tu sueldo... ¡Lo que nos faltaba! Solo serviría para empeorar las cosas. Tienes que acabar la película —dijo Peter con rotundidad.

—¿Para que así Alice y tú os paséis toda la semana follando mientras yo trabajo en Los Ángeles? ¿Qué crees que pensarán tus hijos? No creo que te vean como un héroe precisamente.

—Lo sé, no me siento como tal, sino como un completo gilipollas. La cagué. Ha sido un patinazo, un tremendo error. Te he sido infiel. Pero es así y no puedo cambiar lo que ha pasado. Sin embargo, necesito saber si ha sido únicamente un desliz o si hay algo más. Y me temo que solo en este último caso todo esto cobraría sentido. Ahora paso más tiempo con ella que contigo, Tan, tenemos más cosas en común: los mismos amigos, hacemos las mismas cosas y nos gusta el mismo tipo de vida. Tú estás en otra onda, haciendo otra cosa. Es lo que tú querías. ¿Por qué no eres honesta contigo misma? Quizá solo querías escribir, pero te has metido en toda esta movida. No puedes separar las dos cosas. El tipo de vida forma parte del trabajo y a mí, la verdad, es que me dio la impresión de que estabas muy cómoda en tu bungalow del hotel Beverly Hills. No he visto que fueras desesperadamente en busca de un estudio de alquiler en algún barrio más modesto o que cogieras el autobús en lugar de la limusina. Me parece que en realidad te gusta, ¿y por qué no habría de gustarte? Te lo mereces. Pero no te veo renunciando a todo eso dentro de seis meses. Me da la sensación de que después querrás hacer otra película, y luego otra... Nunca volverás a quererme ni a mí ni esta vida.

—No tienes ningún derecho a tomar esa decisión por mí, ni a decirme cómo me siento ni lo que quiero. Lo único que deseaba era volver a casa al acabar la película. Y ahora me estás diciendo que no puedo, que quizá no haya ninguna casa a la que volver, que alguien podría estar ocupando mi lugar.

—Son cosas que pasan, Tan —musitó Peter con tristeza—. Yo tampoco quería que ocurriera algo así.

—Pero lo hiciste de todos modos. Yo no. Yo no tengo nada que ver con esto. Lo único que hice fue aceptar un trabajo en otra ciudad durante nueve meses. He venido a casa siempre que he podido —protestó Tanya.

De algún modo, quería que Peter fuera justo, pero ni la situación lo era ni la vida era justa en muchas ocasiones.

—No me basta —dijo Peter con honestidad—. Necesito algo más que una mujer que viene a casa un par de fines de semana al mes. Necesito alguien aquí conmigo cada día. Los últimos tres meses me han dejado hecho polvo. No puedo ocuparme de las chicas, trabajar, cocinar y ocuparme también de la casa. No puedo hacerlo todo.

Peter levantó la vista y Tanya, lanzándole una mirada llena de furia, le recriminó:

—¿Por qué no? Yo lo hacía. Y no te fui infiel para descargar el estrés, y no porque no pudiera. Podría comportarme así en Los Ángeles, pero no lo hago.

Tanya no dudaba de que debía de haber más de un hombre en Hollywood dispuesto a complacerla, pero jamás le habría hecho algo así a Peter. Sin embargo, Alice y su marido sí lo habían hecho, y de ese modo le habían provocado una doble pérdida: la de su esposo y la de su mejor amiga, doblemente deprimente.

—Vamos a intentar manejar esto lo mejor posible durante las vacaciones, procuraremos tranquilizarnos y averiguar cómo nos sentimos. Todo esto es un completo desastre y ahora estamos conmocionados. Intentaré arreglar las cosas antes de que vuelvas a Los Ángeles. Lo siento, Tan, no sé qué más puedo decirte. Necesito algún tiempo para pensar, todos lo necesitamos. Quizá así recuperemos la cordura.

—Yo estoy muy cuerda —dijo Tanya mirándole fijamente—. Sois vosotros los que habéis perdido la cabeza. O quizá la perdí yo cuando firmé el contrato para hacer la película. Pero no merecía algo así.

Tanya volvió a echarse a llorar; las lágrimas resaltaban su extrema palidez.

—No, no te lo merecías. Y no quiero seguir haciéndote daño —dijo Peter.

Ahora que todo había quedado al descubierto, había que encontrar una solución, pero Peter sentía que cada una de las mujeres tiraba hacia un lado y estaba muy confuso.

—Preferiría que no dijéramos nada a los niños hasta que no hayamos decidido qué hacer, si te parece bien —propuso Peter.

Tanya se lo pensó un instante y luego asintió. De cualquier modo, el daño estaba hecho y era imposible que los chicos no se dieran cuenta de que había algo que no iba bien. Habría una tensión inevitable entre Peter y Tanya y, de un día para otro, Alice se había convertido en persona *non grata* en su casa. Era difícil que pudieran explicarlo, así que, durante aquellas vacaciones de Navidad, sus mentiras tendrían que ser de lo más ingeniosas. En cualquier caso, les delatarían sus ojos. Peter parecía un muerto y a Tanya se la veía destrozada. Por su parte, Alice había desaparecido pero estaba desquiciada; lo último que quería era ser únicamente un pasatiempo para Peter mientras Tanya estuviera lejos. Así que le había exigido una postura clara: o tenían una relación de verdad o la aventura se terminaba. Además, no sentía ningún remordimiento por lo ocurrido y le había dicho claramente a Peter que no tenía inconveniente alguno en sacrificar su amistad con Tanya por él. Aunque por un lado le resultaba embarazoso que Tanya les hubiera descubierto, por otro lado se sentía aliviada. Amaba a Peter desde hacía tiempo —algo que a él le había dejado desconcertado— y sabía que al enterarse Tanya de lo sucedido, él estaría obligado a tomar una decisión y a dar la cara.

Tanya y su marido seguían sentados frente a frente cuando Molly y Megan entraron en la cocina. Al verles, las chicas supieron al instante que había ocurrido algo. Jamás habían visto a su madre tan destrozada; o quizá solo cuando había muerto alguien muy cercano. Peter se puso en pie, cogió la basura y salió a que le diera un poco el aire.

—¿Qué ha pasado? —preguntó Molly dirigiéndose a su madre.

—Nada —repuso Tanya con una sonrisa muy poco convincente mientras se enjugaba las lágrimas—. Ha muerto una vieja amiga mía de la universidad. Acabo de enterarme y se lo he comentado a papá. Me he puesto triste, eso es todo.

—Lo siento, mamá, ¿puedo ayudarte en algo?

Tanya negó con la cabeza sin lograr pronunciar palabra. En esos momentos, Peter volvió a entrar en la cocina. Cuando los ojos de sus padres se encontraron, su desolación se hizo evidente y Megan se dio cuenta perfectamente.

Unos minutos más tarde, las chicas subieron a su habitación y Jason entró en la cocina. Inmediatamente captó que ocurría algo.

Una hora más tarde, también Jason subió a la primera planta en busca de sus hermanas. Vio la puerta de la habitación de sus padres cerrada —algo muy poco habitual por la tarde— y, aunque sabía que pasaba algo, no podía decir qué era. Los tres se daban cuenta de que era algo serio. Megan pensaba que quizá su madre quería irse a vivir a Los Ángeles y divorciarse.

—No lo creo —dijo Molly con total seguridad—. Jamás nos abandonaría ni a nosotros ni a papá.

—Pero el año que viene no estaremos aquí —le recordó Megan—. Y este año ya nos ha dejado. Estoy segura de que al final se irá a vivir allí. Seguro que es eso.

Sin saber aún lo que había pasado y sintiendo lástima por su padre, añadió:

—Pobre papá, parecía tan preocupado...

—Mamá parecía tan preocupada como él —señaló Jason—. Espero que no estén enfermos...

No se les había escapado que se trataba de algo de vida o muerte. O casi. Permanecieron los tres juntos tremendamente preocupados, mientras Peter y Tanya seguían discutiendo en su habitación intentando que no les oyeran.

A partir de aquella tarde, fue como si una bruma pesada hubiera cubierto el hogar de los Harris. Como si alguien hubiera muerto y un ambiente de funeral se hubiera adueñado de la casa.

Al cabo de unos días, Tanya hizo de tripas corazón y salió a comprar un árbol de Navidad con Jason, con la intención de recuperar un poco el espíritu navideño. Sin embargo, mientras decoraba el árbol, se echó a llorar y Molly la vio. Intentó averiguar qué era lo que ocurría, pero Tanya no quiso decírselo. Durante el resto de las vacaciones, todos se comportaron con extrema prudencia.

En una de sus salidas, Tanya vio a Alice delante de su casa, pero giró la cara sin saludarla. Cuando Megan preguntó a su madre por qué no habían invitado a Alice ni siquiera a tomar una copa con ellos desde su regreso, su madre le dio vagas excusas argumentando que estaban todos demasiado ocupados.

—Tienes celos de ella, ¿verdad, mamá? —exclamó Megan enfrentándose directamente a su madre—. Tienes celos porque estamos a gusto con ella y nos está haciendo de segunda madre. Bueno, al menos reconocerás que si ella está aquí es porque tú te has largado durante nuestro último curso pasando de nosotros.

Megan solo era una adolescente furiosa y corta de miras a causa de su edad, y aunque Tanya no dijo nada y contuvo las lágrimas, se dio cuenta de que las palabras de su hija podían aplicarse a Peter. Si no se hubiera marchado a trabajar a Los Ángeles, Alice nunca habría podido ocuparse de Peter, ni habría podido invitar a su marido y a sus hijas a cenar varias veces por semana. En resumen —tal como decía Megan—, tenía su merecido. ¿Tendría razón? Sin embargo, lo cierto era que Tanya llevaba cuatro meses en Los Ángeles sola y no había sido infiel a Peter.

El día de Nochebuena el ambiente familiar seguía cargado de hostilidad y tristeza. Como cada año, fueron los cinco juntos a la iglesia, pero aquella noche no fueron en grupo con Alice y sus hijos, sino cada familia por su lado. A Megan no le gustó la situación y tras comentar que Alice le daba pena, se fue a sentar con ella. Tanya se pasó la misa entera arrodillada, cubriéndose el rostro con las manos y llorando desconsoladamente. Peter miraba a la una y a la otra. Una de ellas le suplicaba con la mirada que empezara con ella una nueva vida; la otra, lloraba por todo lo que había perdido.

Unos días atrás, Peter le había explicado a Alice que había decidido resolver sus dudas y que no quería volver a hablar con ella hasta no haberse aclarado. Se sentía presa del pánico y se daba cuenta de que su aventura con Alice había desatado un maremoto que empeoraba día a día.

Pasaron el día de Navidad como pudieron y, al cabo de unos días, los chicos decidieron ir a pasar la Nochevieja a Tahoe y aprovechar para pasar unos días esquiando. Tanya sabía que estaban deseando desaparecer. Aunque hacía lo imposible por disimular, la pantomima no resultaba muy convincente; cuando por fin sus hijos se fueron, tanto Peter como ella estaban al borde de un ataque de nervios. Para colmo, cada vez que perdía a su marido de vista sin saber dónde se encontraba, Tanya sospechaba que estaba con Alice. Era consciente de que ya no confiaba en él y de que, probablemente, nunca más lo haría.

Tanya se sentía incapaz de celebrar la noche de Final de Año, así que decidieron fingir que no existía. Se acostaron a las diez de la noche, pero a la mañana siguiente parecía que

ninguno de los dos hubiera pegado ojo. Cuando se despertaba por las mañanas, Tanya recordaba inmediatamente lo
ocurrido, y se sentía morir. No le había preguntado a Peter
cuál era su decisión; y había aceptado que cuando la tomara,
se la comunicaría.

La mañana de Año Nuevo, estaban los dos tumbados en
la cama mirando por la ventana. Desde su lado de la cama
Tanya podía ver la esquina del tejado de la casa de Alice. Se
quedó observándolo en silencio.

—Voy a dejarlo con Alice —dijo en tono sombrío Peter,
mirando al techo—. Creo que es lo correcto.

Hubo un silencio sepulcral en la habitación. En opinión
de Tanya, lo correcto era que nunca hubiera ocurrido. Dejarlo era la segunda mejor opción.

—¿Es eso realmente lo que quieres, Peter? —preguntó
ella con calma.

Él asintió.

—¿Y crees que podrás hacerlo? ¿Te lo permitirá ella?
—volvió a preguntar Tanya, que sabía mejor que nadie lo te-
naz que podía ser Alice cuando quería algo.

—Se está mostrando muy comprensiva. Al parecer, quiere hacer algunas gestiones para la galería por Europa, así que
se marchará una temporada. Eso nos ayudará a distanciarnos.
Al fin y al cabo, todo esto es muy reciente —razonó Peter.

Después, lanzó un profundo suspiro. Detestaba tener que
hablar de todo aquello con Tanya, pero sabía que no tenía opción. Ambas llevaban dos semanas esperando su decisión. La
tarde anterior había hablado con Alice, que había aceptado
su resolución, sin alegrías, pero con comprensión. Solo le había hecho saber que si cambiaba de opinión, ella le estaría esperando con la puerta abierta. Aquello le ponía las cosas más
difíciles a Peter, porque sabía que para salvar su matrimonio
tenía que mantener aquella puerta cerrada a cal y canto.

—¿Y qué pasará cuando vuelva? —preguntó Tanya con
preocupación.

—Supongo que mantendremos la distancia un tiempo hasta que las cosas vuelvan a la normalidad.

Sin embargo, los tres sabían que no sería posible. Tanya no había hablado con Alice porque no tenía intención alguna de volver a dirigirle la palabra en su vida. Y en lo que respectaba a su marido, sabía que al regresar a Los Ángeles, no lo haría confiada. Quizá Alice no estaría, pero había muchas otras mujeres. Además, cuando Alice regresara de Europa, nadie podía asegurar que fueran a mantenerse alejados. Era una situación terrible para todos.

Tanya asintió sin decir nada y se levantó para darse una ducha. No se sentía capaz de abrazar a Peter y decirle que le amaba. Ya no sabía qué sentía: furia, rabia, decepción, miedo, dolor, tristeza, un sinfín de emociones, pero ninguna de ellas placentera y, desde luego, no sabía si alguna de ellas era amor. Confiaba en que con el tiempo pudieran recuperar su relación, hacer que renaciera de sus cenizas. Pero ya no podía estar segura de nada. Había surgido un muro entre ambos y Peter tampoco hacía un gran esfuerzo por escalarlo.

Por su parte, Peter también confiaba en dejar pasar el tiempo, pero a su vez, se sentía terriblemente solo. Con la intención de reparar mínimamente el daño causado, invitó a Tanya a cenar unos días antes de su regreso a Los Ángeles. Alice ya se había marchado a Europa y Jason había vuelto a la universidad. Las vacaciones habían sido deprimentes e increíblemente tensas de principio a fin.

Tanya aceptó la invitación, pero no tenía nada que decir. Consiguieron superar el rato que duró la cena hablando de los chicos y de todos los tópicos habidos y por haber. No fue una noche agradable, pero sabían que había que volver a empezar de algún modo. Ambos evitaron prudentemente hablar de ello. Por la noche, ya en la cama, Peter intentó acercarse a ella por primera vez desde su regreso y el descubrimiento de su infidelidad. Sin embargo, en el momento en el que Peter le puso la mano suavemente sobre la espalda, el cuerpo de

Tanya se tensó. Se apartó rápidamente de su lado y después se volvió y le miró en la penumbra. Peter no podía ver las lágrimas que inundaban los ojos de Tanya, pero podía intuirlas en su voz.

—Lo siento, Peter, pero no puedo... todavía no puedo —dijo Tanya despacio.

—Está bien. Lo comprendo —dijo él, dándose la vuelta de inmediato.

En todas aquellas semanas, Peter no había abrazado a su mujer ni le había dicho que la quería pero, en realidad, era lo que más deseaba decirle. Solo habían hablado de Alice; aquella mujer estaba allí, en medio de ambos, tan firme como si hubiera estado presente en el lecho físicamente.

Cuando Peter le dio la espalda, Tanya ladeó la cabeza sobre la almohada y se quedó mirando a su marido, preguntándose si las cosas podrían volver a ser como antes.

12

Volver a Los Ángeles después de Navidad fue doblemente agónico. Antes de marcharse, abrazó a sus dos hijas con lágrimas en los ojos y tan alterada que no pudo pronunciar palabra. Incluso Megan dio muestras de compasión. Por otro lado, su hija se quedaba sin mentora femenina. La familia Harris sabía que Alice iba a estar fuera un mes entero, ya que había llamado a las mellizas para despedirse. Nadie sabía exactamente cuáles eran sus planes, pero le había dejado a Peter el itinerario que pensaba seguir; una información que él no quiso compartir con nadie y que, en realidad, tampoco quería tener. Peter no se fiaba de sí mismo, así que después de anotar los números de teléfono, se lo pensó mejor, rompió la nota en mil pedazos y se deshizo de ellos rápidamente. De ese modo, si alguna noche flaqueaba, no tendría la posibilidad de llamarla y pedirle que regresara. Así se sentía más seguro, a pesar de que estaba decidido a dejarlo con Alice y creía ser capaz de hacerlo. Pero, a decir verdad, últimamente no se consideraba capaz de gran cosa ni tenía una gran seguridad. Le resultaba muy doloroso saber que Tanya ya no confiaba en él.

—Todavía te quiero, Peter —le dijo Tanya con tristeza en el aeropuerto.

Tanya seguía teniendo un aspecto horrible y no habían conseguido hacer el amor antes de su marcha. Cada vez que Tanya pensaba en ello, en su cabeza aparecía la imagen de Peter traicionándole con Alice. Le iba a costar tiempo recuperarse del impacto y volver a sentirse bien con su marido.

—Yo también te quiero, Tan. Siento mucho todo lo que ha ocurrido.

Las fiestas navideñas habían sido un absoluto infierno para todos. Sus hijos —a pesar del esfuerzo de sus padres por ocultar los problemas— se habían dado cuenta de que algo iba mal, y para colmo el mutismo de sus padres no había hecho más que aumentar sus temores y preocuparles todavía más.

—Espero que las cosas mejoren pronto —deseó Tanya con tristeza.

—Yo también —coincidió Peter.

Era sincero y realmente quería que su matrimonio volviera a funcionar. Sin embargo, no sabía cuán profundo era el daño causado. Sin duda, mucho.

—Si puedo, volveré a casa el viernes.

¿Qué ocurriría si no podía? Se preguntó Tanya. ¿Con quién dormiría Peter? ¿Dónde iba a estar Alice? ¿Buscaría su marido a otra sustituta? Tanya había confiado ciegamente en su marido durante veinte años, pero ya no estaba segura de nada ni confiaba en nadie. Menos aún en Peter.

Era terrible para Tanya tener esos sentimientos, al igual que para Peter, que podía adivinarlos cada vez que su esposa le miraba. En sus ojos veía el ardiente reproche y el reflejo de su corazón roto. Por ello, en cierto modo, ambos se sintieron aliviados al separarse. Habían sido tres semanas espantosas y aunque Tanya sufría por abandonar a su familia, también se alegraba de volver a Los Ángeles. Aunque su corazón estaba destrozado, era una forma de huir. En aquella ocasión, Peter habría tenido razón, porque realmente ansiaba estar lejos.

Entró en el bungalow a las ocho de la tarde, pero las alegres habitaciones del hotel Beverly Hills le parecieron deprimentes esta vez. Quería y no quería volver a casa. Lo que deseaba era volver a estar en Ross con Peter, como antes, pero no sabía si eso sería posible. Se sentía más sola que nunca y añoraba terriblemente a sus hijos. Echaba a todo y a todos de menos, incluso a sí misma, como si aquellas tres semanas la hubieran también separado de su persona. Lo único que no había perdido era a sus hijos, pero sentía que un abismo la separaba de ellos.

Aquella noche no llamó a Peter, y él tampoco la llamó. El silencio del bungalow 2 era ensordecedor, pero Tanya no se molestó siquiera en poner música. Se metió en la cama hecha un ovillo, llamó a recepción para pedir que la despertaran y se echó a llorar desconsoladamente. En cierto modo, era un alivio no tener a Peter a su lado, no sentir su presencia ni preocuparse por sus pensamientos o por si había noticias de Alice. Tanya tenía la sensación de que no iba a ser capaz de cortar los lazos que unían a su marido con su amiga y tampoco podía saber si la promesa de Peter de romper aquella relación era sincera o, caso de serlo, si podría mantenerse fiel a ella. No sabía qué pensar. Había confiado en Peter, pero en solo tres semanas su pequeño y pacífico mundo se había venido abajo como un castillo de naipes. Lloró y lloró hasta que cayó rendida.

Al día siguiente, tuvo que madrugar, pero volver al plató le pareció una bendición. Enseguida vio a Max y a Harry compartiendo una pasta. En cuanto vio a Tanya, el perro empezó a mover la cola, un gesto al que ella correspondió con una caricia y una apagada sonrisa.

—Bienvenida —la saludó Max con una sonrisa.

El director no tardó ni un segundo en captar la pena que Tanya arrastraba consigo. Había perdido por lo menos cinco kilos y estaba muy demacrada.

—¿Cómo han ido las vacaciones? —preguntó fingiendo no haberse dado cuenta.

—Fantásticas —respondió Tanya de manera automática—. ¿Qué tal en Nueva York?

—Ha hecho un frío espantoso y no ha parado de nevar. Pero ha sido divertido. Mis nietos me han dejado agotado. Los niños son para los jóvenes. Yo ya soy demasiado viejo.

Tanya esbozó una sonrisa. En ese momento, se acercó Douglas con un montón de notas. Eran los nuevos cambios en el guión, señalados en color pastel. Habían sido tantos los cambios que ya no sabían cómo identificarlos.

—Bienvenida a Hollywood una vez más —dijo arqueando las cejas, sorprendido ante el aspecto de Tanya. En un tono claramente irónico, añadió—: Veo que en Marin todo ha ido de maravilla, ¿no? Me parece que no has probado bocado desde que te fuiste.

Douglas, como siempre, un encanto. Jamás se mordía la lengua ni dejaba de decir lo que pensaba.

—He estado con gripe —dijo Tanya sabiendo que no la creería.

—Lo lamento. Bienvenida de vuelta al trabajo —repitió antes de seguir su camino.

Douglas pasó toda la mañana en el plató, ya que aquella mañana tocaba rodar algunas de las escenas más complicadas. Para sorpresa de todos, Jean Amber recordó el guión a la perfección. La actriz estaba radiante, y tanto ella como Ned estaban exultantes en las escenas que compartían. Entre ellos fluía una energía eléctrica. Corría el rumor de que habían pasado las vacaciones de Navidad los dos juntos en St. Bart.

Después de gritar el último: «¡Corten! Buena», para indicar que la última escena había sido de su agrado, Max y Tanya se fueron a comer juntos.

—Ay, la juventud y el amor... —comentó Max a propósito de los jóvenes actores—. ¿Estás bien? —preguntó después, al darse cuenta de que tenía aún peor aspecto que por la mañana y que su palidez era cadavérica—. Si sigues enferma, no tienes por qué venir a trabajar. Podemos llamarte al hotel.

—No, estoy bien. Solo un poco cansada.

—Has perdido muchísimo peso.

—Sí, creo que sí —musitó Tanya conmovida por la since-ra preocupación de Max.

Bajó la vista fingiendo que se concentraba en el guión y luchando por contener las lágrimas, aunque sin éxito. Cuando estas empezaron a caer por sus mejillas, Max le tendió un pañuelo de papel.

—Veo que te lo has pasado en grande —dijo con dulzura ante la sorprendida mirada de Harry, que también se daba cuenta de que algo no iba bien.

—Sí, de maravilla —dijo sonándose, secándose las lágrimas y riendo a un tiempo—. Algunas vacaciones son peores que otras. Estas no han sido precisamente fantásticas.

—Más bien parecen haber sido espantosas —repuso Max poniéndose serio—. ¿Qué es lo que ha hecho? ¿Encerrarte en el calabozo y negarse a alimentarte? A lo mejor no estás al corriente, pero hay un sinfín de números gratuitos a los que puedes llamar cuando ocurren cosas así. El último al que yo llamé era 900-DIVORCIO y me funcionó. Enseguida mandaron una furgoneta y se llevaron a la zorra de turno. Recuerda el número por si se repite y, sobre todo, llévate el móvil al calabozo.

Tanya rompió a llorar con más desconsuelo y Max le tendió unos cuantos pañuelos más.

—No ha sido tan terrible —repuso.

Pero entonces guardó silencio un instante, y queriendo ser sincera consigo misma añadió:

—Ha sido peor. Si he de ser sincera, han sido unas vaca-ciones de mierda de principio a fin.

Tanya se daba cuenta de que le haría bien sincerarse con Max.

—A veces, las Navidades son así. Las mías suelen serlo —quiso consolarla—. Yo este año he estado con mis hijas, pero lo que suelo hacer es ofrecerme como voluntario en algún co-medor social. En esos lugares me doy cuenta de que la vida no me ha ido tan mal después de todo y descubres que hay gente mucho menos afortunada que tú. A lo mejor te iría bien hacer algo así.

Tanya asintió pero no dijo nada.

—Lo siento, Tanya —continuó Max con voz cálida y suave.

Tanya prorrumpió en sonoros sollozos.

—¿Quieres que llame a un fontanero? —bromeó Max—. Me parece que hay una tubería que no acaba de funcionar, bueno, más bien tienes un escape de narices.

Tanya se echó a reír de nuevo entre sollozos y dijo:

—Lo siento, estoy hecha polvo. No he parado de llorar desde que llegué a Los Ángeles. En casa ha habido una tensión terrible, pero tenía que poner buena cara delante de mis hijos, así que me estoy desahogando desde que llegué ayer por la noche.

—Si te alivia... ¿Es un problema serio o no tan serio?

—Serio —contestó ella clavándole la mirada.

Max vio que los ojos verdes de Tanya parecían dos agujeros sin fondo llenos de dolor.

—¿Puedo ayudar en algo? —preguntó preocupado de veras por verla en aquel estado.

Tanya negó con la cabeza.

—Lo suponía —dijo Max—. Tal vez el tiempo lo arregle.

—Quizá.

Podría arreglarse si Peter decía la verdad, si Alice se mantenía alejada el tiempo suficiente y si Tanya podía volver a casa los fines de semana. Si no era así, una vez Alice hubiera regresado, solo Dios sabía qué ocurriría. Tanya no confiaba en ninguno de los dos e intuía que nunca más volvería a confiar en ellos, y sin confianza, no había forma de seguir adelante con un matrimonio.

Apesadumbrada, miró a Max y optó por confiar en él. Decidida como estaba a que sus hijos no supieran nada y teniendo en cuenta que solo tenía dos confidentes en la vida, Alice y Peter, Tanya no había podido hablar con nadie de lo sucedido.

—El día que regresé a Marin descubrí que mi marido estaba teniendo una aventura con mi mejor amiga —confesó Tanya sin ocultar su dolor.

—¡Mierda! Eso sí que es una cabronada —exclamó Max abriendo y cerrando los ojos muy deprisa—. Espero que no te los encontrases en plena faena.

—No, lo vi en los ojos de Peter. Durante las vacaciones de Acción de Gracias ya tuve algunas sospechas, pero me parece que todavía no había pasado nada. Quizá presentí que iba a pasar.

—Las mujeres sois increíbles para estas cosas. Siempre notáis algo, lo sabéis, lo que es espantoso para nosotros, porque jamás podemos esconder nada. Los hombres, sin embargo, no nos enteramos de nada hasta que estalla delante de nuestras narices. ¿Y qué sucedió después?

—Hemos pasado tres semanas espantosas torturándonos el uno al otro. Ella se ha marchado de viaje a Europa y él ha dicho que cuando regrese no seguirá viéndola. Asegura que han terminado.

—¿Le crees? —preguntó Max, halagado porque Tanya estuviera confiando en él y valorara su consejo.

—Ya no —contestó Tanya negando con la cabeza—. Y quizá no vuelva a creerle nunca. Me temo que en cuanto ella regrese, volverán. Está convencido de que nunca volveré de Los Ángeles, que esto es lo mío. Es tan injusto... Le digo que no es cierto, pero no me escucha.

—Eso es una excusa, Tan. Si quisiera seguir contigo, le daría igual lo que hicieras. Podrías ser bailarina del vientre en un harén o haberte liado con el rey de Inglaterra o con Donald Trump. Opino que si quisiera estar contigo, te diría que en cuanto acabaras la película, corrieras a casa y te olvidaras de Hollywood. A lo mejor quiere separarse o quizá esté asustado y sienta que no es el hombre adecuado para ti. ¿Ella es más joven?

—No —dijo Tanya—. Es seis años mayor que yo, dos años mayor que Peter.

—Entonces debe de estar enamorado. Nadie se va con una mujer dos años mayor si no es por amor —dijo Max sin disimular su sorpresa ante aquel dato.

—Son muy parecidos. Por eso les quería a los dos. ¡Cómo me ha jodido esa tía! Hace dos años que enviudó, yo estoy siempre fuera... eso me dijo Peter. Mis hijos la ven como una tía y se lleva mejor con una de mis hijas que yo misma. Creo que ha sido ella quien le ha ido detrás, que estaba esperando su oportunidad. Quería a Peter, y con lo de la película se lo he puesto en bandeja. Menuda suerte para mí...

Max asintió comprensivo y preguntó:

—¿Y qué dice él?

—Que han terminado.

—¿Te ha dicho si la quiere?

—Dice que no lo sabe.

—¡Odio a los tipos así! —estalló Max, irritado—. O la quiere o no la quiere. ¿Cómo es posible que no lo sepa?

—Dice que también me quiere a mí —dijo Tanya sonándose la nariz una vez más—. Ya ni siquiera sé si creérmelo.

El aspecto de Tanya era el de alguien a quien le habían destrozado la vida. Así se sentía y, de hecho, eso era lo que había ocurrido. Max sintió una terrible lástima por ella. Consideraba a Tanya una mujer extraordinaria y había hablado tanto de su marido, de lo mucho que ella le amaba... Se daba cuenta perfectamente de que había sido un golpe tremendo para ella y un mazazo fatal para su matrimonio.

—Creo que te quiere, Tanya —dijo Max, pensativo, mientras se acariciaba la barba, un gesto habitual en él cuando meditaba sobre cualquier cuestión—. ¿Quién no iba a quererte? Tiene que estar sordo, mudo o ciego para no amarte. También creo que debe de estar confundido. Aunque es realmente patético, probablemente diga la verdad y os quiera a las dos. Son cosas que ocurren. Los hombres nos liamos mucho con estas cosas. Por eso siempre hay tíos que tienen una mujer y una amante a la vez.

—Y ¿qué hacen? —preguntó Tanya sintiéndose como una niña.

—Depende del tipo. Algunos se casan con su amante y otros se quedan con la esposa. En lo que tal vez tenga razón, Tanya, es en que quizá Hollywood te haga crecer como persona y le dejes a él atrás. Yo creía que tu caso era distinto y que saldrías pitando de vuelta a casa en cuanto acabase la película. Pero nunca se sabe; a lo mejor haces otra película o a lo mejor le das una patada en el culo si sigue portándose así.

—Volveré a casa de todos modos —respondió Tanya con una sonrisa—. No tengo razón alguna para quedarme aquí.

—Podrías tener una carrera formidable en el cine, si quisieras. Has hecho un trabajo fantástico con este guión y después del estreno de la película seguro que tienes un montón de ofertas. Si quisieras, tendrías donde escoger.

—No quiero. Me gusta mi vida.

—Entonces lucha por ella. Átale corto: vete a casa, pártele la cara, no le pases ni una y hazle pagar por lo que ha hecho. Eso es lo que me hacían mis mujeres cuando me desviaba de la senda.

—¿Y qué hacías tú? —preguntó Tanya con interés.

—Me divorciaba de ellas lo más rápidamente posible. Pero mis amantes siempre eran más jóvenes, más monas y más divertidas.

Los dos se echaron a reír.

—En tu caso, si tu marido tiene una pizca de sentido común, se quedará contigo. Si eso es lo que quieres, espero que así sea. ¿Te la había pegado alguna vez?

Ella negó con la cabeza. En eso sí creía estar en lo cierto.

—Bien, entonces es un hombre virgen. Puede que no vuelva a hacerlo, a lo mejor ha sido un error aislado, un desliz. Vigila a esa mujer y no te creas una sola palabra de lo que te diga ninguno de los dos. Fíate de tus instintos y no te equivocarás.

—Así es como lo averigüé. Lo supe en cuanto les vi.

—Buena chica. Aguanta, tal vez se solucione. Siento que hayas pasado por algo tan duro.

—Sí, yo también —respondió Tanya encogiéndose de hombros—. Gracias por escucharme.

El perro de Max empezó a ladrar y los dos se echaron a reír.

—Siempre está de acuerdo conmigo. Es un perro muy listo.

—Y tú eres un hombre muy listo y también un buen amigo —dijo Tanya inclinándose y besándole en la mejilla.

—¿De qué estáis hablando vosotros dos tan juntitos? —preguntó intrigado Douglas cuando hizo su aparición en ese preciso instante.

—Se me acaba de declarar —bromeó Max—. Le he dicho que mi precio son seis vacas, un rebaño de cabras y un Bentley nuevo. Estábamos cerrando la negociación. Se muestra muy reacia con las cabras, pero el Bentley ha sido coser y cantar.

Douglas sonrió y Tanya se echó a reír. Después de hablar con Max, se sentía mejor.

—Me parece que ha ido bastante bien esta mañana, ¿verdad? ¿Qué te ha parecido? —preguntó Douglas al director.

Max le dijo que estaba encantado. El romance entre Jean y Ned les iba de maravilla para el rodaje ya que, como solía ocurrir, contribuía a que su interpretación mejorase de forma increíble. Una relación íntima entre los protagonistas era algo muy habitual en Hollywood. Eran como amores de crucero: cuando desembarcaban en tierra, se terminaban. En algunas ocasiones, la aventura continuaba, pero era algo excepcional. El equipo de la película había hecho sus apuestas y la gran mayoría consideraba que no duraría. Jean tenía fama de cambiar de novio como de zapatos, y lo cierto era que tenía bastantes pares. Con Ned ocurría otro tanto. Estaban cortados por el mismo patrón.

—¿Quieres que comamos algo juntos esta noche después del rodaje? —preguntó Douglas a Tanya—. Me gustaría hablar contigo de algunos cambios en el guión.

Tanya estaba agotada, pero pensó que era mejor no rechazar la oferta. Aunque lo disfrazara de invitación, era una orden que había que cumplir.

—Claro, siempre que pueda ir así —contestó ella, sin ánimos para volver al hotel a cambiarse.

—Por supuesto, así estás bien. Podemos cenar sushi o comida china. Seré breve; ya sé que has estado enferma —respondió Douglas, que no se había fijado demasiado en ella y que, a pesar de verla pálida y mucho más delgada, no tenía razón alguna para dudar de su explicación.

Tanya, por su parte, no tenía ninguna intención de contarle la verdad.

Aquella tarde terminaron el rodaje hacia las ocho y Douglas la llevó en coche hasta su sushi bar preferido. Les seguía la limusina de Tanya, porque Douglas tenía otro compromiso después de la cena.

Cuando se sentaron a la mesa, Tanya estaba agotada. Para su sorpresa, los cambios en el guión que quería discutir Douglas con ella eran mínimos. En realidad, el productor quería saber qué tal estaba.

—Y bien, ¿cómo ha ido la Navidad? Supongo que habrás disfrutado de tus hijos —preguntó mientras repartían el sushi, ya que a los dos les gustaban las mismas variedades, y lo servían en los platos.

—Sí, he disfrutado mucho con ellos —dijo Tanya queriendo convencerse a sí misma y tratando de olvidar la realidad de sus Navidades—. Pero lo cierto es que ha sido agradable volver hoy al trabajo.

Douglas la miró a los ojos e intuyó algo.

—No sé por qué, pero me da la sensación de que tienes problemas en casa y me estás mintiendo. Aunque si estoy metiendo la pata, solo tienes que decirme que me ocupe de mis asuntos.

No quería contárselo todo pero tampoco tenía fuerzas para mentirle. Al fin y al cabo, ¿qué importaba?

—No estoy mintiéndote, pero no quiero hablar de ello —admitió Tanya—. Si tengo que ser sincera, las vacaciones han sido un horror.

—Lo siento —dijo él dulcemente—. Esperaba estar equivocado.

Tanya no quiso creer las palabras de Douglas. Sabía que estaba empeñado en que se dejara conquistar por la vida de Los Ángeles.

—¿Algo serio? —insistió Douglas, que se había percatado del dolor que reflejaban los ojos de Tanya y sentía sincera lástima por ella.

—Quizá. El tiempo lo dirá —dijo ella crípticamente.

—Lo lamento, Tanya —repitió Douglas—. Sé lo mucho que significa tu hogar para ti. Doy por sentado que el problema ha sido con tu marido y no con tus hijos.

—Así es. La primera vez. Una completa sorpresa.

—Siempre es una sorpresa para todo el mundo. Ni las relaciones ni la confianza en la pareja son fáciles, estés casado o no. Por eso yo las evito a toda costa —dijo Douglas sonriendo mientras acababan con el sushi—. Es más fácil ser libre y mantener relaciones superficiales.

Douglas sabía que no había nada superficial en la vida, el matrimonio o los sentimientos de Tanya hacia su marido, así que añadió:

—Aunque sé que no es tu forma de ser.

—No, no lo es —afirmó Tanya con una apagada sonrisa—. Creo que al venir yo aquí, nos pusimos a prueba. Estar fuera de casa nueve meses y regresar únicamente en contados fines de semana es una dura exigencia. Ha sido duro para Peter y para las niñas. Es una pena que no ocurriera el año próximo. Pero, aun así, para él habría sido igualmente duro.

—A lo mejor fortalece vuestro matrimonio —comentó Douglas mientras pagaba la cuenta. Sin embargo, no creía realmente en lo que decía.

Para Douglas, Tanya era una especie extraña. Le fascinaba

pero, al mismo tiempo, no entendía que diera tanto valor a su forma de vida ni por qué la defendía de aquella manera. A su modo de ver, era una vida completamente aburrida y prosaica.

—O quizá descubras que tú has superado ya vuestra relación o él mismo sea ya algo superado —añadió con cautela Douglas.

—No creo que sea así —contestó Tanya con calma—. Creo que es simplemente una situación dura de llevar.

Más dura todavía desde que Peter había añadido a Alice a sus vidas, pensó Tanya, y, deseando que fuera verdad, añadió:

—Lo superaremos.

Tanya se quedó callada. Al salir del restaurante, todavía discutieron algún aspecto más del guión en la calle.

—Siento que estés pasando un mal momento, Tanya —dijo Douglas mirándola con ternura—. A todos nos ha ocurrido alguna vez. Si puedo hacer algo por ti, házmelo saber.

Tanya percibió la sinceridad de sus palabras. Douglas veía lo alterada y dolida que estaba y se compadecía de ella. Sabía que era una buena persona.

—Me gustaría poder marcharme a casa los fines de semana una temporada. Sin que ello signifique dejar a nadie en la estacada, claro —dijo Tanya.

—Haré lo que pueda —respondió él.

Seguidamente, Douglas subió a su Ferrari y arrancó a toda prisa. Tanya volvió al hotel en su limusina. Al entrar en el bungalow, se sintió muy sola. Echaba de menos a Peter y le llamó al móvil. Él descolgó al instante, como si hubiera estado esperando la llamada.

—Ah, hola... —respondió. Pareció algo sorprendido de oír su voz.

—¿Quién creías que era? —preguntó Tanya con el corazón encogido y súbitamente recelosa.

—No lo sé... tú, supongo. Aunque estaba charlando con las chicas.

¿Habría estado esperando la llamada de Alice o de alguna

otra mujer? Se preguntó Tanya, odiando aquella sensación y aquella desconfianza que sentía hacia las palabras de su marido.

—¿Qué tal ha ido el día? —preguntó Peter.

—Bien, pero ha sido un día largo. Hemos estado en el plató hasta las ocho y después he ido a cenar sushi con Douglas para seguir discutiendo el guión. Quieren más cambios.

Por la mañana, Tanya tenía planeado quedarse a trabajar esos cambios en el hotel. Faltaban tres meses de rodaje y se le antojaba un camino sin fin. Por no hablar de los dos meses de posproducción; una eternidad. No estaba segura de que su matrimonio pudiera soportar aquella presión; además, cuando pensaba en los meses que le esperaban y en lo que Peter y Alice habían hecho, se ponía enferma. Era algo que nunca habría imaginado que pudiera sucederle. Había creído tener un matrimonio sólido, pero ahora todo estaba en el aire. Aunque Peter hubiera decidido terminar con Alice, Tanya temía que el daño causado fuera demasiado grande.

—¿Y qué tal tu día? —preguntó Tanya intentando aparentar normalidad.

Sin embargo, nada era igual. Los dos se sentían extraños y la voz de Tanya no ocultaba su sufrimiento.

—También largo, pero bastante bien —respondió Peter.

Después, suavizando la voz, añadió:

—Aunque ahora mismo todo sea un desastre, te echo de menos. Lo siento, Tan. Siento haberlo estropeado todo.

Peter se había refugiado en su habitación, teléfono en mano, y se había sentado en la cama para hablar con su mujer. Como ella, se sentía solo y parecía a punto de echarse a llorar.

—Confío en que podamos arreglarlo —dijo ella con dulzura—. Yo también te echo de menos.

De repente, a Tanya se le ocurrió una idea:

—¿Quieres venir aquí a pasar una noche esta semana?

Les iría bien un poco de romanticismo en sus vidas, para fortalecer los lazos que les unían.

—No creo que pueda —se lamentó con desánimo—. Tengo reuniones todos los días y no quiero dejar a las chicas solas.

Y ahora no estaba Alice en la casa de al lado para vigilarlas o ayudarlas si surgía un problema.

—Podrían quedarse en casa de alguna amiga —propuso Tanya.

—No sé. Quizá la semana próxima. Esta me va fatal.

—Era solo una idea.

—Una buena idea.

—Te prometo que intentaré ir este fin de semana. Le he dicho a Douglas que de verdad necesito estar en casa, así que espero que no me programen ninguna reunión el sábado. Y aunque lo hagan, iré a casa al terminar. —Era muy consciente de que era imprescindible estar juntos para intentar salir adelante.

Finalmente, aquel fin de semana no hubo ninguna reunión. Tanya no sabía si no la necesitaban o si Douglas lo había arreglado. El caso fue que el viernes pudo marcharse a primera hora de la tarde y llegó a Ross a la hora de cenar. Tanto Peter como sus hijas estuvieron encantados de verla. Las mellizas salieron son sus amigas y Tanya y Peter salieron a cenar a un pequeño restaurante italiano en Marin, uno de sus favoritos. Al llegar a casa, las cosas casi parecían normales. Estar separados durante la semana había ayudado a serenar los ánimos. Aunque no hicieron el amor, aquella noche durmieron abrazados. A la mañana siguiente, por primera vez desde que Peter había tenido su aventura con Alice, Tanya y él hicieron el amor. Fue triste y dulce a un tiempo, y aunque el acto en sí fue satisfactorio, pareció que los dos estuvieran intentando encontrarse de nuevo. Después, acurrucada en los brazos de su marido y con los ojos cerrados, Tanya tuvo que hacer un esfuerzo para no pensar que Peter había hecho lo mismo con Alice.

Por su parte, Peter no osó preguntarle en qué estaba pensando. Quería que las cosas volvieran a ir bien y confiaba en que así fuera; para ello, lo único que podía hacer era intentar reparar el daño causado.

—Te quiero, Peter —dijo Tanya abriendo los ojos y sonriéndole con ternura y tristeza.

—Yo también —correspondió él besándola en los labios—. Te quiero, Tan. Lo siento tantísimo...

Ella asintió y procuró ahuyentar de su mente la sensación de despedida que había intuido en aquel «te quiero» en los labios de su esposo.

13

Las tres primeras semanas de enero Tanya se las arregló para volver a casa cada fin de semana. Parecía que las cosas entre ella y Peter volvían a la normalidad. Sabía que su marido estaba haciendo esfuerzos por enmendar el error, y cada semana comprobaba con alivio que Alice todavía no había regresado. No quería volver a ver a su amiga nunca más, aunque iba a resultar imposible viviendo puerta con puerta. Pero no cabía duda de que su ausencia ayudaba a llevar la situación y, cuanto más tiempo estuviera lejos, más posibilidades había de romper el hechizo y de que ellos rehicieran su matrimonio.

El cuarto fin de semana Tanya tuvo que quedarse en Los Ángeles. Peter le dijo que no se preocupara; él estaba preparando un juicio, las chicas tenían planes con sus amigos y había hecho un tiempo tan espantoso durante toda la semana —con tormentas incesantes—, que lo más probable era que hubiera retraso o cancelaciones en los vuelos. Así que lo mejor era que no volase. Además, Tanya tenía muchísimo trabajo: había que añadir más cambios al guión y le esperaban duras semanas de rodaje en distintas localizaciones. Faltaban unas seis o siete semanas para terminar la película y Tanya ardía en deseos de que llegara ese día. Al acabar, tendría un descanso de dos semanas antes de regresar nuevamente a Los Ángeles para trabajar en la posproducción con Max y el equipo.

En aquellos momentos, Tanya llevaba ya cinco meses en Los Ángeles y, probablemente, tendría que pasar cuatro meses más en Hollywood. Sentía que se había dejado la piel en aquella película, o, peor aún, su matrimonio. No podía negar que las cosas, poco a poco, habían ido mejorando con Peter y sabía que les había ido muy bien pasar aquellos últimos fines de semana juntos.

A la semana siguiente Tanya sufrió una terrible gripe intestinal o algún tipo de intoxicación y, como consecuencia, no pudo ir a Marin. Faltaba una semana para San Valentín y, afortunadamente, en aquella fecha tan señalada pudo escaparse de Los Ángeles. Para Peter había comprado una corbata con corazones y una caja de sus bombones preferidos, y para las mellizas unos camisones monísimos y unas camisetas de Fred Segal. Llegó a casa cargada con todos los regalos en su bolsa de viaje, pero al bajar del taxi vio que Peter y Alice salían de casa de ella. La llevaba cogida por la cintura y estaban riéndose. Tanya quería darle una sorpresa a su marido, así que no le había avisado de la hora en la que llegaría. Se quedó paralizada al verles. Cuando Peter levantó la vista, se encontró con los ojos de su mujer atravesándole. Después, Tanya se recompuso, bajó la mirada y entró en casa a toda prisa. Peter la siguió y la encontró temblando en la cocina. Su marido la miró, asustado.

—Veo que Alice ha vuelto —dijo Tanya mirándole.

No le estaba acusando, pero no se le había escapado que Peter y Alice estaban muy relajados juntos y que Alice se había cambiado de peinado.

—¿Cuándo ha vuelto? —preguntó.

—Hará unos diez días —dijo Peter, muy serio.

Sabía lo que Tanya estaba pensando, pero entre Alice y él no había vuelto a ocurrir nada. Habían estado hablando de lo sucedido dos meses atrás. Ambos seguían sin entenderlo muy bien y querían averiguar qué significaba, si había sido un accidente o algo más trascendente para alguno de ellos.

—Alice tiene buen aspecto —dijo Tanya con voz queda.

Quería preguntarle si se había acostado con ella, pero no se atrevió. Sin embargo, era tan evidente lo que Tanya estaba pensando, que Peter pudo oír su pregunta sin necesidad de que la formulara.

—No ha pasado nada, Tan. Está enferma —dijo en el mismo tono trascendente—. Al volver, se hizo un chequeo y le han encontrado un bulto en el pecho. La operaron la semana pasada y empezará la radioterapia en unos días.

Tanya miró a su marido al percibir preocupación en el tono de su voz.

—Lo siento mucho por ella. ¿Eso cambia las cosas entre nosotros de nuevo? —preguntó Tanya sin rodeos.

Quería saber a qué atenerse y no vivir en una montaña rusa emocional. Una vez había sido más que suficiente.

—Solo me da pena —dijo Peter con sinceridad, después de negar con la cabeza.

Aunque Tanya sabía que aquello era muy peligroso, no había nada que pudiera hacer. Lo que Peter sintiera por Alice era algo que solo dependía de él y Tanya sabía que ella no podía evitar perderle si él lo deseaba. Al fin y al cabo, quizá no tuviera nada que ver con su estancia en Los Ángeles. No podía tener siempre a su marido atado a ella y si Peter decidía que quería separarse, encontraría el modo de hacerlo.

Mirándole, allí, en medio de la cocina, Tanya se sintió derrotada. Había vuelto a perder.

—No voy a cometer ninguna estupidez, Tan —dijo él con delicadeza.

Tanya asintió todavía con lágrimas en los ojos, recogió su bolsa y subió a su habitación. Todo había cambiado de nuevo con el regreso de Alice. Era lo que Tanya sentía. Podía palpar su miedo y el de su marido.

Al día siguiente, Peter —que lucía la corbata que su mujer le había regalado para San Valentín— y Tanya salieron a cenar. Su marido le obsequió con un jersey de cachemir. Ella agradeció el regalo, pero no pudo evitar estar todo el fin de semana nerviosa. La presencia de Alice en la casa de al lado se le antojaba como una visita del diablo. No sabía cómo ganar aquella partida, pero también sabía que si su marido decidía marcharse, no había nada que pudiera hacer ella para retenerle o para cambiar el destino.

Por su parte, las mellizas —a pesar de que eran conscientes de que entre Alice y su madre había ocurrido algo— se alegraban de su regreso. Ninguna de las dos mujeres hablaba de ello, y cuando las mellizas les preguntaban, ambas evitaban mirarlas a los ojos. Alice únicamente les explicó que necesitaban un descanso en su relación, pero en el caso de Tanya, era evidente que no soportaba ni oír el nombre de Alice.

Cuando el domingo por la noche Peter acompañó a Tanya al aeropuerto, la tensión y el silencio se hicieron insoportables.

—No permitiré que pase nada, Tan —dijo Peter enfrentándose abiertamente al problema—. He hablado con Alice y ella sabe que no quiero poner en peligro nuestro matrimonio. ¿Por qué no confías en mí y te marchas a Los Ángeles tranquila?

—¿Por qué será que la única frase que me viene a la cabeza es «el camino al infierno está sembrado de buenas intenciones»? —repuso Tanya con una sonrisa irónica.

—Confía en mí —dijo Peter tras sonreír ante el acertado comentario de su esposa.

Sin embargo, Tanya sentía que ya había confiado en ellos en el pasado y el resultado había sido nefasto. Era pedirle demasiado que volviera a depositar la confianza en ellos cuando estaban tan cerca el uno del otro.

—Si quieres, puedes ponerme un localizador o una alarma —bromeó Peter intentando quitarle hierro al asunto.

—¿Y qué te parece un chip de identificación en los dientes? —propuso Tanya con una sonrisa apesadumbrada.

—Si tú quieres... Le he dicho a Alice que, si me necesita, la acompañaré a las sesiones de radioterapia. Pero eso será lo único que haga.

—¿Acaso no puede pedirle a nadie más que la acompañe? —repuso Tanya, a quien le había dado un vuelco el corazón al oír lo que pretendía hacer su marido—. Tiene muchísimos amigos.

Alice era una mujer muy sociable y todo el mundo la encontraba encantadora; atraía a la gente como un imán.

—Si puede arreglárselas sin mí, lo hará. Pero parece ser que sus amigos están muy ocupados.

—Tú también —señaló Tanya—. Volverá a echarte el guante.

Los ojos de Tanya estaban llenos de angustia y desesperación. Sentía que no había modo alguno de separarles y, precisamente, que Alice necesitara ayuda de Peter era lo que más asustaba a Tanya y lo que habría querido evitar a toda costa. La mejor forma de conquistar a Peter era despertar en él simpatía, compasión, preocupación, lástima... Tanya sabía perfectamente cómo funcionaba su marido, y por lo visto Alice también.

—No te preocupes, Tan. Todo irá bien —afirmó con seguridad Peter.

Al detener el coche junto a la acera, Tanya miró a Peter de nuevo con preocupación y sintió un repentino terror.

—Tengo miedo —dijo con voz queda.

—No lo tengas. Alice vuelve a ser lo que siempre fue: solo una amiga. Lo otro fue un error.

Tanya asintió y le dio un beso. Desde la acera, se volvió y levantó una mano en señal de despedida, sujetando la bolsa de viaje con la otra. Peter hizo un gesto de adiós, sonrió y arrancó. Al entrar en la terminal, Tanya sintió una nueva oleada de pánico que la acompañó durante todo el vuelo hasta Los Ángeles y se llevó consigo hasta la puerta del hotel. No hacía más que pensar en cómo proteger a Peter de Alice, hasta que, finalmente, se dio cuenta de que no había nada que ella pudiera hacer y que la decisión le correspondía a él.

Al llegar al hotel, llamó inmediatamente a su marido al móvil pero saltó el buzón de voz. Cuando Peter le devolvió la llamada a las once de la noche, la ansiedad de Tanya era tal que tenía ganas de vomitar. No quería preguntarle dónde había estado, pero podía adivinarlo.

—¿Qué tal la tarde? —preguntó finalmente.

Le había dejado un estúpido mensaje en el contestador que no dejaba lugar a dudas sobre lo que de verdad quería saber Tanya.

—He ido al cine con las chicas. Acabamos de llegar.

—¿Habéis ido con Alice? —inquirió Tanya después de que el alivio inicial se transformase en terror ante semejante posibilidad.

Se odiaba por hacer aquella pregunta, pero no podía evitarlo. Se le hacía insoportable que Alice hubiera regresado, y que estuviera tan cerca de Peter era una auténtica pesadilla. El miedo la carcomía y no le dejaba otra opción que preguntar.

—No, no se lo hemos dicho.

—Lo siento, Peter —se disculpó Tanya, que empezaba a verse como una desconocida y, sobre todo, como alguien que no quería ser.

—Está bien. Lo comprendo. ¿Qué tal el vuelo?

—Bien. Te echo de menos.

Habían estado prácticamente a un paso de recuperar su relación, tal como era antes de la aventura de Peter con Alice. Pero con su regreso, las aguas volvían a agitarse y el pánico y el rencor volvían a aflorar en Tanya. La traición era demasiado reciente y todavía estaba furiosa.

—Yo también te echo de menos. Duerme un poco. Te llamaré mañana.

Aquella noche, Tanya pasó muchas horas despierta en la cama. Se preguntaba si Peter se habría metido sigilosamente en casa de Alice o si ella estaría en su cama y se odiaba a sí misma por aquella obsesión. Era consciente de que a su marido tampoco le resultaba agradable. A nadie podía gustarle. Pero si había algún culpable, no era ella. Peter y Alice habían provocado aquella situación desagradable que ahora los tres tenían que sufrir. Tanya era solo la inocente espectadora, la víctima estúpida, la esposa traicionada; y ninguno de aquellos papeles era satisfactorio.

El mes siguiente, el frenesí fue continuo. La película entró en la recta final, en su momento culminante y las últimas tomas tenían que salir bien a toda costa. Tanya no pudo viajar a Marin en ningún momento. Se pasaban día y noche en reuniones de producción y reescribiendo el guión cien veces.

Cuando Max —que parecía tan exhausto como el resto del equipo— alzó la mano y gritó: «¡Corten!» por última vez, seguido de las palabras mágicas: «¡Toma válida, chicos!», habían entrado en la tercera semana del mes de marzo. El alborozo general se apoderó del plató de rodaje y todos se pusieron a dar saltos de alegría. Los miembros del equipo se abrazaban y se besaban los unos a los otros y las botellas de champán pasaban de mano en mano. Jean y Ned todavía estaban juntos, pero seguían las apuestas entre los compañeros de rodaje sobre cuánto duraría su relación. El actor empezaba su siguiente película en mayo y se iba a trasladar a Sudáfrica para rodar durante seis largos meses. Tanto Douglas como Max tenían nuevos proyectos a corto plazo y Tanya... Tanya solo quería volver a casa. Llevaba cuatro semanas sin ver a su familia y Peter tampoco había podido viajar a Los Ángeles.

Iba a disfrutar de dos semanas de descanso que coincidirían con las vacaciones de primavera de las mellizas. Después, tendría que regresar a Los Ángeles para la posproducción que duraría de seis a ocho semanas y terminaría a punto para la graduación de sus hijas, hacia finales de mayo o principios de junio. No había estado con ellas durante el curso escolar, pero tenía el consuelo de que cuando las chicas recibieran las cartas de aceptación o rechazo de las universidades solicitadas, ella estaría en casa. Por lo menos, podría compartir ese momento con ellas.

—¿Nos echarás de menos, Tanny? —le preguntó Max, sirviéndose una copa de champán y una segunda para su perro.

A su alrededor, podía ver a Douglas dando la mano a todo el mundo; se respiraba un ambiente propio de una noche de Fin de Año. Habían llegado a puerto. Actores y actrices bajaban del barco y solo los editores y el equipo de producción seguirían trabajando con Max. Repasarían meticulosamente los resultados finales para hacer cortes, empalmes, añadir voces aquí y allá, cortar un sinfín de escenas. El montaje de la película era un arte que requería una gran precisión. Pero antes, Tanya podía regresar a casa.

Sin embargo, cuando llegó al bungalow aquella noche para hacer las maletas, ya era demasiado tarde para coger ningún vuelo. Regresó a Marin al día siguiente, con unas ganas enormes de estar dos semanas seguidas con Peter y las chicas. Desde las vacaciones de Navidad —que habían resultado un desastre— no había pasado un período tan largo en casa. Había estado trabajando como una mula y se sentía como si regresara de la guerra. Consideraba que se había ganado el sueldo y lo único que quería era volver a su hogar, así que tener que regresar una vez más a Los Ángeles le parecía insoportable.

Cuando entró en la cocina de su casa en Ross, todo a su alrededor tenía un aspecto formidable. Más que formidable, era un hogar. Esbozó una amplia sonrisa y se alegró de haber llegado antes de que sus hijas regresaran del colegio. Cuando estas llegaron, se encontraron con que su madre les había preparado su cena preferida; incluso Megan se mostró feliz de tener a su madre en casa. Después, preparó la mesa y encendió unas velas cuando Peter llegó. Le parecía imposible llevar más de un mes sin verle. Cuando su marido se asomó a la puerta y vio la mesa puesta, sonrió.

—Qué bonito, Tan. Qué buena idea —dijo dándole un fuerte abrazo.

Por la noche, mientras subían juntos a la habitación, Tanya albergaba la esperanza de hacer el amor con su esposo. Pero Peter estaba agotado y, antes de que Tanya acabara de quitarse la ropa, ya estaba profundamente dormido. A pesar de la decepción, decidió que no había prisa y que la aguardaban dos largas semanas en casa.

Cuando Tanya se despertó el sábado por la mañana, Peter ya se había levantado y estaba en la cocina con el desayuno listo. Las mellizas se habían marchado temprano. Mientras Tanya terminaba de recoger la mesa, su marido le propuso ir a dar un paseo. Fueron en coche hasta el pie del Mount Tam y comenzaron la caminata.

Por la forma como Peter la miraba, Tanya empezó a sentir una desazón que pronto se convirtió en pánico. Caminaron durante diez minutos en silencio, hasta que encontraron un banco y Peter propuso que se sentaran. La miró como si fuese a decirle algo; antes de que pronunciara una sola palabra, Tanya lo supo. Le habría gustado echar a correr y esconderse, pero sabía que no podía hacerlo. Aunque estaba tan aterrorizada como si fuera una niña de cinco años, debía aparentar, por lo menos, que era una persona adulta.

—¿Por qué será que tengo la sensación de que no va a gustarme lo que me vas a decir? —preguntó Tanya con el estómago encogido.

Peter se miró los zapatos, se inclinó y se puso a juguetear con unos guijarros del suelo. Cuando levantó la vista de nuevo, Tanya pudo ver un profundo dolor en sus ojos.

—No sé qué decir. Creo que ya lo sabes. Jamás pensé que ocurriría algo así. Todavía no sé cómo ha pasado ni por qué, pero ha ocurrido, Tan.

Peter quería decírselo de la forma más rápida y menos dolorosa posible, pero al empezar se había dado cuenta de que no existía tal forma y de que, dijera lo que dijese e hiciera lo que hiciese, iba a ser horrible.

—Alice y yo hemos vuelto a estar juntos durante su enfermedad, durante las sesiones de radioterapia. Sé que parece una locura, pero creo que quiero casarme con ella. A ti también te quiero. No tiene nada que ver con tu estancia en Los Ángeles o con tu ausencia durante este último mes. Creo que esto habría sucedido de todos modos. Tengo la sensación de que ha sido el destino.

Tanya se sentía como si acabasen de golpearla con un hacha y la hubieran partido en dos. La cabeza le daba vueltas y sentía el corazón roto.

—¿Así de simple? —espetó mirándole con incredulidad—. ¿Se acabó? Estoy cinco semanas sin verte y tú decides que Alice y tú estabais destinados a estar juntos, ¿así, sin más? ¿Cómo diablos has llegado a esa conclusión?

Tanya estaba casi tan enfadada como dolida.

—Al verla enferma, me he dado cuenta de cuánto la quiero. Ella me necesita, Tan. Y no estoy seguro de que tú me necesites. Tú eres una mujer fuerte y ella no lo es. Ha sufrido mucho y necesita a alguien que la cuide.

—Oh, Dios mío... —musitó Tanya apoyando su cuerpo contra el respaldo del banco.

No podía llorar. Era tal su dolor que era incapaz de derramar lágrimas. Estaba conmocionada. Había temido que estuvieran acostándose de nuevo, pero nunca había imaginado que Peter quisiera casarse con Alice o la viera como su «destino». Para Tanya, era inconcebible y sospechaba que nunca iba a ser capaz de hacerse a la idea.

—En una ocasión escribí una escena para una telenovela. El productor la encontró demasiado cursi y me obligó a quitarla. Jamás habría sospechado que yo llegara a protagonizarla. La vida imitando al arte o una estupidez parecida.

Después, mirando de nuevo a su marido con incredulidad, le preguntó:

—¿Y qué es toda esa mierda de que yo soy fuerte y Alice te necesita? Alice es mucho más dura que yo. Creo que lo que ha hecho es cazarte, Peter. Decidió que quería que fueras para ella y, en cuanto me di la vuelta, te preparó la trampa. Creo que es mucho más fuerte de lo que tú crees.

Peter era un completo estúpido, y los dos juntos, unos auténticos cerdos. Eso era lo que Tanya pensaba. El hecho de que la vida que había conocido durante los últimos veinte años estuviera a punto de saltar por los aires le parecía mucho menos importante que la artera traición de aquellas dos personas a las que tanto había querido. Se sentía estafada, engañada y traicionada por los dos, pero sobre todo por su marido. Por segunda vez en tres meses. Cuando Peter hablaba de destino, tal vez se refería a que era ella la destinada a ser traicionada por ambos. Qué buen trabajo habían hecho.

—¿Así que eso es todo? —preguntó Tanya mientras copiosas lágrimas resbalaban por sus mejillas—. Se acabó. Quieres separarte y vas a casarte con ella. ¿Qué piensas decirles a nuestros hijos? ¿Que solo cambias de dirección y te vas a vivir a la casa de al lado? ¡Qué oportuno!

El tono de Tanya era de una profunda y comprensible amargura.

—Ella quiere a nuestros hijos —replicó Peter.

Le resultaba espantoso ver a Tanya en ese estado. Su tez había perdido el color por completo. Pero llevaba dos semanas esperando el momento de decírselo. En cuanto Alice y él volvieron a verse y una vez él comenzó a acompañarla a las sesiones de radioterapia, lo había visto claro. No había querido decirle nada a su mujer por teléfono. Peter se daba cuenta de que los temores de Tanya habían sido fundados.

—Sí, quiere a nuestros hijos —asintió Tanya enjugándose las lágrimas con la manga de la camisa y sin preocuparle en absoluto su aspecto—. Y, al parecer, tú la quieres a ella y ella a ti. Qué dulce. ¿Y yo? ¿Qué se supone que debo hacer? ¿Qué hace en estos casos la mujer abandonada, Peter? ¿Apartarse amablemente y desearte buena suerte? ¿Continuamos siendo vecinos y compartimos a los niños como una gran familia feliz? ¿Qué es lo que quieres de mí?

—Alice venderá su casa y nos iremos a vivir a Mill Valley. Pero llevará su tiempo. No creo que deba trasladarme a la casa de al lado. Generaría una situación complicada para los chicos.

—Cuánto me alegro de que hayas pensado en eso. También sería complicado para mí, claro está. ¿Cuándo has pensado decírselo a nuestros hijos?

A pesar de que la cabeza le daba mil vueltas y su mente iba en mil direcciones al mismo tiempo procurando asimilar lo que su marido acababa de decirle, Tanya tuvo la claridad de pensar en lo más adecuado.

—Creo que no deberíamos contárselo hasta junio, después de la graduación —propuso—. Faltan menos de tres meses y yo no estaré de vuelta hasta finales de mayo, cuando acabe la posproducción. Así que solo tendremos que vivir juntos dos semanas.

Peter había tenido la misma idea.

—Pero no sé cómo resolver estas dos semanas —continuó Tanya—. No puedes irte a vivir con Alice, pero yo no quiero compartir la habitación contigo.

De repente, Peter se había convertido en un extraño. Tanya había vuelto ilusionada por pasar aquellas dos semanas con su familia y Peter la recibía con semejante noticia... Era difícil de digerir.

—Si quieres, puedo dormir en la habitación de Jason —dijo con calma Peter.

—¿Y cómo vas a explicárselo a las chicas? —inquirió Tanya con razón.

Peter vaciló sin saber muy bien qué decir.

—Quizá no quede más remedio que sacrificarse y compartir la habitación —concluyó su mujer.

Era lo que menos le apetecía a Tanya, ahora que Peter pertenecía a otra mujer. Había puesto fin a veinte años de su vida y, como en un programa de televisión con poca audiencia, ella había sido expulsada para siempre. Hizo un esfuerzo para no recordar que ella seguía amándole, porque, de haberlo hecho, se habría dejado caer a los pies de Mount Tam y habría empezado a aullar.

De pronto, se asustó al pensar que quizá estaba teniendo un ataque de nervios. Pero era un lujo que no se podía permitir. Aunque se sintiera morir, debía mostrarse como una persona madura. Por un instante, le pareció que se estaba muriendo, como si su marido le hubiera disparado. Repasó mentalmente las palabras de Peter, pero seguían sin tener sentido, igual que cuando las había oído en su boca. Peter la dejaba a ella para casarse con Alice. ¡Qué sinsentido! Tal vez habían perdido todos el juicio. Todo lo que estaba sucediendo era de locos.

—Dormiré en el suelo —dijo Peter volviendo a sus problemas de dormitorio, que eran, desde luego, los más superfluos.

Ella asintió. Le parecía un buen castigo.

—Se lo diremos después de la graduación —sentenció Tanya.

Peter asintió.

—Bien, decidido entonces. ¿Hay algo más que debamos discutir? ¿Tengo que vender la casa? —preguntó Tanya sin ocultar la desesperación ni el horrible peso de su corazón, que le parecía cargado de plomo.

—Si no quieres, no es necesario —respondió él con voz grave.

Aunque Tanya no se había derrumbado, sus palabras le parecían una locura. O quizá era todo lo contrario y aferrarse a los detalles la ayudaba a saber a qué tenía que enfrentarse y a mantener ocupada su mente para no perder por completo el norte.

—No necesito limosna. Creo que tú deberías pagar la universidad. Supongo que eso es todo, ¿no? ¿Cuándo será la boda?

—Tan, no hables así. Sé que es muy duro pero no he querido alargar esta situación. Podríamos haber esperado para ver si estábamos o no equivocados, pero no he querido engañarte. Alice y yo necesitamos tiempo para saber si esto es lo que queremos y si puede funcionar, pero prefiero decidirlo viviendo con ella y no contigo. No quiero seguir fingiendo ni mintiéndote como hasta ahora.

—Por supuesto, mentir no está nada bien —replicó Tanya mientras las lágrimas seguían cayendo por sus mejillas—. Claro, deberías irte a vivir con Alice. Pero no quiero ir a la boda.

Había intentado evitarlo, pero se dio cuenta de que estaba gimoteando. Peter intentó abrazarla, pero Tanya le rechazó y se puso en pie. Quería conservar la poca dignidad que le quedaba. Era espeluznante pensar que tendrían que simular seguir casados durante aquellas dos semanas en las que las mellizas, a su vez, estarían de vacaciones. Para Tanya, ya no estaban casados. Ahora —y desde hacía varios meses— Peter pertenecía a Alice.

Regresaron a casa en silencio. Tanya seguía secándose las lágrimas con la camisa y mirando fijamente por la ventana. Repetía las palabras de Peter en su cabeza una y otra vez. Peter la estaba dejando, se iba a vivir con Alice... con Alice... ya no iba a vivir con ella. Tanya iba a vivir sola con sus hijos, pero sus hijos ya no estarían tampoco. En septiembre estaría totalmente sola, sin marido y sin hijos. Llevaba todo el invierno deseando, más que nada en el mundo, volver a casa. Pero no había hogar al que regresar. La historia de Tanya no iba a tener un final feliz. Ella jamás habría escrito un final así, pero Peter y Alice lo habían escrito en su lugar. En realidad, Peter la había despedido. Al bajarse del coche frente a su hogar, Tanya solo quería morirse.

14

Las dos semanas que Tanya pasó en Marin fueron un infierno de principio a fin. Por sus hijas, intentó disimular cuanto pudo y Peter se mostró tan extremadamente civilizado y con una actitud tan compasiva, que resultaba humillante. Cinco semanas sin verle y su marido pertenecía a otra. Su vida había dado un vuelco completo y se sentía constantemente como si estuviera drogada. Intentaba asimilarlo, pero no dejaba de preguntarse cómo había ocurrido. Se culpaba por haber aceptado trabajar en la película y haberse marchado a Los Ángeles. Pero cuando dejaba de culparse, culpaba a Peter y, por supuesto, a Alice.

Finalmente, llegó el día de regresar a Los Ángeles para empezar a trabajar en la posproducción de la película, y sintió, sobre todo, alivio. Cuando llegó a la oficina para encontrarse con Max y Douglas, su estado físico y anímico pendía de un hilo. Estaba mucho más delgada y transmitía una dureza casi intimidatoria. Sin embargo, para Tanya resultó positivo tener algo que hacer aparte de seguir imaginando cómo sería su vida cuando Peter la abandonara. Durante las dos semanas que había permanecido en Marin, no había dejado de torturar a Peter con dolorosas preguntas como, por ejemplo, qué iba a llevarse. Las mellizas cumplían dieciocho años en junio, así que la cuestión de la custodia de los chicos se simplificaba; ni siquiera debían organizar un régimen de visitas. Sus hijos elegirían con quién querían estar. De tan simple, resultaba espantoso.

Aquel primer día de trabajo, su apariencia era la de alguien que acaba de sufrir un trauma. Max se había dado cuenta inmediatamente de su terrible aspecto, así que al acabar el día se acercó a ella. Tanya estaba metiendo sus papeles en la cartera con el mismo aire distraído que había tenido toda la jornada.

—Mejor no me cuentas cómo ha ido el descanso, ¿verdad? —preguntó Max con amabilidad.

Al director no le había costado adivinar lo que había pasado, porque Tanya tenía el mismo aspecto que después de las vacaciones navideñas, solo que aún peor.

—No, mejor que no lo sepas —contestó Tanya, pero acto seguido, decidió contárselo—. Cuando las mellizas se gradúen en junio, se irá a vivir con la otra. Está pensando en casarse con ella. Al parecer, estaban destinados a estar juntos. Así es, una auténtica telenovela en la vida real. ¿Cómo puede ser tan cursi la vida? Eso es lo que me pregunto.

—La vida es cursi —dijo Max, compadeciéndola.

El enfado de Tanya era más evidente que después de Navidad, pero todavía estaba más claro que tenía el corazón hecho trizas.

—Es increíble lo vulgar que puede resultar la vida, incluso entre gente supuestamente culta. Supongo que, lo queramos o no, todos podemos llegar a comportarnos como participantes de esos terribles *reality* televisivos. Tal vez sea esa la razón por la que triunfan.

—Supongo que sí —coincidió ella sonriéndole con tristeza—. Me repondré. Es cuestión de adaptarse.

Max sabía que las mellizas iban a empezar la universidad después del verano. Tanya estaría sola, por lo que suponía que no iba a ser fácil para ella. Se había pasado todo el año hablando de su familia y ahora su marido la abandonaba. De un modo u otro, iba a perder a todos sus seres queridos. Y el imbécil de su marido —en opinión de Max—, se iba con su mejor amiga. Había que darle la razón a Tanya. ¡Qué vulgaridad!

—A veces las peores cosas que nos pasan en la vida acaban siendo una bendición —intentó animarla—. Pero en ese momento no nos damos cuenta. A lo mejor un día echarás la vista atrás y lo verás así. O, tal vez, un día echarás la vista atrás y solo verás un momento espantoso.

—Creo que, en mi caso, será más bien lo segundo —respondió Tanya con una sonrisa—. No estoy disfrutando mucho precisamente.

—Por lo menos ahora sabemos que no estás enferma. Creo que el único consejo decente que puedo darte es que encontrarás la salvación en el trabajo. En mi caso, siempre ha sido así. Cuando el cáncer se llevó a la mujer que amaba, lo único que me salvó e hizo que mantuviera la cordura fue el trabajo. Es la única forma de seguir adelante.

Tanya asintió. Era algo en lo que no había tenido tiempo de pensar. Su cabeza había estado pensando en el futuro: imaginaba cómo sería el verano en Tahoe sin Peter, después de haber dado la noticia a sus hijos; cómo sería el día que acompañara a las mellizas a la universidad... Durante aquellas dos semanas habían llegado las respuestas de las universidades y, aunque el estado de ánimo de Tanya había empañado la alegría, las chicas estaban entusiasmadas porque ambas habían logrado entrar en su primera opción: Megan iría a la Universidad de Santa Bárbara, como su hermano, y Molly podría cursar estudios de cinematografía en la Universidad de California.

Tanya no tenía ni la más remota idea de qué haría ella cuando se hubieran marchado. Siempre había imaginado que, finalmente, tendría más tiempo para estar con Peter. Pero ahora él pasaría su tiempo con Alice. Tanya se sentía como si fuera una canica dentro de una caja de zapatos, dando vueltas sin rumbo, sin anclar en puerto alguno. Todas sus anclas estaban a punto de partir. Era un pensamiento espantoso. Max tenía razón: solo le quedaba el trabajo y el tiempo de vacaciones con sus hijos.

Durante la posproducción, Tanya regresó a casa cada fin de semana. Habían logrado establecer unas pautas más civilizadas: Tanya hacía todo lo posible por evitar a Peter, quien, a su vez, cada vez pasaba más tiempo en casa de Alice. Las chicas —conscientes de que estaban rodeadas de un campo de minas— no hacían preguntas y tenían un cuidado extremo en evitar cualquier gesto o palabra que pudiera disparar las alarmas. Tanya se preguntaba qué debían de pensar, pero faltaba poco para que lo supieran todo. Tener que darles la noticia la aterraba.

Mientras tanto, se encerró en sí misma. Durante los fines de semana pasaba el máximo tiempo posible con sus hijas, y había empezado a escribir relatos muy tristes y deprimentes por las noches, muchos de ellos acerca de la muerte. En cierto modo, había vivido una muerte, la de su matrimonio, y la única manera de llorarlo era escribir sobre él.

Una tarde, Peter vio uno de los relatos de Tanya en el ordenador y no pudo evitar leerlo. Se sintió avergonzado y comprobó que la que todavía era su esposa estaba sumida en negros pensamientos.

Durante la posproducción, Tanya salió alguna que otra noche a cenar de manera informal con Douglas. El productor la había invitado a pasar cualquier domingo en su piscina, pero Tanya viajaba cada fin de semana a Marin y el único domingo que se quedó en Los Ángeles se sintió demasiado deprimida para aceptar su invitación. En la última semana de posproducción, en el mes de mayo, Douglas hizo una interesante propuesta a Tanya. Tenía un nuevo proyecto cinematográfico con una famosa directora que había ganado varios Oscar. La película contaba la historia de una mujer que se suicidaba, una historia muy deprimente, y Douglas quería que Tanya escribiera el guión. Aunque era evidente que la película encajaba con su estado de ánimo en aquellos momentos, Tanya no quería volver a vivir en Los Ángeles. En el fondo de su corazón, sentía que su matrimonio se había ido a pique por culpa de su trabajo en la película y, por consiguiente, su experiencia como guionista no le había dejado muy buen sabor de boca. Lo único que quería era regresar a casa y así se lo hizo saber a Douglas cuando el productor le hizo la proposición.

—¡Oh, vamos, Tanya, no me vengas con esas! —exclamó Douglas echándose a reír—. Por el amor de Dios, aquel no es tu sitio. Si quieres, vete a casa a escribir algunos relatos una temporada, y luego vuelve. Tu vida en Marin se acabó o debería haberse acabado. Has escrito un guión fantástico e incluso es posible que ganes un Oscar. Y si no es con este guión, será con el próximo. No puedes huir de tu destino. Tu marido se conformará. Al fin y al cabo, este año ya lo ha encajado, así que también podrá aguantar el año próximo.

—En realidad, no lo ha encajado —dijo Tanya despacio—. Nos vamos a divorciar.

Por una vez en su vida, Douglas parecía anonadado.

—¿Tú? ¿La mujer perfecta? No puedo creerlo. ¿Qué ha pasado? Recuerdo que después de Navidad me dijiste que habías tenido problemas, pero di por supuesto que los habíais resuelto. Debo reconocer que estoy atónito.

—Yo también —dijo Tanya, desolada—. Me lo dijo en marzo. Se va a vivir con mi mejor amiga.

—¡Qué vulgaridad! ¿Ves lo que quiero decir? —prosiguió Douglas, que no perdía ocasión para ir a lo suyo—. No es tu sitio. La gente de Marin no tiene imaginación. Quiero empezar a rodar esta película en octubre. Piénsatelo. Llamaré a tu agente y le haré una oferta.

Después de la conversación, Douglas se mostró aún más amable de lo habitual con ella y, por supuesto, llamó rápidamente a su agente. Al día siguiente, Walt llamó a Tanya, alucinado con la suma ofrecida. La habían aumentado considerablemente, así que estaba claro que Douglas la quería a toda costa en la película. Pero Tanya se mantuvo firme en su decisión. Ya conocía Los Ángeles y no tenía intención alguna de regresar. No le importaba seguir con su trabajo, pero las consecuencias le habían destrozado el corazón. Quería irse a casa y lamerse las heridas.

—Tienes que hacerlo, Tan —intentó convencerla Walt—. No puedes rechazar una oferta así.

—Sí, sí puedo. Me voy a casa.

El problema era que no tenía ningún hogar al que volver. Tenía una casa, pero no habría nadie en ella. Al viajar a Marin el siguiente fin de semana, Tanya se dio cuenta de lo terrible que le resultaría vivir allí sin sus hijos. Una vez las mellizas se marcharan a la universidad a finales de agosto, y sin Peter, estaría absolutamente sola por primera vez en su vida.

Así que el lunes llamó a Walt y le dijo que aceptara la propuesta de Douglas. No tenía nada mejor que hacer. A la semana siguiente, firmó el contrato. Cuando se lo contó a Peter, este le comentó con cierta petulancia:

—Te dije que volverías.

Pero no tenía razón. Tanya jamás habría regresado de no ser porque la había abandonado. En cierto modo, era él quien la mandaba de vuelta a Los Ángeles. Después, Tanya se lo contó a Max y el director la felicitó. Él estaba convencido de que era la decisión correcta. Por mucho que Tanya detestara Hollywood, dado lo sucedido, el trabajo le salvaría la vida.

El resto del verano fue una pesadilla constante para Tanya. Tras acabar la posproducción, a finales de mayo, regresó a Marin. Una semana más tarde, celebraron la graduación de las mellizas, una ceremonia que se caracterizaba por una gran pompa y emotividad. Peter tuvo el buen gusto de no llevar a Alice. Al día siguiente, informaron a sus hijos de que se divorciaban. Toda la familia, incluidos Peter y Tanya, se echaron a llorar. Megan dijo que se alegraba por Alice, pero que sentía lástima por su madre y le dio un enorme abrazo. Molly estaba destrozada y Jason absolutamente contrariado, aunque le quedaba el consuelo de que James —el hijo de Alice— era un gran amigo suyo.

Pese a que sus hijos estaban muy apenados, Tanya había creído que les afectaría mucho más. Lo cierto era que los tres querían a Alice y, aunque lo sentían por su madre, de algún modo para ellos tenía cierto sentido todo lo sucedido. No podían decírselo a Tanya, pero, en su fuero interno, les parecía que su padre y Alice hacían mejor pareja.

Tanya les contó que haría otra película en octubre, pero ninguno de ellos se mostró demasiado sorprendido. Cuando preguntaron si seguirían yendo a Tahoe, Tanya les dijo que sería ella quien les acompañaría. En aquellas fechas, Peter y Alice estarían visitando a unos parientes de ella en Maine. Todo resultó de lo más civilizado y perfectamente organizado. Jason y las mellizas podrían alojarse en la casa que eligieran, bien con su madre en Marin o bien en el hogar que su padre formase con Alice. Para los chicos, iba a ser un cambio mucho más simple que si Peter se hubiera ido a vivir con otra persona.

Al día siguiente de darles la noticia, Peter se trasladó a la casa que Alice había comprado en Mill Valley y en la que ella llevaba ya un mes viviendo. Acababa de firmar los papeles para la venta de su casa en Marin y, al parecer, los nuevos inquilinos eran una agradable familia con hijos adolescentes. Todo parecía ir desarrollándose con total —o casi total— normalidad. Era un período de transición.

Solo la vida de Tanya parecía haberse derrumbado y desintegrado y únicamente esperaba volver al trabajo para poder apartar de su mente todo lo demás. En aquellos momentos, su vida le resultaba odiosa; tan solo salvaba de ella a sus hijos. Aunque sabía que no era una compañía muy agradable para ellos en aquellos momentos. Estaba demasiado deprimida. Sin embargo, cuando fueron a Tahoe, sintió que recuperaba parte de su esencia y, a pesar de todo lo ocurrido, todos lograron disfrutar de la estancia, incluida Tanya.

En Tahoe, empezó a trabajar en el guión de *Gone*, que era el título de la nueva película. Aunque la historia era muy deprimente, iba tan acorde con el alicaído ánimo de Tanya que disfrutaba y le gustaba. Douglas la llamaba de vez en cuando y le preguntaba cómo iba el trabajo. Creía que con este guión, Tanya ganaría un Oscar y que, además, no sería el último.

A finales de agosto, cuando Jason y Megan fueron a la Universidad de Santa Bárbara, Peter y Alice les acompañaron. Tanya fue sola en su coche. Era la primera vez que veía a Alice en varios meses y, aunque fue doloroso, consiguió sobrellevarlo. No se dirigieron la palabra. El que más incómodo estaba era Peter.

A la semana siguiente, acompañaron a Molly a la Universidad de California. Tanya iba a alojarse de nuevo en el bungalow 2 del hotel Beverly Hills, así que estaba entusiasmada porque Molly viviera en Los Ángeles. El día que dejó a Molly en su nueva residencia, Tanya se instaló en el hotel y aquella misma noche su hija fue a cenar con ella. Pidieron la cena al servicio de habitaciones y estuvieron riéndose como dos chiquillas. Para Tanya, el bungalow era ahora su hogar. Estaba sorprendida de haber podido sobrevivir a los últimos cinco meses de su vida. Desde que Peter le anunció su decisión, había sido el período más duro de su vida. Pero, por imposible que le pareciera en aquel momento, había sobrevivido. Y ahora, con la nueva película, iba a olvidarse de todo. El trabajo era su salvavidas, la resurrección de la que Max le había hablado. El director tenía razón.

Al día siguiente se encontró con Douglas en su oficina para discutir el guión. Conoció a la directora de la que tan bien había oído hablar y a Tanya le agradó. Ambas tenían la misma edad y descubrieron que tenían muchas cosas en común. Las dos habían estudiado en la Universidad de Berkeley en la misma época, aunque nunca habían coincidido. Tanya supo que disfrutaría trabajando con ella. Después de su primer año de novata, se sentía ya como una veterana. Iba a ser una película difícil de rodar, pero sería maravilloso escribirla.

Después de la reunión fueron a comer los tres a Spago, y luego Douglas acompañó a Tanya al hotel y se interesó por sus impresiones.

—Creo que es una mujer muy interesante —dijo Tanya con sinceridad—. Es increíblemente brillante.

La directora era una mujer muy atractiva, y aunque Tanya se preguntó si a Douglas le gustaría, no se atrevió a hacerle ningún comentario al respecto. El productor era enormemente discreto sobre su vida privada y, además, no era asunto suyo. Tanya sabía que le gustaba lucir a mujeres importantes cogidas de su brazo, mujeres que pudiera mostrar como trofeos, pero no prototípicas muñecas. Le gustaban las mujeres inteligentes y, sin duda alguna, Adele Michaels lo era. Estuvieron hablando de ella durante todo el camino de vuelta al hotel.

—Me alegro de que te guste —dijo Douglas, relajado—. Por cierto, ¿cómo te ha ido el verano? No te lo he preguntado.

—Interesante —contestó Tanya con franqueza.

Ahora se sentía más relajada con Douglas que el año anterior, cuando todo era nuevo y su presencia la intimidaba sobremanera. Aunque, sin duda, Douglas Wayne era un hombre que podía intimidar, ya no la asustaba. Eran casi como viejos amigos.

—Peter se fue a vivir con su nueva novia y las chicas se han ido ya a la universidad. Así que el nido está vacío finalmente. Todos hemos volado, incluidos Peter y yo —concluyó Tanya con una triste sonrisa.

Pensó en lo mucho que había cambiado su vida en un año. Ahora estaba de nuevo en Hollywood y el bungalow 2 sería su hogar durante el rodaje de una nueva película.

—Sospecho que tenías razón —continuó Tanya—. Mi vida en Marin ha terminado, por lo menos por ahora.

Y probablemente para bien.

—Me alegro —confesó Douglas con rotundidad—. No podía imaginarte allí.

Durante veinte años, había sido el lugar perfecto para Tanya y su familia. Ahora debía encontrar su camino y construir una nueva vida. Todavía se estaba haciendo a la idea y a veces le resultaba tremendamente chocante.

—¿Qué te parece pasar el domingo en mi piscina? Las mismas reglas de siempre. Sin hablar, solo para relajarnos.

Tanya sabía que en cuanto empezasen el rodaje de la nueva película, su día a día se convertiría en un caos, así que el plan le resultó apetecible. Recordaba con agrado el domingo que habían pasado juntos, particularmente el recital de Douglas al piano. Confiaba en que volviera a deleitarla.

—Esta vez intentaré no roncar —comentó jocosamente Tanya—. Gracias por la invitación.

—El domingo a las once. Y una noche de estas, cenaremos sushi. Quizá la semana próxima, antes de que empiece toda la locura.

Pronto empezarían con las reuniones de preproducción y, ahora que había conocido a Adele, Tanya tenía ganas de arrancar. Seguro que era interesante trabajar con ella.

Douglas puso en marcha su nuevo Bentley y Tanya le hizo un gesto de despedida. Después, se retiró a su bungalow y estuvo trabajando en el guión hasta bien avanzada la tarde, inspirada por la reunión. Cuando apagó el ordenador, hizo esfuerzos para no pensar en Peter. Era muy extraño volver a estar en el bungalow 2 y ya no ser su esposa. Habían iniciado los trámites del divorcio en junio y terminarían en diciembre. Veinte años de su vida habían volado; solo quedaban los hijos y una casa a la que ya no quería regresar. Peter pertenecía ahora a Alice y el bungalow del hotel se había convertido en el hogar de Tanya. Qué vueltas tan extrañas y tristes daba la vida...

Tanya salió a cenar con Molly el sábado por la noche y pasaron una agradable velada. Llamaron a Jason y a Megan desde el móvil de Tanya y disfrutaron de la maravillosa sensación de estar todos más cerca los unos de los otros. Era particularmente gratificante para Tanya tener a Molly, con quien siempre se había sentido muy unida. Durante la cena hablaron del divorcio y Molly reconoció que todavía estaba alucinada por la decisión de su padre. La muchacha le insistió a su madre en que tenía que seguir adelante por duro que fuera y también se interesó por saber si le apetecía salir con alguien, a lo que Tanya, con sinceridad, le respondió que no le apetecía en absoluto. Ni podía imaginarse saliendo con nadie, ni, muchísimo menos, acostándose con un hombre que no fuera Peter. Había estado con su marido veintidós años y se le hacía inimaginable salir con otro hombre.

—Un día de estos tendrás que hacerlo, mamá —la animó Molly.

—No es algo que me preocupe. Prefiero trabajar.

Después, estuvieron hablando de los chicos interesantes —Molly había conocido ya a un par— que asistían a la Universidad de California. Más tarde, Tanya acompañó a su hija de vuelta a la residencia.

Al volver al hotel, se quedó tumbada en la cama recordando su conversación con Molly. La idea de salir con alguien le parecía aterradora. Aunque Peter estaba con otra mujer, ella seguía sintiéndose su esposa. No podía concebir estar con otra persona y no tenía ningunas ganas de tener una cita. Lo único que quería era ver a sus hijos y trabajar en la nueva película. Las citas las dejaba para más adelante, aunque quizá nunca más le apetecería salir con nadie.

A la mañana siguiente y tal como habían quedado, Tanya cogió un taxi hasta casa de Douglas para pasar una tranquila mañana de domingo. El productor se mostró tan hospitalario como en la anterior ocasión, el día fue igualmente relajado, el tiempo era aún más hermoso y durante la comida estuvieron charlando acerca de la película entre otras cosas. En lugar de dormir, Tanya estuvo nadando en la piscina. En definitiva, fue un día agradable y placentero. Douglas se mostraba tan tenso en las reuniones de producción y en el plató, que Tanya no pudo evitar volver a sorprenderse de lo fácil que resultaba tratar con él en su casa, especialmente en aquellas relajadas mañanas de domingo en su piscina. Era una compañía agradable y, para sorpresa de Tanya, no solo la ayudó a hacer el crucigrama de *The New York Times*, sino que se le daba particularmente bien.

—¿Qué tal llevas los cambios en tu vida? —le preguntó Douglas por la tarde cuando estaban sentados en sendas hamacas el uno junto al otro.

El productor era consciente de que Tanya debía de estar haciendo un gran esfuerzo para adaptarse al divorcio y que para ella tenía que haber sido una decepción enorme después de defender con tanta convicción su matrimonio. Jamás había pensado que le ocurriría algo así y sabía que Tanya tampoco lo habría imaginado nunca. No conocía a ciencia cierta qué había pasado pero sabía que a Tanya le había roto el corazón. Le parecía que estaba muy delgada y a veces especialmente triste, pero también daba la impresión de que estaba saliendo adelante, lo que despertaba la admiración de Douglas. La había invitado a la piscina para animarla un poco.

—¿Sinceramente? —preguntó Tanya a modo de respuesta—. No lo sé. Creo que estoy conmocionada. Hace un año creía estar felizmente casada con el hombre más maravilloso del mundo. Hace nueve meses descubrí que me había sido infiel y hace seis me dijo que quería divorciarse para irse a vivir con la que había sido mi mejor amiga, la misma mujer con la que me había sido infiel. Dentro de tres meses estaré divorciada. La cabeza me va a mil por hora.

Douglas asintió. Realmente no era para menos. El matrimonio se había desintegrado a una velocidad supersónica. Si a Douglas le parecía muy precipitado, no quería ni imaginar lo terrible que debía de ser para ella.

—Francamente, es increíble —le dijo mirándola con preocupación—, pero pareces llevarlo bastante bien, ¿no?

—Creo que sí —respondió Tanya agradeciendo la amabilidad de Douglas, tan opuesta a la dureza que mostraba en el trabajo—. No sé qué grado de desesperación es el apropiado en estas situaciones. ¿Debería estar desquiciada? Porque a veces es como me siento. Me despierto y creo haberlo soñado. Entonces, la realidad me golpea de nuevo con toda su fuerza. A decir verdad, no es la mejor manera de despertarse.

—Yo también me he sentido así a veces —confesó Douglas—. A todos nos ha sucedido algo parecido. El truco consiste en salir de ello con la menor amargura y el menor daño posible. No es fácil. Todavía llevo conmigo la amargura de algunas de las experiencias de mi vida, y eso me asusta. Supongo que tú te sientes así. Por lo que cuentas, ha sido todo muy repentino.

—Sí. Yo creía que tenía un matrimonio feliz. Eso demuestra que no me entero de nada, así que no me pidas nunca consejo en cuestiones sentimentales. Sigo pensando que mi marido... bueno, mi ex marido —dijo Tanya con gran esfuerzo— perdió un poco el juicio. Por no hablar de la nula integridad de mi mejor amiga. Realmente ha sido muy decepcionante.

—¿Has salido con alguien? —preguntó Douglas, siempre intrigado por la personalidad de Tanya y atraído por su inteligencia y su brillante escritura.

Tanya se echó a reír.

—Es como si preguntaras a las víctimas de Hiroshima si han asistido últimamente a algún bombardeo —bromeó—. No estoy precisamente deseando volver a intentarlo. Tal vez me he quedado escarmentada para el resto de mi vida. Mi hija me comentaba ayer que tenía que volver a salir, pero no estoy de acuerdo.

Tanya se quedó mirando la piscina fijamente, recordando

los últimos meses. Cuando lo pensaba con detenimiento, sentía que la cabeza le iba a estallar, así que intentaba evitar darle vueltas.

—A mi edad —continuó— no necesito volver a casarme. No quiero tener más hijos y no estoy muy segura de querer salir con nadie. Bueno, más bien estoy convencida de que no quiero salir con nadie. No quiero arriesgarme a que me rompan de nuevo el corazón. ¿Qué sentido tendría?

—No te meterás a monja, ¿verdad? Pero tampoco puedo imaginarte sola para el resto de tu vida —dijo Douglas sonriendo con amabilidad—. Sería una terrible pérdida. Un día de estos tienes que armarte de valor.

—¿Por qué?

—¿Y por qué no?

Tanya volvió a mirar el agua de la piscina y finalmente contestó:

—No tengo respuesta para ninguna de las dos preguntas.

—Eso es porque todavía no estás preparada —dijo él con pragmatismo.

Tanya asintió. Se le hacía extraño discutir su vida sentimental —o más bien la falta de ella— con Douglas.

—Decir que no estoy preparada es quedarse un poco corto. En realidad, llevo un tiempo como candidata a los Paralímpicos —explicó Tanya, que llevaba meses sin apenas energía, algo muy poco habitual en ella, como consecuencia del mazazo del abandono de Peter—. De todos modos, las citas nunca me han parecido divertidas. Tener que arreglarse y coquetear porque sí... Ni siquiera cuando estaba en la universidad me gustaba. Los hombres no hacían otra cosa que incumplir promesas, cancelar las citas o dejarme plantada. Lo detestaba. Hasta que conocí a Peter.

Pero, al final, Peter se había llevado la palma: había roto la promesa más importante, y de paso, su corazón.

—Es agradable salir con la persona adecuada de vez en cuando —la animó el productor.

Douglas tampoco era de los que necesitaba estar siempre en pareja. Prefería la compañía ocasional de mujeres inteligentes y, muy de vez en cuando, de mujeres glamourosas. Le gustaba lucirlas como si fueran complementos. Ahora que hacía un año que le conocía, Tanya le veía como un hombre solitario, pero debía reconocer que le gustaba salir a cenar con él y discutir sobre el guión o sobre otros aspectos de su profesión.

—Mira lo que le ocurre a la gente como Jean Amber y Ned Bright. Se volvieron locos el uno por el otro durante el rodaje y tuvieron un tórrido romance, pero en julio su escandalosa ruptura ya ocupaba las portadas de toda la prensa. ¿Qué hay de divertido en todo eso? —insistió Tanya.

Douglas se echó a reír. Había que admitir que la relación de los jóvenes actores había resultado ser un desastre, pero ambos tenían fama de establecer siempre relaciones tormentosas y eran dos auténticas estrellas.

—No te estoy recomendando que salgas con chicos de esa edad —dijo sin dejar de reírse— o con actores de cualquier edad. Todos están un poco chiflados. Además, no solo son increíblemente egocéntricos, sino que también son famosos por su inestabilidad. Pensaba en alguien más respetable, de una edad más razonable.

—¿Hay hombres razonables? —preguntó Tanya con cierta tristeza en la voz—. Yo creía que Peter lo era, y mira qué ha hecho. ¿Qué hay de razonable en su conducta?

—A veces la gente se vuelve loca. Probablemente, al venir a trabajar aquí se desestabilizó. Aunque no me parece una justificación.

—Ella vivía en la casa de al lado y, durante mi ausencia, le ayudó con las mellizas. Ella estaba allí y yo no, así que Peter llegó a la conclusión de que tenía más en común con ella que conmigo. Tenía miedo de que yo quisiera quedarme aquí para siempre, estaba convencido de que regresaría para hacer una nueva película. Y lo irónico del caso es que he vuelto, pero solo porque él me dejó por otra y ahora no tengo nada mejor que hacer.

—Creía que era porque te había impresionado gratamente la película que vamos a hacer —bromeó Douglas.

Tanya se sonrojó y los dos se echaron a reír.

—Bueno, también. Pero no habría hecho otra película si todavía estuviera casada. Solo quería volver a casa.

—Ya lo sé. Por eso creo que te ha hecho un gran favor, Tanya. Espero que lo veas así algún día. Aquel no era tu lugar; este sí lo es. Eres demasiado interesante para quedarte enclaustrada en Marin.

—Ha sido un lugar agradable para criar a los niños —dijo Tanya con nostalgia—. Aunque tengo que reconocer que ahora me aburriría un poco. Pero es un lugar fantástico para vivir en familia.

—Puesto que ahora ni estás casada ni tienes hijos, creo que estás mucho mejor aquí. La vida es mucho más interesante por estos lares, y un día de estos conseguiremos que te den un Oscar.

—Que Dios te oiga —dijo Tanya riéndose y utilizando una habitual expresión de Max, con quien había comido aquella semana—. Ganar un Oscar no estaría mal, la verdad.

Douglas se echó a reír y añadió:

—Eso sí que es quedarse corto. Ganar un Oscar es fantástico. No solo es el mejor alimento para el ego sino que es el mayor reconocimiento que pueden darte los de tu ramo. Te están diciendo que eres el mejor en lo que haces. Por *Mantra* merecerías uno, pero este año estará muy reñido. Pero *Gone* podría ser una posibilidad real. Eso espero.

—Douglas, te agradezco las oportunidades que me estás dando. De verdad. Me alegra volver a trabajar contigo.

Ambos sabían que aquella segunda película iba a ser aún más especial que la primera.

—Tengo muchas ganas de empezar el rodaje y yo también me alegro de que estés trabajando conmigo en esta película.

Creo que será extraordinaria, y, en gran parte, gracias a tu guión —aseguró Douglas quien, al igual que la directora, estaba muy impresionado con el trabajo de Tanya.

Tanya había aprendido mucho en el último año y había mejorado enormemente sus habilidades como guionista.

—Hacemos un gran equipo —añadió Douglas mirándola con admiración.

Seguidamente, con voz apenas audible, añadió:

—De hecho, he estado pensando que quizá haríamos un gran equipo en otras facetas.

Por un momento, Tanya no entendió de qué hablaba, pero Douglas le sostuvo la mirada y la guionista se dio cuenta de que se hallaba en su recinto privado, dentro de las murallas que alzaba para protegerse del resto del mundo.

—Tanya —continuó Douglas—, eres una mujer extraordinaria. Creo que hay mucho que podemos aportarnos el uno al otro. Me preguntaba si te gustaría salir conmigo de vez en cuando para algo más que para cenar sushi. Asisto a algunos eventos que creo que podrían gustarte. ¿Me harías el honor de salir conmigo algún día?

La propuesta dejó a Tanya alucinada. De un modo muy elegante, le estaba proponiendo que tuvieran una cita. Se quedó mirándole fijamente, sorprendida y sin saber qué decir.

—Te prometo que te trataré con suma delicadeza —insistió Douglas.

—Yo... no sé qué decir... Nunca había pensado en ti de ese modo. Pero podría ser divertido salir de vez en cuando —dijo Tanya con cautela.

Le preocupaba encontrarse en una situación incómoda con Douglas, en caso de que establecieran una relación más allá de lo meramente profesional. No quería meterse en un lío como el de Jean Amber y Ned Bright, que habían logrado ocupar todos los titulares con su escándalo. Pero no podía imaginarse a Douglas comportándose de ese modo. Sin embargo, Tanya jamás había pensado que el productor la considerara una opción, sobre todo porque durante su compromiso profesional ella estaba casada.

—Creo que sería muy divertido —respondió despacio, todavía sorprendida.

En ese momento, Douglas se levantó, le dio un golpecito en el brazo y se dirigió hacia su sala de música. Estuvo tocando al piano piezas de Chopin y de Debussy. Tanya se tumbó en la hamaca, cerró los ojos y se dejó llevar por la música. Pensando en la propuesta de Douglas y al son de su maravillosa maestría, se quedó dormida con una sonrisa en los labios.

Cuando Douglas se levantó del piano, descubrió que Tanya estaba dormida y se quedó observándola largo rato. Aquella era exactamente la escena que había tenido en mente nada más conocerla. Se había hecho esperar, pero al final, había llegado.

Era ya media tarde cuando Douglas despertó a Tanya con delicadeza. Charlaron un rato y luego la acompañó al hotel. Prometió llamarla al cabo de unos días.

15

La primera vez que Douglas llevó a Tanya a cenar, la velada resultó mucho más refinada de lo que Tanya había esperado, pero también sorprendentemente divertida. Tanya se puso el vestido de fiesta negro que el productor le había regalado el año anterior, sandalias de satén negro, pendientes de diamantes, una torera de piel y un pequeño bolso de mano a juego con las sandalias. Se había recogido la melena rubia en un moño y lucía un aspecto elegante y pulcro. Subió al nuevo Bentley de Douglas y el productor no pudo esconder su satisfacción al verla con aquel look tan distinguido. Tanya se quedó impresionada ante el elegante porte de Douglas que, además, lucía una corbata negra aquella noche. Juntos hacían una pareja extraordinariamente glamourosa. Asistían a la fiesta que celebraba uno de los actores de la vieja guardia hollywoodiense, un hombre mayor y muy respetado cuyas fiestas, precisamente, se habían hecho famosas por su increíble refinamiento. La casa era tan hermosa como la de Douglas, a pesar de que de sus paredes no colgaban cuadros tan impresionantes. Entre los invitados, estaban los nombres más importantes del mundo del espectáculo. Tanya tuvo ocasión de charlar con gente a la que solo conocía de oídas y Douglas fue testigo de los halagos que recibía por los guiones de *Mantra* y de *Gone*. El productor la colmó de atenciones para que se sintiera a gusto y estuvo pendiente de ella en todo momento.

La cena fue excelente y Tanya y Douglas bailaron sobre el suelo de cristal que cubría la piscina al son de una banda de música que había llegado desde Nueva York especialmente para la fiesta. Fue una velada maravillosa y disfrutaron de la fiesta hasta pasada la medianoche. Al regresar al hotel, tomaron una copa en el Polo Lounge. Tanya estaba relajada y feliz y dio las gracias a Douglas por lo bien que lo había pasado.

—En este tipo de fiestas se suele reunir gente interesante —comentó Douglas, después de asegurarle que él también lo había pasado estupendamente—. Gente inteligente, no los que solo quieren lucirse. Siempre hay alguien con quien entablar una buena conversación.

Tanya asintió. Había podido experimentarlo ella misma, ya que Douglas se había preocupado de incluirla en todas sus conversaciones. Había sido un acompañante considerado y atento, y Tanya había estado muy a gusto. Para su sorpresa, se sentía muy cómoda con Douglas. Después de la copa, el productor le dio las gracias por haber aceptado su invitación y le dijo que su compañía le había ayudado a disfrutar mucho más de la velada. Tanya podía notar que era sincero.

—Lo repetiremos pronto —dijo con una cálida sonrisa, dándole un beso en la mejilla—. Gracias, Tanya. Que duermas bien. Te veré mañana.

Tenían una reunión de preproducción en la oficina de Douglas a la mañana siguiente. Tanya se sentía como Cenicienta, como si al despertar, tuviera que volver a barrer la escalera del castillo. De cualquier modo, aquella noche había sido un interludio maravilloso para ambos.

Después de acompañarla hasta su habitación, Douglas se marchó pensativo y sonriente, repasando mentalmente la noche. Había salido aún mejor de lo esperado. Mientras Douglas conducía de vuelta a casa en su Bentley, Tanya se desvestía pensando en él. Era un hombre complejo y siempre había tenido la sensación de que detrás de los muros que construía a su alrededor, había mucho que descubrir. Era muy tentador intentar dar con la llave que los abriera y averiguarlo. Se trataba de un hombre inteligente y también atractivo. Tanya nunca había pensado que pudiera sentirse atraída por él, pero acababa de descubrir, sorprendida, que así era. Había disfrutado bailando, hablando con él y comentando después la noche. Además, se reían juntos. En conjunto, la noche había sido un éxito.

Después de lavarse los dientes, Tanya se metió en la cama pensando en lo afortunada que era por haber salido con Douglas. Aunque no era la forma en la que ella enfocaba las cosas, sabía que producía un gran efecto en Hollywood ir del brazo de Douglas Wayne.

En la reunión del día siguiente, Douglas se mostró extremadamente circunspecto. Adele presentó sus comentarios al guión y estuvieron discutiéndolos. Douglas apostó prácticamente todo el rato por las opciones de Tanya y estuvo de acuerdo con todo lo que ella opinaba. Y cuando no lo estaba, se lo explicaba con mucha delicadeza. Se mostró más respetuoso de lo habitual y particularmente amable. Se preocupó de que no le faltara té en ningún momento, y después de la reunión comió con ella y con el resto del equipo.

Tanya tenía la sensación de que Douglas, de un modo sutil, cauteloso y bastante agradable, la estaba cortejando. Era una sensación extraña pero placentera. Al acabar de trabajar, la acompañó al coche y le propuso que salieran a cenar al día siguiente. Tanya aceptó.

Mientras se alejaba, Tanya se preguntó a qué conduciría todo aquello; aunque creía que probablemente a ningún sitio, no podía negar que salir con Douglas era agradable y que, teniendo en cuenta la pesadilla que habían supuesto los últimos meses de su vida, le sentaba muy bien.

Su segunda cita oficial con Douglas fue mucho más informal que la primera. Fueron a un acogedor restaurante italiano donde estuvieron charlando durante horas. Douglas le contó su infancia en Missouri. Era hijo de un banquero y de una mujer de la alta sociedad. Ambos habían muerto siendo él muy joven y le habían dejado en herencia una respetable suma de dinero que él había utilizado para viajar a California y empezar su carrera de actor. Le costó muy poco tiempo darse cuenta de que el dinero y la emoción se encontraban en el mundo de la producción. Invirtió sus ahorros y ganó algo de dinero; a partir de ahí, se dedicó a invertir en producciones con las que había amasado una inmensa fortuna. Era una historia fascinante que Douglas relató a Tanya con soltura.

Había ganado su primer Oscar a los veintisiete años y a los treinta ya era una leyenda en Hollywood. Con el tiempo, la leyenda se había transformado en una institución. Corrían cientos de historias sobre Douglas Wayne y todos le consideraban un rey Midas. Era objeto de envidia, celos, respeto y admiración. Aunque era un duro negociador, tenía integridad; sin embargo, nunca aceptaba un no por respuesta. No tuvo reparos en reconocer a Tanya que le gustaba salirse con la suya y que podía ser realmente perverso con aquellos que le llevaban la contraria. Tanya estaba descubriendo a un hombre con muchos rasgos positivos y le interesaba todo lo que le contaba. Se daba cuenta de que solo le estaba dejando ver aquello que él quería y de que los muros que le protegían seguían en pie. Quizá siempre sería así, pero no tenía ninguna prisa por escalarlos o derribarlos. Era un apetecible desafío descubrir quién era Douglas Wayne. Hasta el momento había descubierto que era un hombre muy inteligente, distante, en cierto modo cauteloso, y con una solidez financiera notable. Tenía amplios conocimientos de arte, adoraba la música y aseguraba que creía en el concepto de familia, pero solo para los demás. No tenía problemas en admitir que los niños le ponían nervioso. Parecía tener muchas peculiaridades, algunas excentricidades y unas opiniones firmes. Pero, al mismo tiempo, Tanya percibía que era un hombre vulnerable, amable en ocasiones y muy poco pretencioso, algo sorprendente teniendo en cuenta quién era. Su lado más sarcástico, frío e intimidatorio —el más visible en un primer momento— parecía haberse ido suavizando conforme pasaban más tiempo juntos y le conocía mejor.

Aquella noche se fueron aún más tarde a casa. Douglas se abrió camino entre el tráfico de la noche camino del hotel. Había algo anticuado pero atractivo en sus modales. Tenía cincuenta y cinco años y llevaba veinticinco años soltero. Douglas le había ido dando pequeñas dosis de información sobre su persona —todas interesantes—, y ella había hecho lo mismo. Tanya se había referido a menudo a sus hijos pero él no había mostrado excesivo interés. Se había disculpado alegando que los chavales no eran lo suyo.

Después de aquella agradable velada, Douglas se despidió de ella de nuevo con un beso en la mejilla. Tanya sentía que la respetaba y que no pretendía interferir en su vida. Era un hombre que mantenía las distancias y que tenía claros y definidos límites a su alrededor, así que esperaba que los demás fueran igual que él. Dejaba claro que no le gustaba que la gente le fuera detrás. Del mismo modo, le desagradaban los camareros zalameros, los dueños de restaurante estirados o los *maîtres* remilgados. A Douglas le gustaba que le sirvieran educadamente, pero no soportaba bajo ningún concepto sentirse acosado. Era algo que repetía reiteradamente. Douglas prefería ser él quien se acercara a la gente, a su ritmo, antes que ser perseguido o acosado, y Tanya estaba encantada de dejar que él marcara el ritmo. No tenía intención alguna de atraparle, atosigarle o cazarle y, tal como iban las cosas, estaba perfectamente cómoda. No esperaba nada de él y la relación que mantenían en esos momentos era perfecta para ella. Aunque habían pasado unas noches estupendas juntos, seguían siendo solo amigos.

Douglas invitó a Tanya a muchas otras encantadoras veladas. Fueron a una exposición al Museo de Arte de Los Ángeles y también asistieron al estreno benéfico de una obra de teatro que ya había sido presentada en los escenarios de Nueva York. Era una obra polémica y los asistentes al evento formaban un público ecléctico e interesante. Después de la obra, se fueron ellos dos solos a cenar. Douglas la llevó a L'Orangerie para evitar el Spago, donde siempre solía haber gente conocida y él se habría pasado la noche saludando al resto de comensales. Douglas quería centrarse en Tanya y en su conversación con ella y no tener que preocuparse de toda la gente conocida que estaría preguntándose quién era la acompañante de Douglas Wayne. En L'Orangerie, Douglas pidió caviar para Tanya y langosta para ambos. De postre, suflé. Fue una cena perfecta y una velada maravillosa. Douglas estaba demostrando ser un compañero de cena y de cita realmente divertido. La incomodidad que había sentido Tanya al conocerle, los dardos afilados que le lanzaba y la cínica interpretación que hacía de su matrimonio y de su vida, no tenían absolutamente nada que ver con el hombre con el que estaba en aquellos momentos. Douglas era comprensivo, amable, interesante y atento, y se entregaba en cuerpo y alma para que Tanya lo pasara bien. Planeaba actividades inusuales que consideraba que serían de su interés, se mostraba respetuoso, encantador, gentil y eficiente, y siempre actuaba como si la estuviera protegiendo, incluso en las reuniones. A su lado, todo era fácil para Tanya.

Los domingos en la piscina de Douglas pasaron a convertirse en un ritual. Él tocaba el piano y Tanya hacía el crucigrama o se tumbaba al sol a dormir. Una vez empezó el rodaje de la película, resultaban un contrapunto ideal a la ajetreada semana. Habían empezado a rodar a principios de octubre, con una semana de retraso. El ambiente en el plató era extremadamente tenso debido al contenido de la película y a las rigurosas exigencias de la interpretación. Tanto Douglas como Tanya necesitaban abstraerse de aquella atmósfera, por lo que salían juntos por la noche para relajarse. Algunas veces, Douglas se reunía con ella en el bungalow y pedían la cena al servicio de habitaciones o cenaban en el Polo Lounge. Aunque el restaurante no resultaba tan íntimo como el bungalow, también les sentaba bien salir y hablar con otra gente.

Ambos parecían tener intereses comunes y la misma necesidad de estar o no con gente según su estado de ánimo. Era como si compartieran necesidades, pautas y ritmos. Tanya estaba sorprendida de lo bien que se llevaban. Nunca habría imaginado que estar con Douglas fuera tan divertido.

Sin embargo, por las noches, a solas en su habitación, Tanya no podía evitar, a ratos, seguir echando terriblemente de menos a Peter, aunque era totalmente comprensible. Veinte años de una vida no podían borrarse de un plumazo. Quizá su marido lo hubiera hecho, pero a Tanya todavía se le hacía raro no llamarle al final del día para darle las buenas noches. En un par de ocasiones, en momentos de terrible añoranza e insoportable soledad, había estado a punto de hacerlo. Echaba de menos la comodidad y familiaridad de su relación con Peter. Sin embargo, Douglas la mantenía feliz y ocupada y la ayudaba a ahuyentar de sus pensamientos lo mucho y rápidamente que había cambiado su vida. Resultaba extraño hacerse a la idea de que Peter se había marchado y de que ese abandono podía ser algo positivo. Se preguntaba cómo se llevaría con Alice, si serían felices o si se habrían dado cuenta de que había sido un error. A Tanya se le hacía duro creer que aquellos que habían traicionado a una esposa y a una amiga y habían roto corazones en la búsqueda de su felicidad, pudieran llegar a ser felices realmente. Pero quizá así fuera.

Cuando hablaba con sus hijos, estos se mostraban muy prudentes y nunca mencionaban ni a Peter ni a Alice, algo que Tanya agradecía. Oír hablar de ellos le resultaba doloroso y sospechaba que, hasta cierto punto, lo sería siempre. En un par de meses el divorcio sería un hecho, pero Tanya procuraba no pensar en ello. No podía soportarlo. Así que frente a las penas de su vida, Douglas le proporcionaba agradables distracciones.

Un domingo por la tarde, en la piscina, Douglas le preguntó por su divorcio. Había preparado una ensalada de endivias y centollo relleno y acababan de terminar de comer. Tanya le había comentado que la mimaba extremadamente. Aquello era tan distinto de su vida anterior... Pero aquellos días todo en su vida estaba a años luz de su antigua rutina en Marin, desde las cenas en Spago, pasando por la gente que la reconocía cuando salía por las noches, hasta su cómodo día a día en el bungalow 2 del hotel Beverley Hills. Todo había cambiado y el responsable de ello, en gran parte o en casi su totalidad, era Douglas.

—¿Cuándo será efectivo el divorcio, Tanya? —preguntó con aparente indiferencia dando un sorbo a la copa de excelente vino blanco.

Su bodega era extraordinaria y Tanya había conocido con él gran cantidad de vinos y cosechas de las que había oído hablar y sobre las que había leído, pero que nunca había probado. También era un gran aficionado a los puros habanos. Siempre los fumaba en el exterior pero a Tanya le gustaba el olor. Era siempre tan educado y considerado que a Tanya le sorprendió la pregunta sobre su divorcio. Ahora que se veían tan a menudo y que las provocaciones ya formaban parte del pasado, Douglas casi nunca le hacía preguntas personales. Evitaba las cuestiones delicadas y sus conversaciones solían ser bastante superficiales. A Tanya no le quedaba ninguna duda de que Douglas disfrutaba de su compañía pero también rehuía la intimidad.

—A finales de diciembre —contestó lentamente.

No le gustaba recordarlo, ya que se sentía trasladada a una época muy dolorosa que todavía no había acabado y que quizá tardaría en superar. No podía creer que llegara un día en su vida en el que pensar en Peter y en lo ocurrido no le causara dolor. Todavía le dolía, y mucho. El esfuerzo de Douglas por distraerla era una gran ayuda y Tanya agradecía el tiempo que compartía con ella, su amabilidad y esa nueva relación que habían establecido, más allá de la estrictamente profesional.

—¿Habéis repartido ya los bienes? —preguntó con interés, siempre más atento a las cuestiones financieras que a las emocionales, fuera en el ámbito que fuese.

—No había mucho que repartir —respondió Tanya, que tenía claro que los sentimientos eran cosa suya y no de Douglas—. Unas pocas acciones en bolsa y la casa. La propiedad es de los dos pero, de momento, puedo quedarme a vivir en ella con los chicos. Con el tiempo, probablemente tengamos que venderla. Y una vez acaben la universidad, no tendrá mucho sentido mantenerla. De momento, sigue siendo el hogar al que regresar en vacaciones y durante el verano. Supongo que viviré allí cuando no esté aquí haciendo películas, si sigo en esto.

Tanya sonrió y continuó:

—De lo contrario, volveré a Marin a escribir. Afortunadamente, Peter no necesita el dinero y puede esperar. Se gana bien la vida como abogado, pero los hijos resultan caros, y no puedes imaginar la fortuna que representan las tres matrículas universitarias. Así que, tarde o temprano, nos desharemos de la casa.

Tanya había invertido el dinero que había ganado con las dos películas a través de un corredor de bolsa de San Francisco. Era su dinero y Peter no había reclamado nada de esa cantidad. A pesar de que estaban casados bajo el régimen de bienes gananciales —y al casarse, ninguno de los dos tenía un penique ni habían firmado ningún contrato prematrimonial—, Peter no había querido saber nada del dinero ganado por Tanya. No había sido avaricioso ni había planteado exigencias económicas. Quería marcharse lo antes posible para estar con Alice. Tanya no sabía si tenían planeado casarse ni, de ser así, cuándo sería el enlace.

—¿Por qué lo preguntas? —inquirió Tanya sin ocultar su sorpresa.

—Solo por curiosidad —contestó Douglas relajadamente mientras seguía dando sorbos al vino y encendía un puro.

A Tanya le encantaba el olor acre de aquel puro, un Romeo y Julieta de La Habana que alguien había regalado al productor.

—El divorcio siempre me ha parecido horrible —prosiguió Douglas—. La gente se pelea por el dinero como si fueran vagabundos luchando por una lata llena de monedas, zarandeándose y queriendo partir el sofá o el piano por la mitad. Convierte a personas civilizadas en unos salvajes.

Douglas había vivido algún que otro enfrentamiento de ese tipo con mujeres que querían sacarle dinero o algún tipo de pensión alimenticia. Aunque sus dos divorcios, cuando todavía era joven, habían sido fáciles y limpios. Desde entonces, jamás había tenido intención de repetir.

—¿Volverías a casarte, Tanya? —preguntó con el mismo interés.

Tanya vaciló y se puso a pensarlo sin contestar.

Los domingos por la tarde en la piscina de Douglas solían charlar de infinidad de cosas. En ocasiones, no hablaban en absoluto o se dedicaban a nadar juntos. Tanya nunca se había sentido tan a gusto con nadie, aparte de con Peter. Por mucho que se sorprendiera, se estaba acostumbrando a Douglas y aquellas tardes de domingo habían hecho más estrecha su relación. No estaba enamorada de él, pero disfrutaba de su compañía y de los momentos que compartían.

—No lo sé —contestó honestamente Tanya—. Lo dudo. Creo que no tengo razones para volver a casarme. Por ejemplo, no quiero tener más hijos. Ya sé que hay mujeres que son madres con más años de los que yo tengo ahora, pero en mi caso, no solo estoy feliz con los hijos que tengo, sino que no me siento capaz de volver a empezar. Además, no creo que pueda encontrar a alguien con quien quiera ir tan en serio como para plantearme una segunda boda. Creo que soy de las que se casan una sola vez. He pasado con Peter la mitad de mi vida y no tengo suficiente energía para volver a empezar y arriesgarme a tener una nueva decepción o volver a sufrir.

La mirada de Tanya estaba teñida de tristeza y, mientras daba sus argumentos, Douglas la miraba absorbiendo sus palabras y dibujando en el aire volutas de humo.

—Quizá si tuvieras otras expectativas, Tanya, no correrías el riesgo de sufrir una nueva decepción —argumentó Douglas—. Eras de las que creías en los cuentos de hadas, así que cuando el zapato de cristal se rompió, todo se fue abajo. Hay gente que se casa por motivos más pragmáticos o simplemente llega a acuerdos más realistas con su pareja. De ese modo, es menos probable que haya decepciones o sufrimiento. En mi caso, si volviera a casarme, lo haría de acuerdo con esos principios. El romance y la pasión no son lo mío y creo que llevan al desastre. Solo me imagino contrayendo matrimonio con una mujer que fuera una amiga muy querida, alguien con quien me llevase extraordinariamente bien, que me ofreciera compañía y comprensión y que afrontara la vida con sentido del humor. Todo lo demás, me resulta poco fiable.

Aunque los argumentos de Douglas eran muy razonables, no tenían nada de románticos. A Tanya no le sorprendía su razonamiento. No se imaginaba a Douglas Wayne perdiendo la cabeza por nadie. Sin embargo, sí podía verle casándose con alguien a quien amase y respetase, alguien por quien se sintiese atraído. En la vida del productor, mandaba el cerebro, no las emociones y, por otro lado, se le veía muy feliz con su soledad, así que era poco probable que quisiera compartir su vida con una mujer.

—¿Y tú te ves casándote de nuevo? —preguntó Tanya con curiosidad.

Daba la sensación de ser el prototipo de soltero satisfecho que, cuando necesita compañía —solo muy de vez en cuando—, sabe cómo encontrarla.

Aunque Tanya sentía que Douglas disfrutaba inmensamente de su compañía, no acababa de sentirse realmente cortejada y no le parecía que estuviera enamorado de ella. Era evidente que en aquellos momentos ambos estaban satisfechos con la situación: cada uno hacía su vida y, al mismo tiempo, se hacían compañía el uno al otro. Douglas no presionaba a Tanya, no la incomodaba ni buscaba sus favores sexuales. Eran dos colegas de profesión que azarosa y afortunadamente se habían hecho amigos, con algo de esfuerzo por parte de él y buena voluntad por parte de ella. En aquel momento de la vida de Tanya, era perfecto. Douglas sabía que una persecución más vehemente por su parte podía asustar a Tanya. El productor era suficientemente sensible para percibir que todavía no había superado su separación y que, probablemente, tardaría mucho tiempo en hacerlo. Ella había amado profundamente a su marido, aunque, al final, este había demostrado no ser merecedor de ese amor.

Douglas se había hecho en varias ocasiones la pregunta que ella le planteaba y la respuesta siempre había sido negativa. Al igual que Tanya, no veía razón alguna para volver a casarse. De vez en cuando sentía la tentación, pero se le pasaba enseguida. No era un candidato a pasar por la vicaría.

—No lo sé —contestó con cautela y midiendo cada una de sus palabras, sin dejar de echar el humo de su habano—. Creo que tienes razón. A nuestra edad no hay razones de peso para casarse. Bueno, tú eres mucho más joven que yo. Si no me equivoco, yo te saco doce años. A mi edad, todo se ve desde otro prisma. Es verdad que en ocasiones me descubro meditando sobre la soledad y llego a la conclusión de que no me gustaría terminar mi vida solo. Pero no me apetece cargar con una mujer joven y exigente que me dé la lata con liftings e implantes, o me pida un coche nuevo cada dos por tres, diamantes y abrigos de piel. No es por los caprichos en sí, pero no quiero tener que soportar a una mujer cara y pesada durante treinta años para asegurarme una compañera en la vejez. ¿Y si me atropella un autobús a los sesenta? No habría servido de nada.

Douglas miró a Tanya con una sonrisa y, sin dejar de fumar lánguidamente, continuó:

—Creo que no soy lo suficientemente viejo para volver a casarme, debería esperar a los setenta y cinco o a los ochenta, cuando esté hecho un asco. Claro, que entonces ya no encontraré a una buena chica. Me temo que lo del matrimonio es un problema a cualquier edad. No me quita el sueño, pero no he dado con la solución perfecta ni tampoco con la persona con la que quiera compartir mi vida, así que sigo como estoy. Has sufrido una dura experiencia, Tanya, así que entiendo que tengas miedo de que vuelvan a hacerte daño.

Douglas confiaba en estar ayudando a Tanya a salir adelante. A pesar de que había sentido una profunda lástima por lo que le había ocurrido, percibía que se las estaba arreglando bastante bien. Además, le gustaba conocerla más profundamente, y nunca le decepcionaba. Se había sentido atraído por la guionista desde el primer día, pero nunca hubiera creído que pudiera disfrutar tanto de su compañía ni que pudieran llevarse tan bien.

—Si te casaras de nuevo, Tanya, ¿qué le pedirías al matrimonio? —insistió Douglas con aire pensativo.

Era curioso que estuvieran manteniendo esa conversación, teniendo en cuenta que ninguno de los dos quería volver a casarse, ni entre ellos ni con nadie más.

—Querría lo que tenía antes, o lo que creía tener —respondió Tanya después de un momento de vacilación—. Alguien a quien amar y en quien confiar, una persona con la que me sintiese a gusto, con los mismos, o similares, intereses que yo. Alguien a quien pudiera respetar y admirar y que sintiera lo mismo por mí. En resumen, un amigo íntimo pero con un anillo en el dedo corazón.

Al hablar había recordado todo lo que había perdido y su rostro se tiñó de tristeza. Había sido una inmensa pérdida, ya que Peter, además de su marido, había sido su mejor amigo. Peor aún, no sentía que le hubiera perdido sino que se lo habían robado.

—No es muy romántico —comentó Douglas—. Me gusta. El amor pasional y juvenil dura aproximadamente cinco minutos y después conduce irremediablemente al caos, lo que más odio. Soy un amante del orden.

Era algo tan evidente que Tanya no pudo evitar sonreír. No había visto jamás a Douglas despeinado, su aspecto era siempre impecable e inmaculado y, en lo referente a su casa, parecía que acabaran de salir por la puerta el arquitecto y el interiorista y que *Architectural Digest* fuera a entrar para hacer un reportaje. Aquella pulcritud obsesiva podía resultar irritante para muchas personas, pero Tanya la consideraba agradable y cómoda. Era un indicador de que todo estaba en perfecto orden y bajo control. Toda su vida estaba bajo control y Tanya no se caracterizaba precisamente por su afición al desorden y el caos.

Douglas era un apasionado amante de la meticulosidad y de la organización; esa era una de las razones por las que no había querido tener hijos. Según él, conllevaban tener que batallar con el caos en todo momento. A pesar de que la gente que tenía hijos asegurara que los adoraba y que jamás renunciaría a la experiencia, Douglas no le encontraba atractivo alguno. Si alguna vez pensaba en tener hijos, los veía en rehabilitación, en un accidente de coche, llorando toda la noche, pintando el sofá o dejando galletas o crema de cacahuete por la casa. La inevitable histeria que provocaban los niños no iba con él y, solo de pensarlo, le embargaba una tremenda ansiedad.

Podía llegar a admirar a la gente que se arriesgaba a tener hijos, pero jamás había sentido ninguna necesidad de convertirse en padre, y seguía sintiendo lo mismo. No podría amar a una mujer en cuyos planes vitales entrasen los niños, ni tan siquiera sería capaz de pasar mucho tiempo con ella. Para él, su vida ya estaba suficientemente llena de responsabilidades y quebraderos de cabeza, como los que sufría gracias al nutrido grupo de actores inmaduros y descontrolados con los que trabajaba.

—Por lo visto, ninguno de los dos va a ir corriendo al altar, ¿verdad, Tanya? —comentó con una sonrisa mientras apuraba el puro.

—Me parece que no es algo que entre en mis planes inmediatos —contestó Tanya riéndose. Después, añadió—: Ni siquiera estoy divorciada todavía.

Lo estaría en unas semanas.

Douglas, sin ganas ni prisas por casarse de nuevo, era la compañía perfecta. Sobre todo el domingo. Hasta cierto punto, los domingos actuaban como si estuvieran casados, solo que no compartían ni sexo ni arrumacos. Douglas nunca la besaba, ni la abrazaba ni la cogía siquiera por el hombro.

Douglas y Tanya se limitaban a relajarse el uno junto al otro, observando la vida y el mundo desde sus respectivas perspectivas. Eran dos observadores inteligentes con un asiento de primera fila en la vida, unidos sin compromiso. En aquellos momentos, Tanya no quería nada más.

Más tarde, y siguiendo su costumbre, Douglas estuvo tocando el piano durante dos horas. Tanya se quedó tumbada junto a la piscina escuchándole, soñadora. Era un día cálido y hermoso, como la música. Junto a Douglas, la vida parecía fácil y cómoda y, por una inexplicable razón, Tanya se sentía segura junto a él. Era lo que necesitaba en aquella época de su vida: seguridad y paz. Había tenido incertidumbre y miedo más que suficientes durante aquellos últimos meses, por lo que valoraba y apreciaba increíblemente la sensación de cobijo y seguridad que le aportaba Douglas. En cuanto a él, Tanya le ofrecía una compañía inteligente sin exigencias emocionales, lo que siempre había deseado.

16

El rodaje de *Gone* duró todo el mes de noviembre. La directora mantenía un ritmo de trabajo intenso y continuado y una elevada tensión en el plató, pero con su actitud logró una entrega total por parte de los actores. El resultado de ello fue una interpretación brillante, algo que nadie recordaba haber presenciado en mucho tiempo. La satisfacción de Douglas —particularmente con el guión de Tanya— era completa. Tanto el productor como la directora se deshacían en halagos hacia el trabajo de la guionista, que no dejaba de pulir y perfeccionar el guión constantemente.

La semana anterior a la celebración de Acción de Gracias, Douglas y Tanya asistieron a la *première* de la película que habían rodado el año anterior, *Mantra*. Aunque a Tanya le habría gustado que la acompañaran sus hijos, tanto Jason como las mellizas estaban en plenos exámenes de mitad de trimestre y no pudieron asistir al acto. Los dos actores protagonistas, Jean Amber y Ned Bright, asistieron por separado y no se dirigieron la palabra. Después de su apasionado romance, aquella hostilidad era el ejemplo perfecto de cuán impredecibles eran los más tórridos amoríos en Hollywood y cómo se desvanecían casi antes de empezar, tal como peyorativamente solía comentar Douglas. Para Tanya —que no era precisamente una defensora de ese tipo de romances—

era una forma agotadora de relacionarse y, sobre todo, demasiado breve.

La *première* de *Mantra* fue tan glamourosa como su reparto —estaban todos los nombres importantes del gremio—, y después se celebró una fiesta en el Regent Beverly Wilshire. Tanya se había comprado un hermoso vestido de noche de satén negro y cuando entró en la fiesta del brazo de Douglas —mientras los flashes de los fotógrafos la deslumbraban— su aspecto era impresionante. Douglas, por su parte, se sentía enormemente orgulloso. Tanya estuvo conversando afablemente con Max, el cual, sin Harry y con un esmoquin arrugado de alquiler, daba una sensación de completo desamparo. Max le comentó que se hablaba muy bien de la nueva película en la que Tanya estaba trabajando y también le hizo saber que Douglas confiaba en obtener un Oscar con *Mantra* y, por supuesto, con *Gone,* más adelante.

—A lo mejor tú consigues uno también, Tanya —la animó Max con una amable sonrisa.

En ese momento apareció Douglas, que volvía de hacerse la sesión de fotos con las dos estrellas.

—Dios mío, algún día estos dos se matarán entre sí.

Durante la sesión fotográfica, Douglas se había situado entre Ned y Jean y había tenido que soportar que se lanzaran insultos entre dientes, mientras sonreían a las cámaras. Nadie, excepto el productor, los había oído.

—Ay, los amores de juventud... Siempre tan apasionados... —dijo Max sabiamente con una amplia sonrisa.

—¿Cómo está Harry? —preguntó Tanya.

—Tenía el esmoquin en la tintorería así que no ha podido venir —bromeó Max, encantado de que le preguntaran por su compañero—. De todos modos, hoy le tocaba noche de bolos.

Para Max, Harry no solo era su mejor amigo, sino también una especie de álter ego. Así que cualquiera que quisiera o demostrara interés por el perro, se ganaba la amistad de Max para siempre.

—Salúdale de mi parte y dile que le echo de menos —comentó Tanya.

—¿Irás a casa para Acción de Gracias? —preguntó él.

Tanya asintió. Hacía varias semanas que no veía a sus hijos, ni siquiera a Molly. La película le había ocupado todo el tiempo y habían trabajado hasta los sábados por la noche. Los domingos solía pasarlos con Douglas, una cita semanal que ninguno de los dos quería sacrificar. Por otro lado, Molly siempre estaba haciendo planes con sus amigos. Así que Tanya tenía muchas ganas de reunirse con sus hijos en Marin. Sin embargo, este año iba a tener que compartirles con Peter y Alice. Ella estaría con los chicos el día de Acción de Gracias, y la noche del viernes ellos se trasladarían a la nueva casa de Alice, donde vivía ahora Peter. El sábado, los tres querían reunirse con sus amigos. Tanya tenía pensado coger un vuelo el miércoles por la noche con Molly. Jason y Megan viajarían en coche desde Santa Bárbara. A pesar de la ilusión que sentía Tanya por volver a estar con su familia, no lo hablaba con Douglas. Cada vez que mencionaba a sus hijos, al productor se le helaba la sonrisa.

—¿Y tú? —preguntó Max a Douglas como buenos amigos que eran—. ¿Este año también te zamparás algunos bebés en lugar del pavo?

Douglas no pudo evitar echarse a reír.

—Si le cuentas mis secretos, Tanya se llevará muy mala impresión de mí —bromeó Douglas simulando enfadarse.

Max se encogió de hombros y comentó con una sonrisa maliciosa:

—Será mejor que sepa para quién trabaja.

Unos minutos más tarde, Max se alejó para saludar a unos conocidos y Douglas y Tanya comentaron lo mucho que les gustaba el director y lo buen amigo que era.

—Le conozco desde que llegué a Hollywood —dijo Douglas—. No ha cambiado en absoluto. Cuando era joven, tenía el mismo aspecto. Su trabajo es cada día más impresionante, pero él sigue siendo un tipo decente y normal.

—Cuando mi matrimonio se vino abajo, fue muy amable conmigo —reconoció Tanya.

Al cabo de un rato, Douglas y Tanya desandaron el camino por la alfombra roja y, discretamente, abandonaron la fiesta. Según Douglas, ya habían cumplido. Fueron hasta el hotel de Tanya en el Bentley del productor y al llegar, como a ninguno de los dos les apetecía ir al Polo Lounge, Tanya le invitó a tomar una copa en su bungalow, que ya era su hogar.

Douglas solía tomarle el pelo recomendándole que comprara el bungalow, ya que ahora se había convertido en parte de ella. Tanya, realmente, lo había hecho suyo: había movido los muebles para que la distribución fuera más de su gusto y había traído el edredón de Marin, que había colocado en la cama de la habitación de los chicos. El bungalow entero estaba repleto de fotos familiares en marcos de plata y en cada habitación había un ramo de orquídeas. En conjunto, era un espacio muy acogedor.

—Me encantaría —respondió Douglas a la invitación de Tanya.

Entregó las llaves del coche al portero del hotel y acompañó a Tanya por el camino que conducía al bungalow 2. Aunque ninguno de los dos quería darle demasiada importancia ni quería atribuirle ningún significado, lo cierto era que últimamente se estaban viendo muchísimo, tanto en el plató como por las noches. Quedaban un par de veces por semana para una cena informal, bien fuera del hotel bien en el bungalow, donde solían llevar comida de algún restaurante de la ciudad. Además, asistían a fiestas o eventos a los que Douglas estaba invitado y cada noche —aunque fuera por cuestiones de trabajo— hablaban por teléfono. Por último, estaba el ritual sagrado del domingo en la piscina de Douglas. En realidad, se pasaban el día juntos.

Tanya le sirvió un vaso de vino —guardaba una botella del vino preferido de Douglas en la nevera— y este se sentó relajadamente en una de las cómodas sillas del bungalow.

—Estás preciosa esta noche, Tanya —comentó después de estirar las piernas y contemplarla con admiración.

Tanya sonrió y contestó:

—Gracias, Douglas. Tú también estás muy guapo.

Tanya siempre se sentía orgullosa de ir del brazo del productor y la halagaba acompañarle. A veces, todavía tenía la sensación de ser una recién llegada. Le ocurría, sobre todo, cuando se encontraba rodeada de mujeres operadas, atiborradas de colágeno o de Botox, con unos pechos de extraordinaria firmeza fruto del bisturí y con cuerpos propios de chicas de un cabaret de Las Vegas o enfundadas en vestidos que Tanya jamás podría llevar. Comparada con ese tipo de mujeres, Tanya se parecía más bien a Grace Kelly, con un estilo elegante, dulce y natural, lo que sin duda era más del agrado de Douglas. El productor llevaba ya muchos años rodeado de mujeres despampanantes y le eran bastante indiferentes. No se sentía atraído por los implantes, las narices operadas o el pelo teñido.

—¿Qué harás para Acción de Gracias? —preguntó ella.

Douglas ya no tenía familia directa y, de pronto, Tanya sintió preocupación por que estuviera solo durante las vacaciones. Sin embargo, sabía que para Douglas podía ser una pesadilla pasar esos días con ella y sus hijos en Marin y, probablemente, haría que también para ellos lo fuese.

—Estaré con unos amigos en Palm Springs. Nada muy excitante, pero serán unos días tranquilos, que es lo que me hace falta.

Habían sido semanas de duro trabajo y tanto Douglas como Tanya, así como el resto del equipo, estaban exhaustos. Sin embargo, aquella noche no parecían cansados. Tanya estaba radiante y era evidente que Douglas estaba de muy buen humor y feliz de estar en su compañía.

—Estaba pensando en invitarte a Marin, pero supongo que para ti sería peor que una condena a muerte —dijo sonriendo.

—Así es —contestó Douglas devolviéndole la sonrisa—. Aunque estoy seguro de que son buenos chicos.

Douglas llevaba varios días pensando en proponerle algo a Tanya y decidió hacerlo entonces, aunque no estaba seguro de cuál sería su reacción ni si ya tendría otros planes.

—¿Te gustaría venir con tus hijos en mi barco alguna vez? En Navidad estaré en el Caribe y podríamos encontrarnos en St. Bart's. ¿Crees que les apetecería? —preguntó Douglas con una franqueza que Tanya percibió.

—¿Hablas en serio? —preguntó ella con los ojos como platos.

—Eso creo. A no ser que me digas que alguno de vosotros se marea o detesta los barcos. Tenemos estabilizadores, así que la navegación suele ser bastante tranquila, y tampoco nos alejaríamos mucho de la costa. Por la noche, si lo preferís, atracaríamos en el puerto.

—Es una invitación increíble, Douglas —exclamó Tanya sin salir de su asombro.

Había pensado ir con ellos a esquiar a Tahoe. Pero pasar unos días en el yate de Douglas era un regalo maravilloso, tanto para ella como para los chicos.

—Gracias —musitó.

Después, mirándole con cierto temor, añadió:

—¿Lo dices de verdad?

—Claro. Me encantaría que vinieras conmigo en el barco y supongo que para ellos será un plan divertido.

Tanya estaba segura, por lo que había oído acerca del yate, de que para sus hijos sería un viaje al paraíso. No sabía cuáles eran los planes de Peter para las vacaciones, pero estaba convencida de que podrían organizarse.

—Yo me marcharé unos días antes de Navidad, pero como supongo que estaréis juntos en casa en las fechas más señaladas, puedo enviarte el avión cuando tú quieras —comentó Douglas haciendo referencia a su jet privado.

Douglas jamás viajaba en líneas regulares; sin duda, estando con él, se aprendía a vivir bien.

—Me encantaría, de verdad —manifestó Tanya con sinceridad—. Hablaré con los chicos estos días de Acción de Gracias a ver qué planes tienen. No sé cómo habrán quedado con su padre.

—No hay prisa —dijo él con calma mientras dejaba el vaso encima de la mesa—. No voy a invitar a nadie más. Supongo que cuando lleguen las vacaciones, estaremos todos tan agotados que lo único que me apetecerá será estar en el barco, repasar el guión y relajarme.

—Me parece un plan fabuloso —corroboró Tanya con una sonrisa resplandeciente.

Sentía un enorme agradecimiento hacia Douglas por semejante invitación. Era una oportunidad única para sus hijos. Quizá Douglas devorase niños por Acción de Gracias, tal como había comentado Max, pero, desde luego, con ella era la amabilidad personificada, y ahora extendía ese trato a sus hijos.

Al cabo de un rato, Douglas se levantó para marcharse. Tanya le acompañó a la puerta del bungalow y volvió a darle las gracias por su generosa invitación. Douglas se volvió y la miró con una sonrisa. Parecía tan pequeña a su lado... Pero él sabía perfectamente que solo era pequeña físicamente.

—Me gustaría tenerte a bordo —dijo con sinceridad—. El barco forma parte de mi vida, una parte maravillosa, y espero que te guste, Tanya. Podríamos hacer viajes fabulosos juntos.

Tanya se sorprendió un poco por sus palabras. Aunque no podía negar que su amistad se había hecho más profunda y más fuerte desde su regreso a Los Ángeles para el rodaje de *Gone*, viajar juntos era otra cosa.

—Me encantaría —dijo quedamente, todavía sorprendida y conmovida por la invitación y por su deseo de compartir el barco con ellos.

De pronto, sintió una repentina timidez. Douglas era tan bueno con ella... Tanya no sabía cómo corresponderle ni cómo agradecerle sus atenciones. Cuando sus miradas se cruzaron, Douglas se inclinó lentamente y la besó con suavidad en los labios. Era la primera vez y Tanya no supo qué decir. Antes de que pudiera pronunciar palabra, él la besó de nuevo; esta vez con más intensidad, rodeándola con sus brazos con delicadeza y explorando su boca con la lengua.

Sorprendida, sin aliento y casi presa del pánico entre sus brazos, Tanya se dio cuenta de que no deseaba apartarse y se descubrió devolviéndole el beso con una pasión inesperada. Se sentía aturdida y un poco superada por los acontecimientos. Nunca había pensado en Douglas en términos sexuales ni se lo había imaginado como pareja sentimental.

Cuando finalmente dejó de besarla, Tanya le miró con los ojos muy abiertos buscando en los suyos el significado de lo que había pasado.

—Llevo mucho tiempo deseando hacer esto —susurró él—. No quería asustarte o hacerlo demasiado pronto. Estoy enamorado de ti, Tanya.

La fuerza de sus palabras la golpearon como una ola y tuvo que ahogar un gemido. Jamás habría imaginado que Douglas sintiera algo así por ella; estaba atónita. Pero también sabía que Douglas le gustaba, y mucho, y que con él estaba más a gusto de lo que había estado nunca con nadie. Excepto con Peter. Le respetaba, le admiraba y le agradaba como persona. Pero no sabía si podía amarle o si ya le amaba. Sus sentimientos eran muy confusos.

—No digas nada. No tienes que decir nada. Primero hazte a la idea. Ya lo resolveremos —musitó Douglas llevando su dedo índice a los labios de Tanya y adivinando su aturdimiento.

Volvió a besarla y Tanya se abandonó en sus brazos. Se le hacía difícil creer que pudiera estar ocurriéndole algo así. No sabía si aquello era un romance *made in Hollywood* o si era algo real para Douglas y, menos aún, para ella. La había cogido totalmente por sorpresa.

—Buenas noches —dijo Douglas.

Antes de que Tanya pudiera responderle o hacer comentario alguno, se marchó por el caminito alejándose del bungalow.

Tanya se quedó en la puerta viendo cómo se marchaba y oyendo los latidos de su corazón. No sabía si lo que sentía era miedo, deseo o amor.

17

Molly y Tanya se encontraron en el aeropuerto de Los Ángeles el miércoles por la tarde. Tanya había salido a toda prisa del plató para no perder el vuelo. Se había pasado todo el día en el rodaje y apenas había visto a Douglas unos minutos. En algún momento, rodeado de un grupo de personas, había visto cómo la miraba sonriendo en la distancia y ella le había sonreído tímidamente. No había podido volver a hablar con él desde la noche anterior, pero sabía que, de forma repentina, todo había cambiado entre ellos. Se había pasado toda la noche pensando en él e intentando averiguar cuáles eran sus sentimientos. Le gustaba y le veía como un hombre deslumbrante, pero nunca había pensado en él como posible pareja sentimental. Y aunque seguía sin hacerlo, su confesión había desbaratado su vida completa y agradablemente. Era excitante y aterrador a un tiempo.

Molly estaba esperando a su madre en el Starbucks de la terminal, tal como habían quedado, y echaron a correr para coger el avión. Llegaron por los pelos. En el mismo momento en el que se dejaban caer en los asientos, sonó el móvil de Tanya. Como todavía no habían pedido que apagasen los aparatos, respondió y se quedó sorprendida al oír la voz de Douglas al otro lado del teléfono.

—Siento que no hayamos podido tener un momento para

hablar hoy —dijo él en tono dulce y familiar, un tono con nuevas connotaciones—. No quiero que olvides lo que te dije anoche, o que pienses que era consecuencia del vino. Te quiero, Tanya, y desde hace mucho tiempo. De hecho, mis sentimientos eran estos ya el año pasado, pero sabía que no estabas disponible. Creí que nunca llegaría nuestro momento, pero ahora me parece que ha llegado.

—Yo... no sé... no sé qué decir... Estoy atónita.

También estaba asustada. Se sentía muy unida a Douglas, pero no sabía si estaba enamorada de él. Nunca se le había pasado por la cabeza tener una aventura con el productor y no se había parado a pensar en él como posible amante ni en que él pudiera quererla de ese modo.

—No tengas miedo, Tanya —dijo Douglas con tranquilidad, transmitiéndole, como siempre, la seguridad que ella necesitaba—. Creo que el nuestro podría ser el tipo de matrimonio que ambos deseamos —continuó Douglas yendo al grano con contundencia—. Una alianza poderosa entre dos personas interesantes que se preocupan la una de la otra. Aquella vez en la piscina, cuando charlamos de ello de manera informal, tú hablaste de amigos íntimos con anillo de casados. Eso es lo que quiero. Nunca había querido volver a casarme hasta que te conocí. Tómate el tiempo necesario para pensarlo.

—Creo que lo necesitaré —dijo ella con cautela sintiendo que la ansiedad la embargaba de nuevo.

Qué extraño se le hacía estar hablando con Douglas estando su hija en el asiento de al lado. No quería que Molly supiera lo que estaba pasando y consideraba que, antes de decirle nada a ella o a sus hermanos, necesitaba tiempo para hacerse a la idea. Sabía que no había superado todavía su separación. Sin embargo, se sentía atraída hacia Douglas con una fuerza que no habría creído posible. Pese a que las palabras del productor la asustaban, también le agradaban y le parecían una excelente formar de curar sus heridas.

—Te llamaré a lo largo del fin de semana —prometió Douglas—. No olvides preguntar a los chicos por el plan del barco.

—No lo olvidaré... y, Douglas, gracias por todo. En fin, solo necesito un poco de tiempo —respondió Tanya.

Estaban a punto de armar las rampas del avión, así que pidieron a los pasajeros que apagaran sus móviles.

—Ya lo sé. Tienes todo el tiempo que necesites —dijo él en tono tranquilo y controlado.

—Gracias —respondió ella con dulzura.

¿Qué maravilloso ardid del destino había hecho que Douglas se enamorase de ella? A lo mejor resultaba ser la mejor bendición que había recibido en su vida. No lo sabía, pero, de pronto, tuvo la esperanza de que así fuera. Quizá el final trágico se transformaría en final feliz después de todo. ¿Podía ser todo tan perfecto? Se despidió de Douglas y apagó el móvil, bajo la atenta mirada de su hija.

—¿Quién era? —preguntó Molly con interés.

—Mi jefe —contestó Tanya riendo—. Douglas Wayne. Quería discutir el guión.

—Se te veía algo rara. ¿Te gusta mucho? Como pareja, me refiero.

Me gusta con locura, pensó Tanya, pero no le contó nada de lo que Douglas le había dicho ni de lo sucedido.

—No digas bobadas. Solo somos amigos.

Recostó la cabeza en el respaldo del asiento y cerró los ojos. Se quedó dormida con la mano de su hija entre las suyas y pensando en Douglas y en las increíbles cosas que le había dicho. Era como un sueño.

En el aeropuerto de San Francisco tomaron un taxi hasta Marin. Cuando Tanya entró en su casa y encendió las luces, lo encontró todo viejo y polvoriento. La casa llevaba deshabitada desde septiembre y a los ojos de Tanya ya no era un hogar; fue una sensación muy triste. Sacudió los sofás, encendió las luces y se marchó a hacer la compra mientras Molly empezaba a llamar a sus amigos. Cuando regresó, Jason y Megan habían llegado, la música sonaba a un volumen ensordecedor y la cocina era un auténtico caos. Se habían presentado en casa media docena de amigos y todos hablaban de novios, novias, fiestas y clases. Tanya sonrió. Aquella era la escena que tanto adoraba y que tanto echaba de menos en Los Ángeles; se alegró de su decisión de pasar la fiesta en casa y no en el hotel de Los Ángeles. Habría sido un error garrafal. Tanto para ella como para sus hijos. El día de Acción de Gracias y las Navidades tenían que celebrarse en casa.

Tanya preparó hamburguesas y pizza, una enorme ensalada variada y patatas fritas para los chicos. Era ya medianoche cuando los amigos de sus hijos se marcharon, la cocina estuvo recogida, sus hijos se retiraron a sus habitaciones y Tanya acabó de poner la mesa para la celebración del día siguiente. Aunque la tristeza por lo mucho que habían cambiado sus vidas flotaba en el aire, no dejaba de ser un placer volver a estar en casa. Ahora, los hijos de Tanya ya estaban en la universidad, eran adultos y habían empezado su propio camino; Peter estaba con Alice y su divorcio era inminente; y ella estaba viviendo en un hotel en Los Ángeles. Volver a Ross era como viajar al pasado, un pasado por el que sentía un gran cariño; siempre lo sentiría. A su pesar, también era consciente de que seguía amando a Peter. Al estar en casa, en el espacio en el que había compartido su vida con su marido, la añoranza se agudizaba y descubría que no había superado su ruptura. Se preguntó si sería capaz de hacerlo con el tiempo.

Como cada año, Tanya se levantó a las cinco de la mañana para cocinar el pavo, después de una noche en la que le había resultado muy duro dormir sola en su cama. Mientras lo preparaba, antes de meterlo en el horno, recordó que fue precisamente el día de Acción de Gracias del año anterior cuando tuvo la primera sospecha sobre Peter y Alice. Aunque en aquella fecha todavía no estaban juntos, finalmente la corriente les había arrastrado a ellos por un lado y a ella por otro.

También estuvo pensando en Douglas y se preguntó si él podría disfrutar de Marin. Probablemente, no. Aunque la vida en aquel lugar ofrecía ciertos placeres y beneficios, era demasiado vulgar para Douglas. Tanya tenía muchísimas ganas de transmitir a sus hijos la invitación para ir en el barco del productor en Navidad. Confiaba en que les hiciera ilusión. Podría ser una maravillosa aventura estar todos juntos: Douglas, ella y sus hijos; una experiencia fascinante compartida por todos.

Tanya acabó de preparar el pavo, lo metió en el horno y se volvió a la cama, para dedicarse a soñar. Con el fin de borrar a Peter de su mente, hizo esfuerzos por imaginar cómo sería compartir el día a día con Douglas en su espectacular casa de Los Ángeles, escuchándole al piano. Era una idea excitante, pero no acababa de imaginárselo. Tanya se sentía segura y cómoda con Douglas, lo que era muy importante para ella, pero no sentía auténtica pasión. Sin embargo, les unía una profunda amistad y confiaba en que el tiempo la transformara en amor. Aunque la idea le resultaba extraña y todavía era todo muy repentino, no quería rechazar de plano las posibilidades que ofrecía. Era una auténtica sorpresa, desde luego, pero no había razón alguna para no dejarse llevar por la imaginación y soñar con la perspectiva de una vida a su lado.

Como cada año, todos se vistieron elegantemente para la comida de Acción de Gracias. Las chicas se pusieron unos bonitos vestidos y Jason un traje. Tomaron asiento y Tanya, como siempre, bendijo la mesa. Dio las gracias por los alimentos, por tener a la familia reunida, por el amor que todos ellos se profesaban y agradeció también las cosas buenas que el año que acababa les había concedido; por último, pidiendo por el año que empezaba. Mientras hablaba, se le quebró la voz y los ojos se le llenaron de lágrimas. Solo podía pensar en los desgarradores cambios que había sufrido la familia durante los últimos meses y en el inminente divorcio. Molly cogió la mano de su madre y Tanya logró acabar su plegaria con una amorosa sonrisa dirigida a sus tres hijos. Se tenían los unos a los otros, el mayor regalo posible, así que en realidad había mucho por lo que dar gracias.

Jason cortó el pavo —con bastante soltura—, en lugar de su padre. La comida estaba deliciosa.

—Me falta práctica —se disculpó Tanya al comprobar que se le habían quemado las patatas—. No cocinaba desde el pasado verano.

Era increíble pensar que llevaba todo ese tiempo viviendo en un hotel.

—Alice prepara el relleno con puré de castañas y bourbon —informó Megan en un tono que sonó a reproche.

Tanya no hizo ningún comentario, pero Jason fulminó con la mirada a su hermana. A la mañana siguiente, los chicos irían a casa de su padre y todos tenían claro que había cierta tensión entre ambos hogares. Procuraban no mencionar a su padre o a Alice en casa de Tanya ni a esta en casa de ellos. Era todavía muy pronto y a los chicos se les hacía todo muy raro. Durante el desagradable proceso del divorcio, Megan había estado muy unida a Alice, mientras que Molly, muy afectada por la ruptura del matrimonio de sus padres, se había alejado por completo de la nueva compañera de su padre. Jason procuraba mantenerse al margen y confiaba en que, con el tiempo, aquella desagradable situación se suavizase. No quería tener que tomar partido por un bando u otro; lo que deseaba era poder ir a casa de ambos sin problemas.

—Me gustaría compartir con vosotros una invitación que he recibido —comentó Tanya durante la comida.

Quería dejar de lado las habilidades culinarias de Alice, una información que le resultaba difícil de digerir. Megan seguía guardando rencor a su madre por haberse marchado a Los Ángeles. Nunca lo había disimulado, ni siquiera antes de que Peter y Alice iniciaran su relación. Para ella, todo aquello era culpa de Tanya. A pesar de que era muy duro, había que aceptar que así era como se sentía la joven. Tanya veía reflejados en su hija sus peores temores y agudizaba en ella un enorme sentimiento de culpa por haber aceptado el guión de la primera película.

—Nos han invitado a pasar la Navidad en un yate fantástico en el Caribe —anunció Tanya con entusiasmo.

Los tres pares de ojos la miraron fijamente.

—¿Quién? ¿Una estrella de cine? —preguntó Megan, emocionada.

—Douglas Wayne, el productor con quien estoy trabajando. Tiene el yate en St. Bart's y nos enviaría su jet privado para recogernos.

—¿Y por qué? ¿Estás saliendo con él? —preguntó Megan con curiosidad.

—No, no salimos. Solo somos amigos, pero quizá podríamos llegar a ser algo más en el futuro.

No quería explicar a sus hijos que Douglas le había dicho que la amaba y que ya estaba hablando de matrimonio. Si era demasiado pronto para Tanya —necesitaba tiempo para hacerse a la idea— no quería ni imaginar lo pronto que sería para sus hijos. Además, quería que primero le conocieran y no dárselo todo como algo ya decidido.

—Podríamos pasar la Navidad aquí y después pasar el Año Nuevo en el barco —propuso Tanya con cautela.

—¿Y papá? —preguntó Megan al instante, dispuesta a defender los intereses y el tiempo que le correspondía pasar con ellos.

—Yo tenía pensado ir con mis amigos a Squaw —comentó Jason, dubitativo y sopesando las opciones.

No le costó mucho tomar una decisión. A Jason le encantaban los barcos y un viaje en yate por el Caribe era irresistible.

—Creo que me apetecería ir —concluyó.

—Yo me quedaré con papá —anunció Megan rápidamente, solo por llevar la contraria.

Tal como Jason solía decir, Megan era de las que solo por ir contracorriente y dar la nota, era capaz de perjudicarse a sí misma. Además, siempre se cerraba cualquier posibilidad de rectificar.

—Si más adelante cambias de opinión, no hay ningún problema —le dijo Tanya amablemente, y dirigiéndose a su otra hija, le preguntó—: ¿Y tú Molly? ¿Cómo lo ves?

—Iré contigo —dijo Molly sonriendo—. Me parece genial. ¿Podemos llevar alguna amiga?

Tanya dio un respingo.

—Creo que no sería muy apropiado ni siquiera insinuarlo. Si vuelve a invitarnos, quizá podamos intentarlo, pero no me parece correcto la primera vez.

Los chicos pasarían la Nochebuena con su padre y el día de Navidad con ella. Tanya propuso viajar a St. Bart's el día 26 y regresar el día de Año Nuevo, ya que el 2 de enero tenían que estar de vuelta en la universidad. Serían cinco días completos en el barco, una experiencia fantástica para los chicos y tiempo más que suficiente para Douglas. Todos parecían encantados, incluida Megan.

Al final, disfrutaron de una agradable comida y un día de Acción de Gracias feliz. Al día siguiente, los chicos se fueron a casa de su padre y a Tanya le pesó quedarse en la casa vacía. Sin embargo, el sábado ya estaban de vuelta. Fue un alivio que no mencionaran a su padre para nada.

El viernes, cuando estaba sola en casa, había recibido la llamada de Douglas y Tanya aprovechó para contarle la decisión de los chicos.

—Estaremos de vacaciones hasta el día 8 —la informó Douglas—. ¿Por qué no mandamos a los chicos de vuelta en mi avión y tú te quedas conmigo en el barco hasta el día 7? Así podríamos estar unos días solos.

Douglas hablaba como si ya estuvieran saliendo. Tanya se preguntó si para esas fechas sería así. Como siempre, el productor lo tenía todo organizado y planeado, todo bajo control.

—Te portas de maravilla con nosotros, Douglas. Para los chicos es un regalo increíble. ¿Estás seguro de que te apetece? —insistió Tanya consciente de la relación que Douglas mantenía con los niños.

—No tienen cuatro años —dijo él despreocupadamente—. Seguro que es divertido estar con ellos, conocerles. Y estar contigo.

Aunque Douglas parecía afrontar el plan de estar con sus hijos con calma, Tanya se preguntó si era consciente de lo que significaba estar con adolescentes. No solo porque tuviera aversión por la gente menuda, sino porque no estaba acostumbrado a ellos. Pero solo podía confiar en que no le resultase muy difícil adaptarse a sus hijos.

—A mí también me apetece estar contigo —dijo Tanya en tono cariñoso, perpleja ante tanta novedad positiva.

—¿Cuándo volverás? —preguntó Douglas con interés.

—Cogeré el vuelo del domingo a las cuatro con Molly. Jason y Megan se marchan por la mañana en coche. Hacia las seis ya estaré en el hotel.

—¿Qué te parece si me acerco con la cena? A lo mejor se me ocurre algo más original que el chino de siempre. ¿Te apetecería algo de curry o comida tailandesa?

—Unos perritos calientes me bastan —comentó Tanya, que de verdad tenía ganas de verle.

Todo habían sido acontecimientos excitantes: Douglas la había besado, le había dicho que la amaba, había mencionado el matrimonio y, por último, iban a viajar en su yate. Habían pasado tantas cosas en tan pocos días que la cabeza le daba vueltas. Tenía la sensación de estar al borde del abismo.

—Me pasaré hacia las siete, ¿de acuerdo? Y Tanya...

—¿Sí?

—Te quiero —dijo dulcemente.

Después de colgar, Tanya se quedó mirando a su alrededor maravillada. Cómo había cambiado su vida...

18

El domingo por la noche, Douglas se presentó en el bungalow 2 vestido con un jersey de cachemir negro y unos vaqueros. Se le veía relajado y feliz. Llevaba una gran variedad de
platos indios con curry que los dos abrieron en la cocina.
Tenían aspecto de estar para chuparse los dedos. Tanya sirvió
la comida en unos platos del servicio de habitaciones que había guardado.

Nada más entrar, Douglas la besó y le contó su fin de semana. Tanya le habló de Marin y de los chicos. También le
contó lo triste que le resultaba estar allí y cómo la casa —tan
vacía— le había recordado una hoja quebradiza, seca y des-
colorida de verano. Sin embargo, a pesar de lo deprimente
que le resultaba estar en la que había sido su casa, seguía siendo el hogar de sus hijos y le encantaba estar allí con ellos.
Además, oficialmente todavía era su hogar, aunque en esos
momentos se sentía como una persona sin una casa de verdad. No sabía cuál era su sitio ni dónde vivía realmente. Probablemente, el bungalow 2 —que no contenía recuerdos do-
lorosos— era ahora su casa. Ya que, excepto por los dos días
que Peter había pasado allí, siempre había sido enteramente
suyo.

Después de cenar, Douglas se sentó junto a ella en el sofá
y le pasó un brazo alrededor del hombro. Se mostraba más

cariñoso que nunca; para Tanya, era como combinar un nuevo amor y un viejo amigo, algo que le gustaba y le resultaba increíblemente cómodo. Aunque no se hubieran relacionado amorosamente, Douglas le parecía alguien absolutamente familiar.

Estuvieron sentados charlando durante mucho rato y, al final, volvieron a besarse. La pasión de Douglas aumentaba con una rapidez vertiginosa y Tanya se sorprendió respondiendo con el mismo apasionamiento.

Cuando Peter la dejó, creyó que todas aquellas emociones habían muerto en ella, pero descubría que estaban completamente vivas. Poco a poco, se daba cuenta de que sentía una poderosa atracción por Douglas. Había en él algo muy sensual y masculino que la dejaba sin aliento.

Un poco más tarde, se dirigieron al dormitorio, donde la cama estaba perfectamente hecha. Douglas apagó las luces y Tanya apartó las sábanas. Se desnudaron sonriéndose el uno al otro en medio de la penumbra. Se conocían tanto que no tenían la sensación de ser amantes por primera vez. Era como si fuesen dos personas que estaban a gusto la una con la otra y que ahora añadían una faceta más a su relación. Tanya estaba maravillada por sentirse tan cómoda y tan deseosa de compartir su pasión y su amor con él. Disfrutaron de un sexo extraordinario y antes de que Douglas se marchara, a las dos de la mañana, volvieron a hacer el amor. Había sido una noche formidable, llena de pasión. Douglas era un amante experimentado y atento que se preocupaba de darle placer. Tanya tenía la sensación de que Douglas siempre estaba planeando y pensando, pero todo iba dirigido a darle placer y hacerla feliz. Tanya ya no sentía ningún miedo ante aquella nueva relación que había nacido entre ellos.

—Sabía que iba a ser así —dijo él con dulzura dándole un beso antes de marcharse—. Me habría gustado haberlo hecho hace mucho tiempo. Siento haber esperado tanto.

Ella se echó a reír y le dio un beso en el cuello. Ambos sabían que si hubiese sucedido antes, habría sido un error. La espera de Douglas había sido inteligente, porque aquel era el momento adecuado. Tanya estaba a punto para él, a punto para intentarlo, para comenzar. Aunque era un desafío no pensar en Peter y en los años compartidos con su marido. Se le hacía muy extraño estar en la cama con otra persona. Pero al final de aquella noche sentía que un profundo lazo la unía a Douglas y que juntos habían dado un paso para entrar en un mundo totalmente nuevo.

Antes de marcharse, Douglas la besó de nuevo apasionadamente. Cuando llegó a casa la llamó para decirle cuánto la amaba y cuánto la echaba de menos. Tanya no dejaba de repetirse lo afortunada que era. Sin embargo, tumbada sola en la cama, por un brevísimo instante, se dio cuenta de que echaba de menos a Peter y los ojos se le humedecieron. El sexo con Douglas había sido maravilloso y era un amante cuidadoso, atento y con una experiencia indudable. Pero en algunos instantes, cortos, repentinos y pasajeros, Tanya había echado de menos el olor y el tacto familiar de Peter. Era duro dejar atrás veinte años de vida en común, pero aquella noche había comenzado un nuevo capítulo y Tanya sentía que la fuerza de lo que había comenzado junto a Douglas la arrastraba.

Después de aquel día, Douglas y Tanya siguieron viéndose a menudo. Él iba al hotel prácticamente cada noche. Hacían el amor, leían las notas del guión juntos, hablaban de la película, pedían la cena al servicio de habitaciones o, de vez en cuando, salían a cenar. Tanya se sentía feliz y cómoda con él y en el plató trabajaban como locos. Intentaban que su relación no saliera a la luz y lo llevaban discretamente, pero de vez en cuando intercambiaban una mirada que hasta un ciego habría sabido interpretar. Los sentimientos entre ellos se iban estabilizando y Tanya sentía que ella también se estaba enamorando. Douglas repetía sin cesar que era un hombre afortunado.

Sin embargo, todavía no había conocido a sus hijos y Tanya se había dado cuenta de que cada vez que uno de ellos la llamaba, el productor se ponía nervioso, algo que la inquietaba. Se alegraba de haber decidido pasar unos días a solas con él en el barco, porque era consciente de que la relación con los chicos llevaría cierto tiempo. Aquel viaje podía ser un buen comienzo. El caso era que, como pareja, a Douglas y a Tanya les iba de maravilla. Douglas le había devuelto la fe en la vida y su autoestima mejoraba después de haber sido severamente dañada.

Aquel mes, el rodaje fue una auténtica locura. Tanya no pudo regresar a casa hasta el 23 de diciembre, el mismo día en el que llegaban sus hijos. Así que no tuvo tiempo para abrir la casa, ventilarla y limpiarla. Había un servicio de limpieza que se ocupaba de la vivienda una vez por semana, pero no era lo mismo.

Douglas se trasladó a St. Bart's el mismo día que Tanya volaba a San Francisco. Aquella noche fue muy ajetreada: llegaron sus hijos y aparecieron unos amigos. Pero al día siguiente, cuando los tres se marcharon a pasar la Nochebuena con Peter y Alice, la casa se quedó en un silencio sepulcral. Se le hacía duro tener que compartirlos. Tanya fue a la misa del gallo sola y al volver a casa se sintió muy triste. Era demasiado tarde para llamar a Douglas al barco, así que se quedó sentada en el salón mucho rato recordando la época en la que los niños eran pequeños, cuando todos eran tan felices. Hubo un momento en el que deseó llamar a Peter para desearle feliz Navidad pero sabía que no podía. Era demasiado tarde, o quizá demasiado pronto. Se hallaban en ese período indefinido en el que todo era demasiado reciente y las heridas todavía estaban abiertas.

Fue un alivio cuando los chicos volvieron a la mañana siguiente. Intercambiaron regalos, comieron y acabaron de hacer las maletas aquella noche para el viaje a St. Bart's. Saldrían muy temprano a la mañana siguiente, así que Megan volvió a casa de Peter después de cenar. Jason y Molly estaban entusiasmados.

—¿Estás segura de que no has cambiado de opinión? —preguntó Tanya a Megan antes de que se marchara.

Su hija negó con la cabeza. Terca hasta el final. No tenía ningún problema en estar con Alice y seguía culpando a su madre del divorcio.

Los tres viajeros salieron rumbo al Caribe a las seis de la mañana. Antes de las siete ya estaban en el aeropuerto y el jet de Douglas despegó a las ocho. Se dirigieron hacia Miami y antes de la una, las cuatro de la tarde en el lugar de destino, ya habían llegado. Llenaron el depósito y una hora más tarde despegaron de nuevo. Tanya, Molly y Jason habían tenido tiempo de estirar las piernas durante media hora en el aeropuerto. Llegaron a su destino a las ocho de la tarde según el horario de Miami, las nueve en St. Bart's. En el aeropuerto les esperaban tres hombres de la tripulación de Douglas. Llevaban ya once horas de viaje, y de no ser por el jet privado de Douglas, jamás habrían podido cubrir aquel recorrido en una sola jornada. Los chicos se quedaron impresionados al ver los elegantes uniformes marineros de la tripulación con el nombre del yate —*Rêve*, sueño en francés— inscrito en ellos.

Tanya se sentía como si estuviera en un sueño. Aunque había visto fotos del yate en casa de Douglas, no tenía ni idea de cómo sería una embarcación de sesenta metros de eslora; cuando lo vieron les pareció que estaban delante de un transatlántico. Jamás habían visto un yate tan grande. *Rêve* era el más impresionante de todo el puerto y estaba iluminado profusa y alegremente. Se fijaron en que en el muelle había varias tiendas pequeñas.

Douglas estaba esperándoles en cubierta y les saludó con la mano cuando les vio bajar del taxi cargados de maletas. Llevaba unos vaqueros blancos y una camiseta; iba descalzo y estaba morenísimo. Cuando Tanya vio cómo se le iluminaba el rostro, suspiró aliviada. Era buena señal. Los chicos miraban el yate, maravillados. Tanya habría hecho lo mismo pero su mirada estaba centrada en Douglas. Era evidente que ambos estaban emocionados de verse. Tanya pensó que iban a pasar unas vacaciones estupendas. Finalmente estaba empezando a sentirse parte de él y los lazos que les unían comenzaban a fortalecerse.

La tripulación —que les estaba aguardando en cubierta— recibió a Tanya y a los chicos. Una azafata acompañó a Molly y a Jason a sus camarotes, que se encontraban en una cubierta inferior, y Tanya subió la escalera que conducía a la cubierta adyacente donde se encontraba Douglas. Sin mediar palabra, el productor rodeó a Tanya con los brazos y la besó, mientras ella apoyaba la cabeza en su pecho llena de felicidad. Empezaba a sentirse muy unida a Douglas y sus sentimientos hacia él eran cada vez más sólidos. Estaba contenta de verle, sobre todo en aquel paraje tan exótico y romántico. No había lugar mejor para el encuentro entre Douglas y sus hijos.

—Debes de estar agotada del viaje —dijo, comprensivo.

Le tendió un margarita recién preparado, cóctel muy adecuado para aquella temperatura tan suave. El clima era perfecto. Tanya no sabía dónde estaban Jason y Molly. Al parecer les estaban sirviendo unos sándwiches en el comedor; debían de estar maravillados ante tanto lujo. La tripulación estaba formada por quince personas, todas visiblemente deseosas de hacer que Tanya y sus hijos se sintieran como en casa.

—Casi no estoy cansada —dijo Tanya dando un sorbo a la bebida y saboreando la sensación de la sal y el jengibre en su lengua—. Tu avión es tan cómodo y nos has mimado de tal modo que nos hemos sentido como si estuviéramos en el cielo. El barco es impresionante.

Douglas parecía encantado con los cumplidos. Llevaba días pensando en ella y deseoso de tenerla junto a él. Aunque Tanya veía que Douglas estaba encantado con su presencia, podía sentir una tensión casi invisible detrás de su sonrisa, como si se esforzara por estar a gusto pero tuviera alguna preocupación. Tanya pensó que quizá fuese la presencia de sus hijos, pero se dijo que no debía ponerse paranoica. Douglas se había mostrado cariñoso y cálido desde el primer momento.

—Es bonito, ¿verdad? —dijo, orgulloso de poder compartirlo con Tanya—. Lo tengo hace diez años y aunque me gustaría hacerme con uno más grande, es como si no pudiera separarme de él.

Con diez años, un barco ya era viejo, pero a Tanya le parecía recién estrenado. Todo lo que poseía Douglas estaba en un estado excelente. Le gustaba tener lo mejor de lo mejor y *Rêve* no era una excepción.

Tanya se sentó en la cubierta y estuvo charlando con Douglas —que parecía relajarse poco a poco— arrullada por la cálida brisa nocturna. Una azafata le había ofrecido un chal de cachemir y cenaron sushi hecho con pescado local. En ese momento, Molly y Jason aparecieron en la cubierta con aspecto de estar totalmente obnubilados. Era su primer encuentro con Douglas. Se mostraron muy educados, pero estaban demasiado intimidados para hacer otra cosa que saludar cortésmente. En cuanto aparecieron, Tanya notó la tensión de Douglas, una tensión casi imperceptible, pero que hizo que echase un vistazo a los chicos y siguiera hablando con Tanya sin prestarles la menor atención. Tal vez, al no estar todavía preparado para enfrentarse a ellos, prefería no hacerles caso. No tenía ni la más remota idea de cómo dirigirse a muchachos de su edad y Tanya pudo ver miedo en sus ojos. Los chicos estaban demasiado cansados para darse cuenta y Tanya confió en que, con los días y a medida que se conocieran un poco más, las cosas mejoraran. Sabía que sus hijos eran simpáticos y poco problemáticos y estaba orgullosa de ellos. Pero Douglas parecía aterrado.

Finalmente, hacia la medianoche, todos se fueron a sus camarotes. Jason y Molly salieron sigilosamente del suyo y se reunieron en la cocina con la tripulación, que estaba encantada de tener gente joven a bordo. Tanya se dio una ducha en el camarote del jefe, que era como se referían a la habitación de Douglas. Cuando salió del baño, Douglas la estaba esperando con una bandeja de fresas y un par de copas de champán. Empezaron a hacer el amor en cuanto se metieron en la cama y estuvieron amándose apasionadamente hasta el alba. Finalmente, se durmieron, no sin que antes Tanya pensara por un momento en qué estarían haciendo sus hijos. Sin embargo no fue a comprobar si se encontraban bien. Daba por sentado que estarían perfectamente atendidos y que estarían pasándolo en grande.

Tanya se despertó al oír el ruido del barco mientras salía del puerto. Iban en busca de un lugar adecuado para anclar y poder nadar o hacer esquí acuático. Douglas ya se había levantado y estaba sentado en cubierta, con el traje de baño y una expresión tensa. Sonrió al verla. Molly y Jason estaban sentados junto a Douglas; los tres parecían incómodos: ellos más bien aburridos, pero Douglas, aterrado. En cuanto Tanya se sentó junto a ellos, los chicos empezaron a lanzarle elocuentes miradas. Al cabo de un rato, Tanya bajó al camarote para ponerse el bikini y, al instante, Jason y Megan la siguieron y empezaron a contarle lo raro que encontraban a Douglas.

—Mamá, he intentado hablar con él varias veces y ni siquiera me contesta. Sigue leyendo el periódico —se quejó Jason inmediatamente.

—Creo que tiene miedo —dijo Tanya, despacio pero sin poder ocultar su preocupación—. Dadle una oportunidad. Nunca está con gente joven y creo que se pone nervioso.

—Le he preguntado cosas sobre el barco —añadió Molly— y me ha dicho que los niños pueden mirar pero no hablar. Después, le ha dicho a Annie, la azafata, que nos llevase a la cocina a comer para que no ensuciáramos el comedor. Por el amor de Dios, mamá, ¿acaso cree que tenemos seis años?

—No creo que piense eso teniéndote delante —respondió Tanya.

Molly llevaba la parte de arriba de un bikini y un tanga. Estaba increíblemente sexy.

—Dadle un poco de tiempo. Ha sido muy amable al invitarnos. Acabáis de conocerle y para él también es difícil —le excusó Tanya, que tenía muchísimas ganas de que las cosas fuesen bien.

—Creo que lo que quiere es tenerte a ti aquí, pero no a nosotros. A lo mejor deberíamos regresar a casa —dijo Molly, que se sentía muy rara y también algo herida.

—No seas tonta. Hemos venido a pasarlo bien y eso es lo que haremos. Después de desayunar, puedes practicar esquí acuático.

Pero cuando llegó el momento, Douglas se puso muy nervioso. Dijo que no quería que ocurriese ningún accidente y luego empeoró las cosas comentando que no quería que le demandasen si les pasaba algo y, mucho menos, que dañasen el equipo. Finalmente aceptó que practicasen pero siempre que un miembro de la tripulación condujera y ellos fueran detrás, a pesar de que Tanya insistió en que Jason practicaba con el mismo tipo de esquís todos los veranos en Tahoe.

—No sería la primera vez que un invitado me demanda —explicó con gran nerviosismo mientras observaba al borde de un ataque cómo Jason se hacía el experto—. Además, nunca me perdonarías si alguno de tus hijos resultase herido o algo peor.

Douglas parecía incapaz de encontrar la actitud adecuada hacia los chavales: o se comportaba de forma desproporcionadamente protectora o era desagradablemente seco. Pasaba de horrorizarse por si les ocurría algo a mostrarse molesto con su presencia. Para entonces, Tanya ya había llegado a la conclusión de que había sido un error llevarles al barco. Douglas era incapaz de adaptarse a su presencia o de tratarles agradablemente.

A la hora de comer, les mandó a la cocina a comer con la tripulación; les pidió que no utilizasen el jacuzzi sin haberse duchado antes y haberse quitado toda la crema de protección solar. Después prohibió terminantemente a Jason que utilizara su gimnasio, alegando que las máquinas eran muy delicadas y que estaban calibradas únicamente para él. Les dejaría nadar en el mar siempre que alguien de la tripulación les vigilara y no podían utilizar las tumbonas, para no mancharlas con la crema solar, algo que, por otro lado, Tanya les obligaba a ponerse. Los muchachos cenaron a las seis con la tripulación y Douglas invitó a Tanya a cenar en St. Bart's. No pudo mostrarse más amable con ella, pero seguía visiblemente tenso siempre que los chicos estaban cerca.

—Douglas, no te preocupes por ellos —intentó tranquilizarle Tanya.

Sin embargo, cuando los chicos volvieron a practicar esquí acuático, Douglas estuvo taciturno hasta que regresaron a bordo. Siempre que les tenía cerca, se ponía terriblemente tenso. No les dejaba hacer nada excepto comer, dormir y estar en compañía de los tripulantes. Había quince miembros de la tripulación que tenían órdenes de hacer todo lo que estuviera en sus manos para entretenerles y alejarles de Tanya. Era evidente que la quería solo para él y Tanya empezó a intuir que Douglas tenía celos de sus hijos. Por su parte, Molly y Jason estaban incomodísimos desde el segundo día y pedían a gritos volver a casa. Tanya no quería alterar los planes —le parecería una grosería— y procuró suavizar un poco la actitud de Douglas explicándole que sus hijos eran adultos y que no estaban acostumbrados a que los tratasen de aquel modo. Aunque intentó de mil maneras mediar entre ambos bandos, no lo consiguió: Douglas siguió deseando estar a solas con ella y los chicos odiando al productor.

Una noche, después de cenar, algunos miembros de la tripulación se llevaron a Molly y a Jason de bares y acabaron en una discoteca. Querían animarles un poco, pero cuando los dos chavales regresaron al barco, su desbordante alegría se debía únicamente a que habían pillado una buena borrachera.

Subieron al yate dando tumbos y se fueron directos al camarote de Tanya y Douglas para contarles lo bien que se lo habían pasado. Cuando estaban dentro de la habitación, Molly vomitó; mientras Douglas, sentado en la cama, les miraba boquiabierto y horrorizado, Tanya se puso en pie de un salto para limpiar el estropicio.

—Hola, Doug —dijo Jason intentando mantenerse en pie—. Qué barcaza tienes. Nos lo hemos pasado genial esta noche.

Tanya intentaba desesperadamente limpiar la moqueta del camarote sin resultado y Douglas seguía mirándoles sin poder articular palabra. El olor era insoportable y, finalmente, Douglas se levantó y se marchó. Tanya acompañó a sus hijos a su camarote y les ayudó a meterse en la cama. Douglas pasó la noche en cubierta. Al día siguiente, la tripulación al completo limpió la moqueta del camarote.

—Una escapada un poco desagradable la de anoche, ¿no? —comentó Douglas a la hora del desayuno—. ¿Crees que deberían dejar beber a los chicos de su edad?

Su desaprobación era evidente.

—Lo siento. Son jóvenes, ya sabes cómo son —dijo Tanya dando por sentado que aunque Douglas no tuviera hijos, al menos recordaría su propia adolescencia.

—No, no lo sé. ¿Lo hacen a menudo? Me refiero a beber sin control.

—De vez en cuando, supongo. Están en la universidad... Molly no suele beber; creo que por eso le sentó tan mal. Jason aguanta mejor el alcohol.

—¿Has pensado en llevarles a rehabilitación? —preguntó Douglas.

Tanya se dio cuenta, horrorizada, de que estaba hablando en serio. Para todos, incluido el anfitrión, era evidente que Douglas no sabía qué hacía cuando invitó a los chicos al barco. Aunque lo había hecho con buena intención, no tenía la más remota idea de cómo actuaban los jóvenes.

—Claro que no —respondió Tanya despacio—. No tienen ningún problema. No necesitan rehabilitación de ningún tipo. Se emborrachan alguna vez, cuando están de vacaciones. Además, me parece que ellos se sienten tan incómodos como tú.

Era la primera vez que alguien formulaba en voz alta lo que era un secreto a voces. Habían intentado que las cosas salieran bien, pero era evidente que no estaba funcionando.

—Lo siento, Tany. Supongo que creía estar preparado para esto, pero no lo estoy —dijo con gravedad y evidente nerviosismo. Se le veía decepcionado consigo mismo. Tanya sintió lástima.

—Es de agradecer que lo hayas intentado —le consoló ella con tristeza.

Él asintió. No sabía qué decir.

Cuando se despertaron, los chicos estaban fatal. Los dos tenían una resaca espantosa y Molly volvió a vomitar —para espanto de su madre y de toda la tripulación—, aunque en esta ocasión fue en su camarote. Por lo menos, lograron ocultárselo a Douglas. Molly, que se había dado cuenta de la tensión que había entre su madre y Douglas y sabía que era a causa de ellos, se sentía terriblemente culpable. Según ella, Douglas no soportaba tenerles a bordo, por lo que se preguntaba por qué razón, aparte de por complacer a su madre, les habría invitado. Seguramente lo habría hecho por cortesía hacia Tanya, pero no tenía ninguna intención de conocerles ni sabía cómo tratarles. Su madre, por su parte, parecía un manojo de nervios intentando satisfacerles y mantenerles alejados de Douglas.

Douglas volvió a invitar a Tanya a cenar aquella noche, pero no invitó a los chicos. No los soportaba. No sabía cómo dirigirse a ellos ni qué decirles, y para entonces ya estaba demasiado desanimado para intentarlo. Se sentía absolutamente incapaz de conectar con ellos. Después del fiasco de la noche anterior, Tanya ni les mencionó. Aunque ella apenas les veía, por lo menos sus hijos parecían estar pasándoselo en grande con los tripulantes, con los que habían congeniado. Tampoco tenía la sensación de estar de vacaciones, ya que estaba preocupada constantemente por el rechazo y la animosidad entre Douglas y sus hijos. Aquello no era lo que había planeado.

El colmo del desastre se produjo en Nochevieja. Los chicos y algunos miembros de la tripulación salieron de juerga y se emborracharon. La policía tuvo que llevarles de vuelta al barco, después de decidir que estarían mejor en manos del capitán de la embarcación que en el calabozo. Tanya acostó a sus hijos y pidió disculpas a Douglas.

—Al fin y al cabo es Nochevieja —dijo ella.

Douglas y Tanya habían estado bebiendo champán en cubierta y se estaban besando cuando llegó la policía acompañando al grupo que cantaba al unísono a voz en grito. Douglas no disimuló su malestar, por lo que, al verle, los rostros de todos los tripulantes se ensombrecieron.

—Tus hijos están corrompiendo a mi gente —se quejó Douglas a pesar de que sus tripulantes estaban aún más bebidos que los chicos.

—Creo que se han emborrachado todos juntos —comentó Tanya.

A ella tampoco le agradaba la situación, pero el viaje se había convertido en tal desastre que no tenía fuerzas para intentar salvarlo. Douglas no había comido ni una sola vez con los chicos y apenas les había dirigido la palabra. Era evidente que se arrepentía de haberles invitado. Estaba loco por Tanya, pero no por sus hijos; para ella, aquellas vacaciones estaban siendo un horror. Solo quería que se llevaran mínimamente bien, pero sabía que, tanto a sus hijos como a Douglas, se les había hecho insoportable cada minuto del viaje.

Incluso la partida resultó penosa. Cuando se marcharon del barco para coger el avión, Jason y Molly tenían tal resaca que no podían disimular su gesto adusto. Douglas les miró con una expresión desoladora y comentó que confiaba en que tuvieran un viaje más agradable en otra ocasión. Musitó algo acerca de que no estaba acostumbrado a tratar con gente joven; ellos le dieron las gracias educadamente y se marcharon. En cuanto desaparecieron de su vista, Douglas se mostró enormemente aliviado. Rodeó a Tanya por los hombros a modo de disculpa y ella sintió que se le rompía el corazón.

—Lo siento, cariño —dijo dándole un beso mientras ella le miraba con tristeza—. No sé qué decir, Tanya. Creo que me ha entrado el pánico. Tenerles a bordo ha sido más duro de lo que esperaba.

Por supuesto, era más que evidente. Pero el problema era que Tanya no veía cómo podrían mejorar las cosas en el futuro. Tal como había afirmado al conocerla, a Douglas todo lo que no fuera un ser humano adulto, le daba terror. Tanya estaba muy desilusionada y sabía que sus hijos también lo estarían. Las vacaciones en el yate de Douglas habían sido una pesadilla y Tanya se arrepentía de haberles hecho pasar por aquello. Ahora sería prácticamente imposible convencerles de que Douglas era el hombre que necesitaba. Ella también se lo cuestionaba, porque sabía que necesitaba a alguien que se llevase bien con sus hijos. En el caso de Douglas, era imposible.

—¿Podrás perdonarme por haber llevado tan mal las cosas? —preguntó él con preocupación.

—Claro. Lo único que quiero es que os conozcáis y lleguéis a ser amigos.

—Tal vez las cosas irán mejor en tierra. Me daba un miedo terrible que se hicieran daño en el barco.

—Lo comprendo —dijo Tanya, deseando olvidar aquel episodio.

Sin embargo, sabía que oiría hablar de él a sus hijos durante mucho tiempo. El viaje había sido una decepción para todos.

Una vez a solas con Douglas, Tanya intentó relajarse,

pero le costó dos días dejar de pensar en el abismo que se había abierto entre su pareja y sus hijos. Sabía que haría falta mucho tiempo para salvarlo. De cualquier modo, al final lograron disfrutar de cuatro días idílicos en el barco, navegando de una isla a otra, nadando, comiendo en cubierta, relajándose y haciendo el amor. Eran las vacaciones perfectas, las que Douglas quería. La suya era una relación entre adultos y dejaba muy poco espacio para sus hijos. Tanya pensaba que la única forma de cambiar las cosas era que Douglas sintiera un poco de ternura hacia ellos. Sin embargo, no había habido nada parecido a la ternura durante la estancia de Molly y Jason a bordo.

Tanya habló varias veces con sus hijos y les pidió disculpas. Ellos le dijeron que se tranquilizara y le aseguraron que se hacían cargo de la situación. Pero ni siquiera Tanya sabía si quería ser comprensiva. Douglas no era un hombre fácil de entender.

Después de aquellos días tranquilos, Tanya voló de vuelta a Los Ángeles junto a Douglas en su jet privado. Ella estuvo trabajando en el guión y Douglas se quedó adormilado durante el vuelo. Cuando llegaron, la acompañó al bungalow. Tanya sentía una gran tristeza. Los últimos días en el barco habían sido hermosos, pero su intento de que Douglas y sus hijos se relacionasen había sido un desastre. Ella sabía que el tiempo que compartían a solas no le bastaba para construir una vida junto a él. Para Tanya, sus hijos lo eran todo, así que su futuro con Douglas estaba lleno de incertidumbre. Después de la actitud del productor hacia sus hijos y de su incapacidad para adaptarse a ellos, la idea de tener una relación seria con él perdía fuerza.

—Te echaré de menos esta noche —dijo él dándole un beso.

Douglas parecía no darse cuenta de lo preocupada que estaba Tanya. Lo cierto era que, en su caso, en cuanto los chicos desaparecieron, se olvidó de ellos.

—Yo también —musitó Tanya.

Cuando Douglas se marchó, Tanya se dejó caer en la cama y se echó a llorar. Había tantas cosas de Douglas que le gustaban... Pero sus hijos eran algo esencial para ella. Por alguna razón —y era una realidad innegable— la relación con los chicos era imposible. Tal como le había comentado al conocerla, los niños le provocaban aversión, incluidos los de ella. ¿O quizá particularmente los suyos? Douglas quería estar solo con ella, y para Tanya, ella y sus hijos formaban un lote indivisible. Pero Douglas ni quería ni podía quedarse con el lote completo. Y eso lo cambiaba todo.

19

Durante el resto del mes de enero, Tanya intentó superar lo que había pasado en el barco. Cuando lo hablaba con sus hijos, volvía a disculparse y pedía que le diesen otra oportunidad en el futuro, o les decía que hablaría con él y trataría de que las cosas fuesen mejor.

Por lo demás, la relación entre Douglas y Tanya era perfecta. El productor se portaba maravillosamente con ella, la mimaba, la atendía, se mostraba afectuoso y pendiente de ella en todo momento. Le hacía regalos, la llevaba a cenar y tenía un gran respeto por su trabajo. Aunque había un aspecto de Douglas que la irritaba: solía tomar decisiones por ella. Decidió que necesitaba un filtro de aire en la habitación del hotel y encargó instalar uno sin consultárselo. Tanya no dudaba de sus buenas intenciones, pero el ruido del aparato le molestaba cuando escribía. Douglas había hecho planes para realizar otro viaje en barco durante las vacaciones de Semana Santa. Sin preguntárselo, lo dio por sentado y lo organizó todo. Tanya tuvo que explicarle que en aquellas fechas sus hijos tenían pensado ir a Hawai y que ella no quería dejarles solos. La respuesta de Douglas fue que les diese permiso para ir y que ella se embarcase con él. Para él, los chicos no existían. En febrero, Tanya tuvo un catarro bastante fuerte y Douglas llamó a su médico, encargó un antibiótico y ni siquiera le preguntó cuál era su opinión.

Sus intenciones no eran malas, pero era controlador y podía llegar a ser incluso prepotente. Además —un problema mayor para Tanya—, había declarado la guerra fría a sus hijos.

Tanya empezaba a sentirse muy presionada. Había aspectos de la relación que seguía adorando: su inteligencia; su vasta cultura; su profunda admiración por la escritura de Tanya; su sensibilidad al piano; sus relaciones sexuales, frecuentes y siempre satisfactorias. Era un amante muy cuidadoso —acariciaba su cuerpo como si fuera un arpa— y el sexo entre ellos era fabuloso, más aún que con Peter.

Pero era una relación únicamente entre adultos, en la que no tenían cabida sus hijos, y poco a poco Tanya se iba dando cuenta de que jamás la tendrían.

Douglas quería que vendiera cuanto antes la casa de Marin y se fuera a vivir con él a su casa de Los Ángeles; quería celebrar la boda aquel verano y pasar dos meses de luna de miel en su barco en Francia. Tanya le preguntó qué era lo que esperaba que hiciera con sus hijos durante todo aquel tiempo. Douglas se quedó mudo y después le propuso que los mandara con su padre. No podía entender que Tanya quisiera estar con él pero también con ellos, y que no estuviera dispuesta a cambiar una cosa por otra. Ella necesitaba ambas relaciones.

Acabaron de rodar *Gone* a finales de febrero y Tanya, tal como estaba planeado, se quedó dos meses más para la posproducción. El fin de su trabajo coincidió con la semana de la entrega de los Oscar. La película anterior, *Mantra*, había sido nominada a cinco estatuillas, incluida la de mejor película, pero no a la de mejor guión. Douglas le dijo con una seguridad pasmosa que lo ganaría con *Gone*.

Tanya había prometido a Douglas que iría con él a la entrega de los premios, un acontecimiento muy emocionante. Se había comprado un vestido de Valentino de un brillante y suave color plata, y pidió a las maquilladoras y peluqueras del rodaje que se ocupasen de arreglarla para la ocasión. Cuando bajó de la limusina del brazo de Douglas, Tanya estaba espectacular. Parecía una diosa griega. Sabía que sus hijos la estarían viendo por televisión en sus respectivas residencias y saludó a las cámaras.

La noche fue larga, agotadora y decepcionante. *Mantra* no ganó el Oscar a la mejor película. Aunque el rostro de Douglas era inescrutable, Tanya percibió cómo se le tensaron los músculos de la mandíbula cuando anunciaron el nombre de la película ganadora. Durante el resto de la noche, no disimuló su mal humor. No era un buen perdedor.

Tanya recordaba lo que Max le había comentado sobre Douglas al conocerse. El productor era todo poder y control, y era adicto a ambos. Si seguía con él, siempre la estaría controlando, tomando decisiones por ella y excluyendo a sus hijos. A pesar de las muchas cosas maravillosas que tenía, sabía que no podía seguir adelante. Cuando volvieron a pasar por la alfombra roja al salir de la entrega, Tanya lo hizo con la cabeza gacha pensando en ello.

Estaban obligados a asistir a media docena de fiestas aquella noche, pero Douglas se mostró completamente ausente. No había ganado y era un hombre programado para el éxito y la victoria. Sin ellos, su ego quedaba herido, y no podía soportarlo. Douglas tenía que ganar, debía tener siempre el control y el poder. También sobre ella, pensó Tanya con tristeza. Por mucho que le gustase Douglas, no era suficiente. Aunque el sexo fuera extraordinario, aunque Douglas la amara y quisiera casarse con ella, no podía ofrecerle la vida que ella necesitaba, una vida donde estuvieran también Jason, Megan y Molly. Esa vida no era la de Douglas, y jamás lo sería. En cuanto lo tuvo claro, los sentimientos que tenía hacia el productor empezaron a marchitarse como flores en invierno.

—Deprimente, ¿verdad? —comentó Douglas mientras la acompañaba en coche de vuelta al hotel.

Antes de la ceremonia le había propuesto que fuera a dormir a su casa, pero después de la decepción, ya no tenía ganas. Si no había Oscar, Douglas quería estar solo.

—Odio perder —añadió apretando los dientes.

Llegaron al hotel Beverly Hills y se bajaron del coche. La intención de Douglas era acompañarla hasta la puerta y marcharse solo a casa. Tal era su mal talante después de la derrota. Cuando llegaron a la puerta del bungalow, le dio un beso de despedida.

Tanya le miró con tristeza. Podría haber esperado y se sintió cruel por acabar de amargarle la noche, pero veía con una claridad diáfana que no podía ser. En cierto modo, ella también era un trofeo para Douglas. La guionista estrella que él sabía que ganaría un Oscar al año siguiente. ¿Y si no lo ganaba? Eso era lo que más le importaba a Douglas. No había nada real en su vida. Para él, todo giraba alrededor de la victoria.

—Douglas, no puedo seguir con esto —dijo con voz queda y en tono de disculpa.

Tanya casi tenía miedo al verle tan enfadado por no haber ganado. Tanya había visto a Max en la ceremonia y, aunque el director también estaba decepcionado, se había limitado a encogerse de hombros, sonreír con ironía y darle un caluroso abrazo. Más allá del negocio del cine, Max tenía una vida. Douglas no. Para él el negocio lo era todo.

—¿Con qué no puedes seguir? —preguntó él con expresión aturdida.

No entendía qué le estaba diciendo. Habían confiado tanto en un futuro juntos... Pero había durado lo que tenía que durar. Ahora, Tanya solo quería marcharse y volver a Marin, donde la vida era real.

—¿Con qué? ¿Perder en la noche de los Oscar? Ya, yo tampoco. No te preocupes, Tanya, el año que viene ganaremos, estoy seguro.

—No me refiero a eso —dijo ella mirándole con tristeza—. Necesito una relación que incluya a mis hijos. Y la nuestra nunca será así.

Douglas se la quedó mirando fijamente y se hizo un largo minuto de silencio.

—¿Hablas en serio? Me dijiste que eran adultos.

—Tienen diecinueve y dieciocho años. No estoy lista para perderles de vista. Aunque sea solo durante sus vacaciones, todavía estarán conmigo algunos años. Y yo quiero que así sea. Siempre serán una parte importante de mi vida y no puedo prescindir de ellos para estar contigo.

—¿Qué es lo que me estás diciendo?

Douglas parecía petrificado. Jamás se le había pasado por la cabeza que Tanya pudiera hacer algo así. No pudo evitar preguntarse si lo habría hecho de tener en esos momentos un Oscar en la mano. Se dijo a sí mismo que probablemente no. Ganar lo era todo. Para ella, también. No había nada peor para un hombre que el olor a fracaso.

—Estoy diciendo que no puedo seguir con esto —dijo con tristeza, rotundidad y temblando de pies a cabeza.

Douglas no se dio cuenta de su temblor, ni de lo duro que le estaba resultando a Tanya decirle esas palabras.

—No funciona ni conmigo ni con mis hijos.

Douglas asintió, dio un paso atrás para poner distancia, hizo una leve inclinación con la cabeza, se volvió y se marchó sin decir una sola palabra. Tanya se quedó mirándole muy apenada, por él y por ella. Sabía que no lo entendía. Quizá la había amado tanto como él podía amar. Pero, aun así, jamás habría querido a sus hijos. Y eran demasiado importantes para Tanya para cambiarlos por un Oscar o por un hombre, fuera el hombre que fuese.

Entró en el bungalow y observó sus maletas, que ya había dejado preparadas. Se había quedado únicamente para acompañar a Douglas a la ceremonia. La película había terminado. En un par de meses, sus hijos volverían a casa por vacaciones. Al día siguiente y por segunda vez en un año, iba a abandonar el bungalow 2. Había llegado el momento de recoger la carpa del circo y regresar a casa.

20

Cuando Tanya regresó a Marin al día siguiente, su casa le pareció más deprimente que nunca. Como consecuencia de una de las últimas tormentas invernales, había entrado agua por las ventanas y encontró el sofá y la moqueta muy raídos. Tanya hizo una lista de cosas que había que cambiar y otras que quería arreglar para que la casa estuviera en buenas condiciones cuando llegaran sus hijos. Por lo menos, el tiempo era agradable e incluso hacía calor.

Desde la noche anterior, no había tenido noticias de Douglas, pero Tanya sabía que no volvería a llamarla. Las palabras de ella habían sido demasiado contundentes para que el productor pudiera asimilarlas, y a ello se uniría la sensación de fracaso al no haber ganado la estatuilla. Probablemente, se quedaría paralizado durante una temporada. Pero ella sabía que él jamás habría aceptado a sus hijos en su vida y, quisiera o no reconocerlo, ambos sabían que las cosas no habrían salido bien. No tenían el mismo estilo de vida ni los mismos valores y ninguno de ellos iba a cambiar.

Aquella vez, Tanya había vuelto a casa de verdad. Sabía que Douglas no iba a pedirle que hiciera otra película con él y ella tampoco quería. Le apetecía volver a escribir relatos, recuperar su apacible vida en Marin y estar con sus hijos cuando fueran a casa. Tenía una idea para una nueva antología de cuentos; ansiaba realmente estar en casa con sus vaqueros, sus camisetas y sin tener que arreglarse el pelo. Era lo que más le apetecía. Se había pasado veinte meses metida en la vorágine de Hollywood y ya era hora de instalarse de nuevo en casa. Los Ángeles era agua pasada.

Al cabo de dos meses, los chicos aterrizaron en casa. Buscaron algún pequeño trabajo para el verano, salían con sus amigos y, de vez en cuando, organizaban una barbacoa en casa. Tanya escribía por las mañanas y, cuando a sus hijos les apetecía, compartía su tiempo con ellos. Megan y Tanya habían logrado restablecer de nuevo sus lazos. Al parecer, Alice había intentado entrometerse entre Megan y su padre y la chica se sentía traicionada. Tanya conocía bien las traiciones de Alice.

Peter y Alice se casaron aquel verano en Mount Tam. Los chicos asistieron al enlace y Tanya pasó el día sola en Stinson Beach, mirando el mar; recordó los años que había vivido con su marido y el día de su boda. Era como si aquel día, una parte de ella muriera. Pero también sintió que enterraba algo que llevaba muerto bastante tiempo. Hasta cierto punto, se sintió aliviada.

Pasaron el mes de agosto en Tahoe y, al final del verano, los chicos volvieron a la universidad y Tanya se sumergió en un nuevo libro. Llevaba una semana trabajando sin descanso cuando recibió una llamada de su agente. Le quería comunicar que tenía una oferta fantástica. Tanya se echó a reír.

—No —dijo sonriendo al tiempo que apagaba el ordenador.

No le interesaba nada de lo que pudiera contarle. Los Ángeles era una etapa finiquitada. Había hecho dos películas, había aprendido mucho, había tenido una relación sentimental con uno de los productores más importantes de Hollywood y había vuelto a casa. No iba a moverse por nada del mundo y mucho menos por una película. Ya había vivido lo que era hacer una película, había conocido cómo era. Y punto. Con rotunda claridad se lo dijo a su agente.

—No seas así, Tanya. Deja que primero te cuente de qué va todo esto.

—No, no me importa. No trabajaré en más películas. Juré que iba a hacer solo una y al final he hecho dos. Se acabó. Estoy escribiendo un libro —dijo Tanya deseosa de explicarle la placidez, la felicidad y la tranquilidad que sentía.

—De acuerdo, me parece maravilloso. Estoy orgulloso de ti. Pero ahora déjalo un momento de lado y préstame atención: Gordon Hawkins, Maxwell Ernst, Sharon Upton, Shalom Kurtz, Happy Winkler, Tippy Green, Zoe Flane y Arnold Win. Chúpate esa, listilla.

Su agente había nombrado a las estrellas más importantes de Hollywood pero Tanya no sabía por qué.

—¿Y? —preguntó en tono condescendiente.

—¿Cómo que y... ? Es el reparto con el mayor número de estrellas que podrías reunir nunca; el reparto de la película en la que te quieren a ti. Algún loco de Hollywood admira tu trabajo y dice que pongas tú el precio. Y lo mejor es que se trata de una comedia, algo que a ti se te da bien. Te divertirás escribiéndola. Además, lo rodarán rápido y sin ninguna complicación. No se trata de un drama sobre el suicidio en el que hacen que los actores suden sangre en el rodaje durante dieciocho horas diarias. Quieren empezar en diciembre y rodar en dos meses. La preproducción empieza dentro de dos semanas y, después del rodaje, tendrás un mes para pulir los detalles. Como muy tarde, en febrero habrás acabado. Y encima te lo pasarás en grande y ganarás un montón de dinero, así que por la parte que me toca, te estaría muy agradecido si aceptaras.

Tanya se echó a reír.

—Gastos pagados y te darán el bungalow 2 —prosiguió—. Les comenté que eso tenía que formar parte del acuerdo y aceptan. ¿Qué me dices? ¿No te trato bien?

—Maldita sea, Walt. No quiero volver a Los Ángeles. Aquí soy feliz.

Bueno, no exactamente feliz, pensó Tanya, pero estaba en paz consigo misma y trabajaba a gusto.

—Bobadas. Estás deprimida, lo noto en tu voz. El nido está vacío, tu marido se ha marchado y la casa es demasiado grande para ti sola. Que yo sepa, no tienes novio y estás escribiendo relatos deprimentes. Solo de pensarlo hasta yo me deprimo. Será una buena terapia escribir una comedia en Los Ángeles. Además, nadie escribe comedias tan bien como tú.

—Oh, vamos, Walt... —vaciló Tanya.

Qué tontería. Aquella era su verdadera vida, no la de Hollywood.

—Mira, yo necesito el dinero y tú también.

Tanya se echó a reír de nuevo. Le tentaba el reparto, los nombres eran realmente increíbles y siempre le había gustado escribir comedia. El programa de rodaje era corto pero, aun así, detestaba tener que regresar a Los Ángeles, aunque fuese al bungalow 2. Sin embargo, había que reconocer que aquel bungalow era su segundo hogar y, ¿para qué negarlo?, tenía más amigos en Los Ángeles que en Marin. La gente de Ross la trataba como si fuera de otro planeta. Tal como Douglas había vaticinado, se había convertido en una extraterrestre. Ya nadie la llamaba para invitarla a nada. Estaban acostumbrados a que no estuviera allí; además, les parecía que Tanya se había vuelto muy sofisticada y que Marin se le había quedado pequeño. Peter y Alice habían terminado con toda su vida social y ahora Tanya estaba mucho más aislada de lo que estaría en Los Ángeles trabajando en una película. Por lo menos, allí podría ver a gente y divertirse un poco. En eso, Walt tenía razón.

—Mierda —murmuró Tanya riendo—. No puedo creer que me estés haciendo esto. Dije que no haría más películas.

—Sí, ya lo sé. Yo también dije que no quería más rubias en mi vida y el año pasado me casé de nuevo con una. Ahora espera gemelos. Hay cosas que nunca cambian.

—Te odio.

—Genial. Yo también a ti. Así que haz la película y pása-telo en grande. Aunque solo sea por conocer a los actores, merece la pena. En esta ocasión, pienso hacerte una visita durante el rodaje.

—¿Qué te hace pensar que he dicho ya que sí?

—He reservado hoy mismo el bungalow 2, solo por si acaso. ¿Qué me dices?

—De acuerdo, está bien. ¿Cuándo recibiré el borrador para el guión?

—Mañana. Te lo he enviado por mensajero hoy mismo.

—No les digas que sí todavía. Antes quiero verlo —dijo Tanya, tajante.

—Claro que no —replicó Walt recuperando su tono más ceremonioso y formal—. ¿Qué tipo de agente crees que soy?

—Un agente pesado y agresivo. Ahora va en serio, Walt. Es la última película que hago. Luego, solo me centraré en escribir libros.

—De acuerdo, tranquila. Seguro que con esta te lo pasas bien. Te estarás riendo hasta el día que vuelvas a Marin.

—Gracias —dijo Tanya pasando la mirada por la cocina de su casa.

No podía creer que hubiera aceptado hacer otra película. Pero al mirar a su alrededor y percibir el silencio que reinaba en la casa, supo que hacía bien. Allí ya no le quedaba nada. El espíritu y el propósito de su vida en Marin hacía tiempo que habían desaparecido. Peter estaba con Alice y sus hijos eran independientes. Ahí no le quedaba nada.

Al día siguiente leyó el borrador del guión y descubrió que la historia era una completa locura. Estuvo riéndose sin parar sentada a solas en la cocina. Y el reparto era insuperable. Llamó a Walt en cuanto acabó de leer las notas.

—De acuerdo, lo haré. Por última vez. ¿Entendido?

—Entendido, entendido. Por última vez. Ya verás, te lo pasarás en grande.

Dos semanas más tarde, Tanya llegó al hotel Beverly Hills y ocupó el bungalow 2, sintiéndose como un auténtico bumerán. No hacía más que regresar al mismo sitio, como un mal sueño que no deja de repetirse. Colocó el mobiliario tal como a ella le gustaba, puso las fotos de sus hijos por todas las habitaciones, se metió en la bañera y puso el jacuzzi en funcionamiento. Sonrió sintiéndose a gusto. Era como volver a casa.

A las nueve de la mañana del día siguiente ya estaba en el estudio y enseguida empezó la diversión. Era como si todos los miembros del equipo estuvieran como cabras. Estaban allí para revisar las notas y el resultado era una reunión donde se habían juntado todos los actores y actrices de comedia de Hollywood, de todas las razas, edades, tamaños y sexo. Solo hablar con ellos ya era divertido. No eran capaces de centrarse ni cinco minutos en un solo aspecto y no hacían más que proponer ideas y frases para cada uno de ellos. Tanya pensó que sería imposible conseguir que se aprendieran las líneas que ella escribiría. Se sentía como si hubiera aceptado trabajar en un manicomio donde los enfermos eran tan divertidos e increíbles que no podía dejar de reír en todo el día. Hacía años que no se lo pasaba tan bien. Habían acudido a conocerla todas las estrellas del reparto menos una, el actor principal, un hombre muy atractivo y extremadamente divertido a quien Tanya había conocido en una ocasión con Douglas y que le había causado muy buena impresión. Regresaba aquella noche de Europa, así que no se conocerían hasta el día siguiente.

Le resultaba extraño no estar con Douglas ahora que había regresado a Los Ángeles. Llevaba cinco meses sin saber nada de él, pero llamarle habría generado una situación muy extraña. Así que no lo hizo. Todo había acabado discretamente mal.

Aquella noche Tanya empezó a trabajar en el guión y

descubrió que la historia fluía sola. Podía imaginarse a cada una de las estrellas en sus respectivos personajes. Iba a ser una de las comedias más divertidas que se había escrito en años. ¿Qué importaba ganar o no un Oscar? Se lo iba a pasar maravillosamente. Ya se lo estaba pasando en grande. Aquella noche, dos de los actores la llamaron y acabaron haciéndola estallar en sonoras carcajadas. Mientras escribía los diálogos se moría de risa y también de ganas de oírlos en boca de los actores.

A la mañana siguiente, a las diez, estaba prevista la cita con Gordon Hawkins, la gran estrella. Tanya estaba sentada en la sala de reuniones, con los pies apoyados en la mesa y bebiendo un té, cuando llegó el actor. Tanya había estado ya con una de las estrellas del reparto charlando y riendo. Hawkins entró en la sala, fue directo hacia donde estaba Tanya y se sentó a su lado.

—Me alegra saber que no estás trabajando a destajo —soltó.

Después cogió el té de Tanya, le dio un sorbo y poniendo cara de asco añadió:

—Creo que le falta azúcar. Mira, acabo de bajar del avión. Vengo de París, estoy cansado, me encuentro mal, tengo el pelo sucio y no estoy muy gracioso ahora mismo. No me pagan tanto como para tener reuniones con *jet lag*, así que me voy al hotel. Nos veremos mañana. Resultaré mucho más divertido después de haber dormido un poco. Vendré con mis notas.

Se levantó, dio otro sorbo al té, negó con la cabeza, tiró el vaso y salió de la habitación. Tanya le miró sonriendo.

—Supongo que esta es nuestra gran estrella. ¿Dónde se aloja? —preguntó Tanya a uno de los ayudantes de producción.

—En el Beverly Hills, en el bungalow 6. Siempre se aloja allí. Ha hecho inscribir su nombre.

—Somos vecinos. Yo estoy en el 2.

—Ten cuidado. Es un auténtico donjuán.

Ya habían empezado a circular apuestas sobre cuál de las estrellas sería su víctima en aquella película. No había rodaje en el que no se liara con alguna de sus compañeras de reparto. Era fácil adivinar por qué: era uno de los hombres más guapos que Tanya había visto nunca. Tenía cuarenta y cinco años, un pelo de color ébano, ojos azules, un auténtico tipazo y una sonrisa que quitaba el aliento.

—Creo que estoy a salvo —dijo Tanya—. Me parece que la última chica con la que salió tenía veintidós años.

—No hay mujer que esté a salvo con Gordon. Se lía con alguien en cada película. Ahora no está casado, pero saca mucho provecho de su soltería en los medios y suele regalar unos anillos impresionantes a todas sus novias.

—¿Tienen que devolverlos después?

—Probablemente. Creo que los pide prestados.

—Vaya. Creía que por lo menos podría quedarme el anillo —dijo Tanya con una sonrisa mientras miraba a su alrededor—. Mierda, me ha tirado el té.

Alguien le tendió otra taza y siguieron con la reunión. Fue un día relajado y lleno de bromas. Estuvieron probando cómo sonaban las frases en boca de sus protagonistas y discutiendo si se sentían cómodos con los diálogos. Después, Tanya regresó a su bungalow a escribir. A medianoche seguía trabajando y riéndose a solas, cuando oyó que alguien llamaba a su puerta. La abrió con un lápiz en el pelo y otro en la boca. Era Gordon Hawkins con una taza de té en la mano.

—Prueba este —dijo tendiéndole la bebida—. Es mi marca preferida. Lo compro en París y no ataca los nervios. Lo que bebías esta mañana era una mierda.

Tanya sonrió y dio un sorbo. Gordon entró en la habitación.

—¿Por qué tu bungalow es más grande que el mío? —preguntó mirando a su alrededor—. Yo soy mucho más famoso que tú.

—Cierto. Pero quizá mi agente es mejor —replicó Tanya.

El actor se dejó caer en el sofá y encendió la televisión. Estaba loco, pero al mismo tiempo resultaba fascinante. Con aquellos ojos tan azules y el cabello tan negro, parecía un irlandés excéntrico. Balanceaba los pies repantigado en el sofá mientras buscaba en el TiVo dos de sus programas favoritos. Parecía un hombre nervioso y divertido. Solo con verle, a Tanya le entraba la risa. Había puesto cara de pocos amigos, pero en sus ojos se adivinaba una expresión divertida.

—Vendré aquí a ver mis programas favoritos —dijo tranquilamente—. En mi bungalow no hay TiVo. Creo que voy a tener que despedir a mi agente. ¿Quién es el tuyo?

—Walt Drucker.

—Es bueno —dijo asintiendo—. Una vez vi una de tus telenovelas. Era espantosa pero, aun así, lloré.

Después, en tono de advertencia, añadió:

—En esta película no quiero tener que llorar.

Su aspecto era el de un chico de treinta y cinco años y actuaba como si tuviera catorce.

—Te prometo que no llorarás. Estaba trabajando en el guión ahora mismo. Gracias por el té, por cierto.

Tanya dio otro sorbo. Tenía sabor a vainilla y la etiqueta era francesa. Estaba bueno.

—¿Has cenado ya? —preguntó Gordon.

Tanya negó con la cabeza.

—Yo tampoco. Todavía estoy con el horario cambiado. Creo que a mí me toca desayunar —comentó mirando su reloj—. Eso es. Las nueve y media de la mañana en París. Me muero de hambre. ¿Quieres desayunar conmigo? Lo cargaremos a tu habitación.

Gordon cogió el menú del servicio de habitaciones, llamó y pidió tortitas. Le propuso a Tanya que ella pidiera tostadas o tortilla, para que pudieran repartírselo. Sin saber muy bien por qué, Tanya aceptó. Aquel hombre ejercía un extraño efecto sobre ella. Estaba tan loco que conseguía que le siguiera el juego, aparte de la fascinación que sentía por trabajar con aquel excelente actor.

Comieron las tortitas, las tostadas, varios bollos y una macedonia de frutas, todo regado con zumo de naranja. Era la comida más absurda que Tanya había tomado nunca. Mientras tanto, Gordon comparaba las virtudes de Burger King y McDonald's.

—En París como muy a menudo en McDonald's —explicó—. Allí lo llaman MacDo. Y eso que me alojo en el Ritz.

—Hace años que no voy a París.

—Tendrías que volver, seguro que te iría bien.

Gordon volvió a tumbarse en el sofá, exhausto después de la comilona. Acto seguido, irguió un poco la cabeza y miró a Tanya con interés.

—¿Tienes novio?

Tanya se preguntó si era simple curiosidad o si tenía un interés particular.

—No —contestó sin más.

—¿Por qué no?

—Estoy divorciada y tengo tres hijos.

—Yo también estoy divorciado y tengo cinco hijos, todos de madres distintas. Las relaciones largas me aburren.

—Eso he oído.

—Ah, así que te han advertido sobre mí, ¿no? ¿Qué te han dicho? Seguro que te han contado que me lío con una mujer distinta en cada película. A veces solo lo hago para la promoción. Ya sabes cómo funciona esto.

Tanya asintió. Se preguntaba si realmente estaba tan loco como parecía. Eran casi las dos de la madrugada y empezaba a notar que el sueño la vencía, pero Gordon estaba totalmente despierto y, según el horario parisino, con un día entero por delante. Tanya, sin embargo, iba con el horario de Los Ángeles y estaba rendida. Al ver que bostezaba, el actor se incorporó.

—¿Estás cansada?

—Más o menos —contestó ella, y le recordó que tenían una reunión a la mañana siguiente temprano.

—De acuerdo —dijo él levantándose.

Parecía un niño larguirucho y desgarbado. Se pasó un buen rato buscando uno de sus zapatos.

—Duerme un poco —aconsejó despidiéndose desde la puerta.

Se marchó enseguida y Tanya se quedó de pie en medio de la habitación sonriendo. Al cabo de un instante, sonó el teléfono.

—Gracias por el desayuno —dijo Gordon educadamente—. Estaba delicioso y ha sido divertido charlar contigo.

—Gracias. Contigo también. El desayuno estaba muy bueno.

—La próxima vez podemos tomarlo en mi habitación —se ofreció.

Tanya se echó a reír.

—No tienes TiVo.

—Mierda. Es verdad. Mañana mismo llamaré a mi agente para quejarme. ¿Puedes hacerme un favor mañana? Despiértame. ¿A qué hora te levantas?

—A las siete.

—Llámame cuando te vayas.

—Buenas noches, Gordon —dijo Tanya intentando sonar firme.

La verdad era que Gordon podía avisar en recepción para que le despertaran. Era lo que Tanya tendría que haberle dicho, pero era tan encantador y excéntrico que era difícil resistirse. Se sentía como si acabara de adoptar a un crío.

—Buenas noches, Tanya. Que duermas bien. Hasta mañana —se despidió Gordon.

Al apagar las luces, Tanya seguía sonriendo. Se puso el camisón, se metió en la cama y cayó rendida pensando en Gordon. Iba a ser realmente divertido participar en aquella película. Por una vez en la vida, Walt tenía razón.

21

El rodaje de la película resultó ser una diversión constante. Tanya trabajaba en un plató rodeada de una docena de actores de comedia, con una historia muy divertida y un guión jocoso. Los cómicos eran incapaces de actuar sin echarse a reír y, como consecuencia, las tomas falsas eran aún más divertidas que las escenas de la película. El director era un hombre con un agudo sentido del humor, el productor una excelente persona y los cámaras, encantadores. Además, el guión se escribía prácticamente solo y Tanya disfrutaba trabajando en él. Le encantaba ir cada mañana al plató y, al acabar el día, solía llamar a sus hijos para explicarles todo lo concerniente a su trabajo. Molly estuvo de visita en el rodaje y se quedó prendada del equipo. Como a todo el mundo, Gordon Hawkins le pareció maravilloso.

En la segunda semana de rodaje, Tanya y el actor principal ya habían congeniado. La guionista se fijó en que el actor pasaba revista a todas las mujeres que había a su alrededor, como si calibrase cuál de todas ellas iba a convertirse en su siguiente presa. Pero en el reparto, había mujeres suficientemente inteligentes para no liarse con él. Al parecer, su objetivo no estaba siendo fácil en aquel rodaje, algo que resultaba totalmente inédito.

Una noche, en el bungalow de Tanya, mientras ella hacía

cambios en el guión y él veía la televisión recostado en el sofá, le preguntó con preocupación:

—¿Te parezco mayor, Tanya?

Acababa de zamparse un par de hamburguesas y un batido, pero su apetito voraz no impedía que se mantuviera relativamente delgado. Se pasaba muchas horas en el gimnasio.

—¿Mayor en relación con quién? —preguntó ella sin prestarle mucha atención.

Gordon pasaba muchas horas tumbado en el bungalow de Tanya hablando sin cesar. No le gustaba estar solo y se sentía a gusto con Tanya.

—Más mayor de lo que parecía antes —aclaró cambiando de canal por enésima vez en la última hora.

Se pasaba el día haciendo *zapping*. Cuando Tanya prestaba atención a la pantalla y descubría algo que le habría gustado ver, al instante siguiente había desaparecido. Eran escenas muy similares a las de su vida de casada.

—No lo sé, acabo de conocerte. No sé qué aspecto tenías antes.

—Es cierto. Es que en esta película no hay mujeres que merezcan la pena y me resulta muy deprimente. Tendrían que haber contratado una para mí.

—Por lo que he oído, te las arreglas bastante bien solo —le recordó Tanya.

Pero Gordon negó con un vehemente movimiento de cabeza.

—Bobadas. Siempre me lío con mujeres que trabajan conmigo. Fuera del plató, no conozco nunca a nadie.

—A lo mejor, por una vez en la vida, tendrás que hacer un esfuerzo e intentarlo —dijo ella apagando el ordenador, consciente de que no iba a poder seguir trabajando con Gordon en la habitación y dispuesta a pasar un rato ameno charlando con él.

—Qué chorrada —comentó él—. ¿Y tú? Eres una mujer superatractiva.

—Gracias —respondió Tanya tomándose el comentario simplemente como un cumplido.

Tanya siempre le decía a Gordon que mentía más que hablaba, algo que él solía admitir sin problemas.

—¿Te gusto? —preguntó él con una mirada inocente.

Tanya se echó a reír. Se estaban haciendo grandes amigos y confiaba en que la amistad durase más que el rodaje de la película. Tanya podía afirmar sin la menor duda que Gordon le gustaba: era un tipo divertido, hasta cuando no pretendía serlo; parecía inofensivo y, más allá de su excentricidad, era buena persona; daba la impresión de que adoraba a sus hijos, a sus ex mujeres y a sus ex novias y, para colmo, tanto sus hijos como sus ex, le adoraban también.

—Me gustas mucho —dijo ella sinceramente—. ¿Te está entrando una crisis de autoestima? ¿Llamo a tu psiquiatra?

—No, está de vacaciones en México. Debo de pagarle más de la cuenta. A mí también me gustas mucho. Deberíamos salir juntos durante la película.

—¿Estás loco? Doblo en edad a las mujeres con las que sueles salir. Además, no pienso comprometerme contigo si no me garantizas que podré quedarme con el anillo.

—Qué lata —comentó él, pensativo—. Podríamos salir sin comprometernos. A mí me iría mucho mejor.

—O no salir y decir que salimos —bromeó Tanya.

Gordon se incorporó de golpe como si hubiera tenido una revelación.

—Dios mío, creo que me gustas, Tanya. De verdad. Acabo de darme cuenta.

—Debe de ser que tienes hambre. Llama al servicio de habitaciones.

—Hablo en serio. Me atraes. Ahora lo veo claro. Eres muy divertida, eres inteligente y tremendamente sexy.

—No soy sexy.

—Sí, sí lo eres. A mí las mujeres inteligentes me parecen sexy.

—No soy tu tipo —le recordó Tanya sin dejarse impresionar por su gran descubrimiento.

Interpretó sus palabras como una simple fanfarronada, aunque no podía negar que era divertido escucharle. Siempre se lo pasaba bien a su lado y era agradable contemplarle.

—No, no eres mi tipo —reconoció Gordon—. Suelo salir con chicas más tontas y con tetas más grandes. ¿Y yo? ¿Soy tu tipo?

—En absoluto —aseguró Tanya—. Me gustan más mayores, más serios y más pijos. Mi marido era abogado.

—Entonces no hay duda de que no soy tu tipo —dijo él encantado con aquella nueva revelación—. ¿Sabes lo que eso significa? —añadió Gordon claramente emocionado.

—Sí, que no saldremos juntos —contestó Tanya riéndose—. Hasta ahí llego.

—No, nada de eso. Cuando sales con alguien que no es tu tipo, te casas. Cuando es tu tipo, tienes una aventura apasionada y rápidamente lo echas todo a perder. Pero siempre te casas con aquellas personas que no son tu tipo. Ninguna de mis mujeres era mi tipo —sentenció, como si así confirmara su teoría.

—Pero ya no estás casado con ninguna de ellas, un punto en contra de tu hipótesis.

—Sí, pero sigo queriéndolas. Y ellas a mí también. Creo que son maravillosas.

—Acabas de convencerme, Gordon. Creo que estás realmente loco. Quizá deberían meterte en un manicomio.

—Hablo en serio. Quiero salir contigo. Si lo prefieres, no nos comprometeremos ni nos casaremos. Intentémoslo y a ver qué pasa.

—Mis hijos me matarían si me casara contigo.

En realidad, Molly opinaba que Gordon no solo era maravilloso sino también el hombre más divertido que había conocido. Aunque Tanya estaba completamente de acuerdo con su hija, eso no convertía a Gordon en un candidato a pareja sentimental. Solo era una compañía divertida.

—Mis hijos te adorarían —dijo él muy serio—. ¿Qué me dices?

—Creo que ya va siendo hora de que vuelvas a tu habitación, seguro que es hora de que tomes tu pastilla. Si sigues más rato aquí diciendo tonterías, tendré que tomarme yo una.

De pronto, Gordon se puso en pie, fue directo hacia donde Tanya estaba sentada y la besó en la boca con delicadeza pero con un beso de verdad. Ella le miró con expresión alucinada y escandalizada a un tiempo. Gordon acababa de hacer algo bastante escandaloso. Pero era tan persistente y tan increíblemente sexy, que Tanya no pudo evitar devolverle el beso mientras se preguntaba por qué actuaba así. Entonces, Gordon volvió a besarla. Besaba extraordinariamente bien.

—¿Ves lo que te digo? No eres mi tipo pero me pongo como loco contigo, Tanya.

—Tú también me pones como loca —reconoció Tanya totalmente obnubilada.

Pero luego, añadió:

—Gordon, esto no es una buena idea. Estamos cometiendo una tontería. ¿Por qué no nos limitamos a ser amigos?

—Enamorémonos. Es más divertido —propuso Gordon.

—Si lo hacemos, será un desastre.

—No, no lo será. Ya te lo he dicho. A lo mejor acabamos casados.

—¡Ni hablar! —se escandalizó Tanya.

—De acuerdo, lo siento. No mencionaré el matrimonio nunca más. Vámonos a la cama —dijo él tomándola por el hombro y besándola apasionadamente.

Era imposible echarse atrás: era divertido y maravilloso para ambos. Para Tanya, Gordon era el hombre más sexy y divertido que había conocido jamás, una combinación insuperable y a la que era casi imposible resistirse. Aunque lo intentara, no lo lograría, porque Gordon no iba a dejar de besarla.

—No pienso irme a la cama contigo —dijo Tanya haciéndose la ofendida.

Él no rebatió aquella afirmación, pero media hora más tarde estaban juntos en la cama. Después, Tanya se horrorizó ante lo sucedido; no conseguía creer que hubiera sido capaz de hacer algo así.

—Eres un lunático, Gordon Hawkins —dijo ella abrazándole.

Había sido una buena experiencia. Gordon era dulce, un amante fabuloso y había dicho que adoraba el cuerpo de ella.

—Eres maravillosa, Tanya —dijo abrazándola y oliéndola, como si fuera un cachorro gigantesco.

Era dulce, afectuoso, delicioso. A Tanya le encantaba estar con él y había sido hermoso hacer el amor.

—Vuelve a tu habitación, Gordon —dijo haciendo ver que hablaba en serio.

Gordon no se movió ni un centímetro; se quedó toda la noche en la cama de Tanya abrazándola. Hicieron el amor otras dos veces y durmieron como niños. A la mañana siguiente, cuando se despertaron, el sol ya entraba por la ventana. Se ducharon juntos, desayunaron en la habitación de Tanya y después Gordon volvió a su bungalow para vestirse. De camino al estudio, Tanya se quedó mirándole fascinada. No podía creer lo ocurrido, pero el caso era que, al contrario de lo que habría podido pensar, no se sentía mal por haberse acostado con él.

—A ver, ¿de qué va esto? —preguntó ella—. ¿Soy tu aventura de esta película? Qué locura.

—A lo mejor dura para siempre —dijo él, esperanzado—. Nunca se sabe. Me encantaría. Me gustas mucho, Tanya.

—Tú a mí también, Gordon —corroboró ella suavemente.

«¿Qué estás haciendo?», se preguntó Tanya. No tenía respuesta, pero, de cualquier modo, no hacía daño a nadie y se lo estaba pasando bien. ¿Qué había de malo en ello?

22

La relación sentimental que Tanya mantuvo con Gordon Hawkins durante el rodaje de la película fue, con toda seguridad, la mayor locura que había cometido en su vida. No solo daba esa impresión, sino que así era como lo sentía y como lo estaba viviendo. Sin embargo, nunca se lo había pasado tan bien. Además, escribir el guión era coser y cantar.

Por la noche, Gordon se instalaba en el sofá y miraba la televisión; de ese modo, Tanya podía ensayar las distintas ideas en boca del actor. Gordon las encontraba más o menos graciosas, pero siempre hacía comentarios brillantes.

Tanya estaba emocionada con la evolución del guión, y aún más emocionada con la evolución de su relación con Gordon. Era un hombre maravilloso con las mujeres y, además, le gustaban de verdad, así que no era de extrañar que se hubiera casado tantas veces y hubiera tenido tantísimas novias. Por otro lado, no tenía una personalidad compleja ni egoísta, adoraba estar con Tanya y era, fundamentalmente, una buena persona.

Cuando Megan y Jason viajaron desde Santa Bárbara para visitar a su madre en el plató, Gordon estuvo tan encantador con ellos que sus hijos se enamoraron perdidamente de él y suplicaron a su madre que le invitara a pasar las vacaciones con ellos.

—Seguro que tiene cosas más interesantes que hacer —les

advirtió Tanya, para que no se hicieran muchas ilusiones.

Tanya sabía que su relación no era demasiado seria y no quería que sus hijos se encariñasen con Gordon. Sin embargo, el día que Tanya se armó de valor y le propuso pasar unos días en Marin, Gordon se mostró entusiasmado. Decidió que estarían unos días en casa de Tanya y luego irían todos a esquiar. Según él, nada podía apetecerle más que pasar una semana con ella y sus hijos.

Cuando Tanya vio a Gordon en Marin, no podía dar crédito a lo que veían sus ojos. El actor había cambiado de peinado y llevaba el pelo cortado a cepillo, vestía unos vaqueros y una camiseta de cuello alto y, a su alrededor, había cuatro enormes maletas llenas a reventar. Al ver a Tanya, su rostro se iluminó con una sonrisa de oreja a oreja, la tomó en sus brazos y empezó a darle vueltas y vueltas en medio de la cocina. Sus hijos les miraban divertidos. Les habría encantado que Gordon fuera a vivir con ellos, que era lo que parecía con aquella cantidad de equipaje.

Aquella noche, Gordon invitó a cenar a Tanya, a los chicos y a media docena de amigos. Después, ya en casa, hizo palomitas para todos y, cuando los chicos se fueron a dormir, ayudó a Tanya a recoger la cocina y la siguió hasta su dormitorio.

—Me encanta esta casa —dijo alegremente— y tus hijos son fantásticos.

Tanya empezaba a preguntarse si, por arte de magia, había encontrado al hombre de sus sueños o si Gordon venía de otro planeta. O ambas cosas.

A la mañana siguiente, Tanya y Gordon fueron de compras por Marin. La gente, alucinada, se paraba en medio de la calle al reconocer al actor y se quedaban mirándoles fijamente sin disimulo. Resultaba de lo más divertido.

—Dios mío, creo que es Gordon Hawkins... —susurró una mujer a la cajera del supermercado, mientras Gordon seguía sacando del carro las latas de chile que habían comprado para Jason.

Hiciera lo que hiciese y estuviera con quien estuviese, Gordon se lo pasaba siempre bien. Tanya no había conocido nunca a nadie con un carácter tan fácil. Cuando se marcharon a Tahoe, empezó a preguntarse si se estaría enamorando de él. De hecho, era imposible no hacerlo. No había nada en él desagradable y era increíblemente encantador con ella y con sus hijos.

Para colmo, demostró ser un esquiador extraordinario. Acompañó a Jason en todos los descensos más difíciles, estuvo enseñando a las chicas técnicas para esquiar mejor y tuvo tiempo de esquiar tranquilamente junto a Tanya. No había nada que no supiera hacer. Cuando salían por la noche, su presencia en los restaurantes causaba sensación. Todo el mundo le reconocía, quería su autógrafo, se paraba a charlar con él y se despedía convencido de que era amigo de Gordon Hawkins.

—Dios mío, Gordon, todo el planeta te conoce —comentó Tanya, que, aunque sabía que el actor era una gran estrella, no se había dado realmente cuenta hasta entonces de lo famoso que era.

—Eso espero —dijo él alegremente, mientras Tanya y sus hijos le observaban, tan felices como él—. Gracias a eso sigo en este negocio. Y de no ser por ello, no me habrían llamado para rodar esta película y no te habría conocido ni a ti ni a tus hijos. Así que es una suerte que todo el mundo me conozca.

Realmente, tenía razón.

Después de cinco días en Tahoe, llegó el momento de marcharse, con gran pesar para todos, sobre todo para los chicos. Aquellas vacaciones no se habían parecido en absoluto a las que habían pasado el año anterior en el yate de Douglas, una auténtica pesadilla para Jason y Molly, y también para Tanya. Estas últimas habían sido una pura alegría. Gordon se lo pasaba tan bien con todo —siempre estaba de buen humor, adoraba a todo el mundo y disfrutaba en todo momento— que contagiaba el gozo de vivir. Era imposible estar a su altura, así que Tanya ni lo intentaba. Tampoco se preguntaba ya qué tipo de relación tenía con Gordon, ni cuál era su significado o hacia dónde la llevaría. Se lo estaba pasando de miedo y dejaba que las cosas fluyeran sin más. Gordon hacía lo mismo; incluso había dejado de decir que Tanya no era su tipo.

Cuando acabaron las vacaciones y tuvieron que cerrar la casa de Marin para volver a Los Ángeles, a los dos les dio mucha pena, y por la noche, de vuelta en el bungalow 2, estaban algo melancólicos.

—Echo de menos a tus hijos —comentó Gordon, apesadumbrado—. Son estupendos.

—Yo también les echo de menos.

Después, llamaron por teléfono a los hijos de Tanya y a algunos hijos de Gordon. Tanya todavía no les conocía, pero Gordon le había asegurado que se los presentaría muy pronto. Tenían entre cinco y doce años y los cinco eran hijos de madres diferentes. Gordon había estado realmente ocupado. Sin embargo, mantenía muy buenas relaciones con todas ellas. Era tal la falta de malicia del actor que todas ellas, incluso después de romper con él, seguían adorándole.

Tal como estaba planeado, en el mes de enero terminaron la película. Gordon no tenía ningún rodaje en perspectiva, así que se quedó en el bungalow de Tanya hasta finales de marzo, mientras ella trabajaba en la posproducción del filme. Él pasaba el tiempo visitando a viejos amigos.

Al acabar la posproducción, Tanya decidió quedarse una semana más en el bungalow 2, pagando la estancia de su bolsillo, para asistir con Gordon a los premios de la Academia, a primeros de abril. Tal como Douglas había asegurado, Tanya estaba nominada al mejor guión por *Gone,* y la película, en total, reunía nueve nominaciones. Gordon nunca había ganado un Oscar, pero estaba emocionado con la nominación de Tanya y muy contento de acompañarla. Tanya consiguió entradas para sus tres hijos, así que iban a asistir los cinco juntos, un acontecimiento único en la vida de la guionista. Gordon la acompañó a comprarse el vestido para la gran noche y la convenció para que se quedara un Valentino muy escotado y sexy de color rosa pálido, con el que parecía una auténtica estrella de cine. Molly y Megan fueron también a Los Ángeles a comprarse sus vestidos.

La noche de los Oscar, Tanya fue a la peluquería a que la peinaran y maquillaran, se vistió con su Valentino rosa pálido y se calzó unas sandalias Manolo Blahnik con un tacón impresionante. Las chicas —que se habían comprado en Marc Jacobs dos vestidos con un estilo de princesas de cuento de hadas, en gasa y color pastel— también estaban preciosas. Jason y Gordon iban con el tradicional esmoquin. Cuando iniciaron el largo recorrido por la alfombra roja, formaban un grupo maravilloso. Tanya iba cogida del brazo de Gordon y una multitud de fotógrafos les detuvo para hacerles innumerables fotos. Por primera vez en su vida, Tanya se sintió como una estrella de cine. Se volvió y sonrió con timidez a sus hijos, que la miraban con una sonrisa resplandeciente y enormemente orgullosos de su madre. También Megan, que ya estaba de vuelta de su relación con Alice y volvía a hacer frente común con su madre. Alice no había resultado ser la aliada y amiga que los chicos habían creído en un principio. Al final, los tres habían llegado a la conclusión de que les había utilizado para conseguir a Peter y, a consecuencia de ello, la relación con su padre se había resentido. Molly le había confesado a su madre que no veía a Peter particularmente feliz y Tanya se preguntaba si estaría arrepentido. Pero ya era demasiado tarde.

El paseo por la alfombra roja parecía interminable. Los fotógrafos les paraban, las cámaras de televisión les iluminaban con sus potentes focos y los periodistas querían saber qué pensaba Tanya y qué sentía Gordon.

—¿Crees que tienes posibilidades? —preguntaban sin cesar.

—¿Qué sentirás si ganas? ¿Y si pierdes?

—¿Qué te parece no haber ganado nunca un Oscar? —preguntaban a Gordon.

Finalmente lograron entrar en el auditorio y ocupar sus asientos. La ceremonia también se hizo interminable. Gordon no paraba de bostezar y las cámaras le delataban. Cuando se daba cuenta de que le enfocaban, saludaba con la mano. Besaba a Tanya, bromeaba con los chicos, aplaudía cuando los ganadores subían al escenario. Y, por fin, llegó el momento. Los cinco guionistas aparecieron en la gigantesca pantalla procurando aparentar tranquilidad ante la audiencia, pero hechos un manojo de nervios. Mostraron escenas de las cinco películas, y seguidamente Steve Martin y Sharon Stone hicieron su aparición en el escenario con el sobre que contenía el nombre del ganador. Tanya estaba quieta como una estatua en su asiento apretando la mano de Gordon. Aunque se sentía una auténtica estúpida, de pronto aquello significaba muchísimo. Era lo que más deseaba en este mundo.

Al llegar, había visto que Douglas estaba sentado unas filas más adelante, pero el productor no había hecho amago de saludarla. Hacía un año que no le veía, desde la noche de los Oscar del año anterior, la noche de su ruptura. Tanya había mencionado a Gordon, de pasada, que había estado saliendo con Douglas, pero al actor no le importó lo más mínimo. Al fin y al cabo, él había salido con medio Hollywood.

Steve tendió el sobre a Sharon —impresionante con un vestido Chanel de corte clásico— y la actriz dijo el nombre. Tanya sintió que las palabras golpeaban sus oídos, pero no reconoció lo que había oído. Acto seguido, oyó el grito de Megan.

—¡Mamá! ¡Has ganado!

Gordon la estaba mirando con una amplia sonrisa, pero Tanya no acababa de comprender. Él la ayudó con delicadeza a levantarse de la butaca y por fin se dio cuenta de lo que estaba ocurriendo. Habían dicho su nombre: Tanya Harris. Acababa de ganar el Oscar al mejor guión por la película *Gone*. Se puso en pie medio aturdida, pasó por delante de Gordon y recorrió la fila de asientos a trompicones. Un asistente la acompañó hasta el escenario y, sin saber cómo, logró llegar al estrado. Se quedó mirando fijamente las luces que la enfocaban, intentando ver a sus hijos y a Gordon. Pero los focos la deslumbraban y era imposible ver nada. Lo único que podía hacer era estar allí de pie, temblando como una hoja y apretando con fuerza la estatuilla dorada que todos los allí presentes tanto ansiaban. ¡Cuánto pesaba!

Mientras Steve y Sharon desaparecían, se acercó al micrófono.

—Yo... no sé qué decir... no creía que fuera a ganar... y no logro acordarme de todas las personas a las que tengo que dar las gracias. A mi agente, Walt Drucker, por animarme a hacer la película; a Douglas Wayne por darme la oportunidad; a Adele Michaels, una directora increíble que convirtió la película en lo que es; a todos los que participaron en ella; a todos los que trabajaron tan duramente y tuvieron que soportar mis constantes cambios en el guión... Gracias por ayudarme y por enseñarme tantas cosas. Y por encima de todo, quiero dar las gracias a mis maravillosos hijos por su apoyo —en esos momentos los ojos de Tanya se llenaron de lágrimas—, por permitirme hacer la película y sacrificar tantas cosas para que pudiera venir a trabajar a Los Ángeles. Gracias, os quiero tantísimo... —para entonces las lágrimas ya le caían por las mejillas—. Y gracias, Gordon... ¡También te quiero!

Tanya salió del escenario. Unos instantes después, Tanya volvía por el pasillo central hacia los asientos donde Gordon y sus hijos la aguardaban. Al pasar junto a Douglas, este se puso en pie. Le dio un beso en la mejilla, le apretó la mano sin retenerla y con una sonrisa le dijo:

—Felicidades, Tanya.

—Gracias, Douglas —dijo ella mirándole a los ojos.

Lo decía de corazón. Era Douglas quien le había dado la oportunidad tanto para su primera como para su segunda película. Se acercó a él y le dio un beso en la mejilla. Después, volvió donde estaban Gordon y su familia. Las chicas estaban llorando y sus tres hijos la abrazaron. Gordon la besó en los labios con fuerza. Estaba guapísimo, henchido de orgullo.

—Estoy tan orgulloso de ti... Te quiero —dijo y volvió a besarla.

La ceremonia prosiguió, pero a Tanya ya no le pareció tan larga.

Gone lo ganó todo: mejor actor, mejor actriz, mejor película, mejor guión y mejor director. La película planteaba seriamente el problema del suicidio y era una película importante. Tanya sonrió al ver a Douglas subir al escenario. Se le veía extasiado. Recordó lo infeliz que se había sentido el año anterior al no ganar. Pero había tenido una buena compensación en aquella edición. Claro que Douglas quería ganar siempre. Hizo un discurso serio y emotivo. Tanya sabía que lo llevaba preparado.

Después de la ceremonia, Tanya concedió innumerables entrevistas, todas ellas sin dejar de apretar con fuerza su estatuilla. Seguidamente, fueron a la fiesta del *Vanity Fair* y a varias más. Cuando llegaron al bungalow, después de una noche increíble, eran las tres de la madrugada. Aquella noche dormían todos juntos —como una familia feliz y unida— en el bungalow 2; Tanya y Gordon juntos y los tres chicos en la segunda habitación, con Jason en una cama plegable. Cuando Tanya se metió en la cama junto a Gordon seguía con una sonrisa en los labios. Dejó el Oscar sobre la mesita de noche.

—¡Qué noche! —exclamó Gordon abrazándola.

Tanya estaba tan contenta de haber ganado el Oscar aquel año y no el anterior... Celebrar aquel acontecimiento con Gordon y con sus hijos era mucho más hermoso que haberlo hecho con Douglas, si todavía hubiera estado en su vida.

Al cabo de un minuto, estaba profundamente dormida. Gordon la miró con una sonrisa, le dio un beso en la mejilla y apagó la luz.

23

Tanya vivió los días posteriores al Oscar como si estuviera de resaca. Los chicos todavía no habían terminado la universidad y debían regresar a sus clases. Como ni Tanya ni Gordon tenían una película en perspectiva, este propuso que se marcharan juntos a París.

Se alojaron en el Ritz y pasaron una semana maravillosa, de compras, comiendo y bebiendo. Hizo un tiempo extraordinario, la ciudad no podía estar más maravillosa y los dos se sentían felices. Después, pasaron unos días en Londres y, de vuelta a casa, estuvieron unos días en Nueva York. Tanya no tenía ningún plan inmediato y Gordon estaba libre hasta agosto, fecha en la que empezaba su siguiente película, así que Tanya le invitó a pasar en Marin los meses de abril, mayo, junio y julio. Tanya temía que acabara aburriéndose, pero pareció encantado. Aunque Gordon poseía un apartamento en Nueva York, no parecía que tuviera ganas de regresar; estaba feliz viviendo con Tanya y sus hijos —que al acabar la universidad y encontrarse a Gordon en casa, se mostraron entusiasmados— hasta su vuelta a los platós de Los Ángeles.

Tanya se dedicaba a escribir un poco y Gordon se entretenía trabajando en el jardín. Alquilaron una casita en Stinson Beach para aquel fin de semana. Gordon la encontraba maravillosa.

—¿Sabes? Creo que podría acostumbrarme a vivir así —confesó a Tanya una noche tumbado en el sofá, mientras ella le acariciaba el cabello.

Se le veía relajado y feliz y Tanya sentía que hacía años que no había sido tan dichosa.

—Creo que al final te aburrirías —dijo ella intentando no entristecerse.

Seguía fiel a la promesa que se había hecho de vivir su amor con Gordon día a día. Ya llevaban juntos siete meses y hacía siglos que a Gordon no le duraba tanto una pareja. Cuando regresara a Los Ángeles a rodar, llevarían casi un año juntos.

—Creo que podría salirnos bien —dijo él, pensativo—. Es un bonito hogar al que poder regresar.

Después, con sinceridad, añadió:

—Y tú eres una mujer increíble, Tanya. Tu marido fue un estúpido al dejarte por otra.

Se habían encontrado con Peter y Alice en una ocasión y Gordon no se había quedado muy impresionado con ninguno de los dos.

—Pero me alegro de que lo hiciera, por supuesto —concluyó.

—Yo también —respondió Tanya.

Era lo que pensaba. Se sentía feliz con aquel hombre bueno y encantador, a pesar de sus excentricidades.

Pasaron junio y julio en Marin, y Gordon fue una semana con ellos a Tahoe. Después, tuvo que regresar a Los Ángeles a trabajar. Era el actor principal en una nueva película en la que participaba un elenco de actores increíble, entre ellos una hermosa estrella femenina. Gordon aseguró que en aquella ocasión y por primera vez en su vida, no le importaba quién fuera su compañera de reparto. Después de tantos años había encontrado lo que quería. Para él, la vida junto a Tanya era perfecta.

Tanya y sus hijos se quedaron en Tahoe hasta finales de

agosto. Después regresaron a Marin para organizar la vuelta a la universidad. Para entonces, Tanya ya había recibido varias ofertas para escribir el guión de diversas películas, pero ninguno le había interesado. Ni siquiera estaba segura de querer volver a escribir un guión. Había trabajado en tres películas y quizá ya era suficiente. Seguía empeñada en acabar su libro de relatos y estaba considerando la posibilidad de escribir una novela. Le apetecía perder un poco el tiempo. Había quedado en reunirse con Gordon en Los Ángeles en cuanto los chicos volvieran a la universidad. El actor había pedido el bungalow 2 del hotel Beverly Hills y Tanya se alojaría con él.

Se despidió de Megan y Jason por la mañana y seguidamente voló con Molly hasta Los Ángeles. Dejó a su hija en la universidad y después se dirigió al hotel a reunirse con Gordon. Era domingo y Tanya no le había avisado de que llegaba un día antes de lo previsto. Tanya ya había acabado todo lo que tenía que hacer en Marin, así que habían adelantado el viaje.

En el hotel la recibieron con la amabilidad de siempre y le entregaron la llave. Tanya se dirigió hacia el bungalow por el familiar sendero. Con una sonrisa en los labios, entró en la habitación. Estaba hecha un desastre y pensó que Gordon habría salido. Había un par de bandejas con los restos de un desayuno impresionante que todavía nadie había recogido. En la puerta colgaba el cartel de NO MOLESTAR. El actor odiaba que las empleadas del hotel le molestaran con la limpieza o comprobando si faltaba algo del minibar. Al fin y al cabo, era su día libre.

Tanya dejó cuidadosamente la maleta en el recibidor y entró en el dormitorio para darse una ducha. Al ver a Gordon dormido sobre la cama, con aspecto de niño grande, la primera reacción de Tanya fue sonreír. Pero entonces sintió como si le dieran un puñetazo. Junto a Gordon, envuelta en las sábanas, dormía profundamente una mujer rubia con un cuerpo espectacular. Tanya ahogó un grito y los dos se despertaron al mismo tiempo. Primero se incorporó la chica, que la miró sin saber qué hacer. Seguidamente, Gordon se volvió y vio a Tanya en medio de la habitación, mirándoles fijamente sin saber muy bien hacia dónde huir.

—Oh, Dios mío... Lo siento —musitó Tanya.

Gordon salió de la cama de un salto y miró a Tanya compungido. Por primera vez en su vida, no se le ocurrió nada gracioso que decir. La chica se metió en el baño, salió tapada con un albornoz y fue en busca de la ropa, que había dejado en la salita del bungalow. Se escabulló deseando desaparecer cuanto antes, pero Tanya tuvo tiempo de verla y reconocer a la actriz coprotagonista de la película.

—Supongo que hay cosas que nunca cambian —musitó Tanya con tristeza, mientras Gordon se ponía los vaqueros.

—Escucha, Tan... no significa nada, ha sido una estupidez, ayer bebimos más de la cuenta y la situación se nos fue de las manos.

—Siempre lo haces, siempre te acuestas con la estrella de la película. Supongo que si en nuestra película no hubieran sido todas tan feas, habrías acabado con alguna de ellas en vez de conmigo.

Ambos oyeron cómo se cerraba la puerta del bungalow. La actriz no tenía ningún interés en ser testigo de una escena doméstica.

—Eso son tonterías. Te quiero.

Era lo único que Gordon podía decirle. Llevaban juntos casi un año, una eternidad para él y tiempo suficiente para que ambos hubieran creído que iba en serio; tiempo suficiente para que Tanya hubiera llegado a creer que podían casarse. Habría deseado que así fuese.

—Yo también te quiero —dijo Tanya, apesadumbrada, y dejándose caer en un sillón.

Deseaba echar a correr pero no podía moverse. Se quedó allí sentada mirándole y notó cómo las lágrimas le caían copiosamente por las mejillas. Se sintió una estúpida.

—Siempre harás esto, Gordon. Cada vez que trabajes en una película.

—No, he cambiado. Adoro tu vida en Marin, te quiero y quiero a tus hijos.

—Nosotros también te queremos.

Tanya se levantó y echó un vistazo a la habitación. Supo que no quería volver a ver aquel bungalow nunca más. Habían pasado demasiadas cosas y había estado en él con demasiados hombres: Peter, Douglas, Gordon.

—¿Adónde vas? —preguntó Gordon presa del pánico.

—Me voy a casa. Este no es mi sitio, nunca lo ha sido. Quiero una vida auténtica, con alguien que quiera lo mismo que yo quiero, no con alguien que se acuesta con cada actriz con la que trabaja.

Gordon la miró pero no dijo nada. Llevaba acostándose con la actriz desde la segunda semana del rodaje y no tenía sentido mentir a Tanya. Ambos sabían que volvería a ocurrir. Para él, formaba parte de su trabajo.

Tanya tampoco dijo nada. Se dirigió hacia la puerta, cogió la maleta y se volvió para mirarle. Él no la detuvo, no le dijo que la amaba. Ambos sabían que así era, pero también que el amor no cambiaba las cosas. Él era así. Tanya salió del bungalow 2 y cerró suavemente la puerta, dejando a Gordon en el sitio que le correspondía.

24

Molly llamó a Tanya dos días más tarde a su casa de Marin. Había llamado al hotel y Gordon le había dicho que su madre había regresado a Ross.

—¿Ha ocurrido algo? —preguntó Molly—. Le he notado raro, bueno, más que raro, triste. ¿Os habéis peleado?

—Más o menos.

Tanya no quería explicar a sus hijos lo ocurrido, del mismo modo que no había querido contarles que su padre se había liado con Alice.

—En realidad —añadió casi sin poder hablar—, hemos roto.

Gordon no la había llamado. Estaba viviendo su apasionado romance con la estrella de la película. Ella era su tipo, Tanya no. Quizá por eso había durado tanto. Habían tenido una bonita historia y aunque Tanya quería afrontarlo con deportividad, estaba triste. Era la forma de hacer de Hollywood.

—Lo siento, mamá —dijo Molly con verdadera tristeza.

Todos habían querido a Gordon.

—A lo mejor vuelve —intentó animarla su hija.

—No, estoy bien. No es de los hombres que se quedan. No puede vivir en familia.

—Por lo menos has tenido nueve meses fantásticos —comentó su hija intentando consolarla.

A Tanya le parecía patético que lo máximo que pudieran durar dos personas adultas que se amaban fuera nueve meses. Ella y Peter habían durado veinte años. Sin embargo, en el momento en que él se acostó con Alice, todo aquel tiempo no significó nada. Ya nada duraba. En lugar de cumplirse, las promesas se rompían. Era algo que a Tanya le parecía muy triste y se deprimía pensando que nadie sabía lo que quería y cuando decía saberlo, lo estropeaba.

Estuvo charlando con Molly un buen rato, y más tarde Jason y Megan, a quienes su hermana avisó de lo sucedido, también la llamaron. Todos lo sentían muchísimo pero Tanya no les explicó los detalles.

Estuvo una semana llorando por Gordon y, finalmente, sola en su casa de Ross, volvió a refugiarse en sus relatos. Ahora, sin sus hijos, la casa le parecía muy vacía.

Estuvo trabajando durante meses sin descanso y sin apenas salir. Fue un otoño largo y solitario. Para Acción de Gracias, había acabado su libro de relatos y el día en el que sus hijos tenían que llegar a casa para la celebración de la festividad, recibió una llamada de Walt. Estaba muy contento de que Tanya hubiera acabado el libro y le comentó que ya tenía editor. Inspiró hondo y luego le anunció que tenía una película para ella. Sabía cuál iba a ser su reacción. Tanya le había dicho tajantemente unos meses atrás que no volviera a llamarla para escribir un guión, porque su relación con Los Ángeles había terminado y bajo ningún concepto regresaría. Había participado en tres películas, había ganado un Oscar y se había pasado prácticamente dos años en Hollywood. Suficiente. A partir de entonces, solo quería escribir libros, estaba decidida a trabajar en serio en una novela y a seguir viviendo en Ross.

—Diles que no me interesa —dijo Tanya con determinación.

No pensaba volver a Los Ángeles, no le gustaba la forma de vida de su gente ni sus valores. Y, menos aún, cómo se comportaban. No tenía vida alguna en Marin —ya no veía a sus antiguos amigos, mucho más próximos a Peter y a Alice—, pero no le importaba. Lo único que le interesaba era escribir y estar con sus hijos cuando volvían a Marin a visitarla. A Walt no le gustaba la vida que Tanya llevaba, pero había que reconocer que ahora su escritura era extraordinaria, mucho más rica, más potente y más profunda. Era evidente lo mucho que había sufrido. Pero seguía pensando que, con cuarenta y cuatro años, la escritora merecía una vida más plena.

—¿Puedo por lo menos contarte de qué va la película? —preguntó Walt, exasperado.

El agente sabía lo tozuda que era Tanya. Había cerrado la puerta a Hollywood y no quería volver a oír hablar de ellos. La había llamado con al menos una docena de propuestas desde que había ganado el Oscar.

—No, no me importa en absoluto. No voy a hacer una película y no volveré jamás a Los Ángeles.

—No tendrás que volver. En este caso, el director y productor es independiente. Quiere rodar la película en San Francisco y la historia te va como anillo al dedo.

—No, dile que se busque a otro guionista. Quiero escribir una novela.

—Oh, ¡por el amor de Dios, Tanya! Has ganado un Oscar. Todos te quieren a ti. Este tipo tiene una idea genial y ha ganado toda clase de premios, aunque todavía no ha ganado ningún Oscar. Podrías escribirle el guión con los ojos cerrados.

—No quiero escribir ningún guión —insistió Tanya—. Odio el mundo del cine. Esa gente no tiene ni integridad ni moral, son imposibles trabajando y cada vez que me acerco a ellos, mi vida se va a la mierda.

—Y tu vida ahora es maravillosa, ¿verdad? Te has convertido en una ermitaña y lo que escribes es deprimente. Después de leerlo, tengo que atiborrarme de antidepresivos.

Tanya sonrió. Tenía razón, pero también era buena literatura y Walt lo sabía, aunque le doliera reconocerlo.

—Pues ve pidiendo otra receta, porque la novela que voy a escribir no es precisamente muy alegre.

—Deja de escribir cosas deprimentes. Además, este tipo quiere hacer una película seria. Podrías ganar otro Oscar —añadió Walt intentando encandilarla sin éxito.

—Ya tengo uno, no necesito otro.

—Claro que sí. Podrías utilizarlos como sujetalibros, para aguantar todos esos libros deprimentes que escribirás encerrada en tu castillo.

Tanya se echó a reír.

—Te odio.

—Me encanta cuando dices eso —comentó Walt—. Quiere decir que te estoy convenciendo. El productor es inglés y quiere conocerte. Estará en San Francisco esta semana.

—Oh, por el amor de Dios, Walt. No sé por qué te hago caso.

—Porque tengo razón y tú lo sabes. Solo te llamo cuando hay algo realmente bueno, y esta película es buena de verdad. Lo intuyo. Le conocí en Nueva York hace unos días y es un buen tipo que hace un buen trabajo. Ha hecho unas películas excelentes y en Inglaterra tiene mucho prestigio.

—De acuerdo, me reuniré con él.

—Gracias. Y no olvides bajar el puente levadizo para cruzar el foso.

Tanya ahogó una carcajada.

Más tarde, recibió la llamada de Phillip Cornwall, el productor y director británico. Se mostró muy agradecido por permitirle que le contara la historia de la película. Walt ya le había advertido que había muy pocas posibilidades de que Tanya quisiera concederle un solo minuto de su tiempo.

Quedaron para tomar un café en el Starbucks de Mill Valley. Tanya llevaba el pelo largo y hacía seis meses que no se ponía ni pizca de maquillaje. Si bien era cierto que el tiempo que había pasado con Gordon le había proporcionado alegría y diversión, perderle le había sentado fatal. En los últimos años había sufrido demasiadas decepciones y había perdido a demasiados hombres, así que no tenía ningunas ganas de volver a intentarlo. Cuando la vio, Phillip captó de inmediato el sufrimiento de Tanya. En sus ojos podía adivinarse el dolor que ya había leído en sus libros.

Mientras Tanya tomaba un té y Phillip un capuchino, este le contó el argumento: quería arrancar la película con la muerte de una mujer durante un viaje y retroceder hasta el principio de la historia de la protagonista; explicar sus orígenes y cómo había contraído la enfermedad del sida como consecuencia de las prácticas bisexuales secretas de su marido. Era una historia narrativamente compleja pero con una temática simple. Tanya encontró interesante todo lo que Phillip le contó y le gustó su forma de narrarlo. Le pareció que tenía un acento encantador y le interesó que quisiera rodar en San Francisco. Apenas se fijó en el aspecto del director, pero le gustó su creatividad y la complejidad de sus planteamientos. Era joven y atractivo, pero no le interesó en absoluto como hombre. A su entender, sus pulsiones sexuales estaban dormidas o, simplemente, muertas.

—¿Por qué yo? —preguntó en voz baja mientras sorbía el té.

Tanya se había informado de que Phillip tenía cuarenta y un años, había rodado media docena de películas y había ganado varios premios. Le gustaba su forma directa de hablar y que no hubiera intentado ablandarla ni conquistarla. Tenía claro que era poco probable que Tanya aceptase el proyecto y quería convencerla con los méritos de la historia y no camelándola. Eso le gustó, sobre todo porque le parecía que ya estaba por encima de los halagos. Además, Phillip parecía muy interesado en su opinión y en su consejo.

—He visto la película por la que ganaste el Oscar. En cuanto la vi, supe que quería trabajar contigo. Es increíble.

Una película con un mensaje potente, como la que él quería rodar.

—Gracias. ¿Qué hacemos ahora? —preguntó Tanya queriendo saber sus planes.

—Yo vuelvo a Inglaterra —dijo él sonriendo.

Tanya se dio cuenta de que parecía cansado. Era como si fuera dos personas en una: joven y viejo a la vez, sabio pero con capacidad todavía para sonreír. En cierto modo, se parecían bastante. Ninguno de los dos era todavía mayor, pero ambos parecían haber sufrido en la vida y estar cansados.

—Espero reunir el dinero necesario, recoger a mis hijos y venir a vivir aquí un año entero para rodar la película, si tengo suerte. Me consideraría muy afortunado si aceptaras escribir el guión.

Era el único halago que se había permitido y Tanya sonrió. Phillip tenía unos ojos de un marrón profundo y cálido que parecían haber visto muchas cosas, algunas de ellas difíciles.

—No quiero escribir más guiones —confesó Tanya con sinceridad.

No le explicó por qué y él no se lo preguntó. Respetaba sus límites tanto como respetaba su profesionalidad. Para él, Tanya era como un icono y consideraba que tenía un talento extraordinario. No le molestaba que se mostrase distante y fría con él. La aceptaba tal como era.

—Eso me ha dicho tu agente. Tenía la esperanza de convencerte.

—No creo que puedas —dijo ella con sinceridad, a pesar de que la historia le había encantado.

—También me dijo eso.

Aunque después de hablar con Walt, Phillip prácticamente había perdido la esperanza de que Tanya escribiera el guión, consideraba que había merecido la pena intentarlo.

—¿Por qué vas a traerte a los niños contigo? ¿No sería más fácil que los dejaras en Inglaterra mientras tú haces la película?

No era más que un detalle sin importancia, pero Tanya sentía curiosidad y se había atrevido a preguntar. Él, menos audaz, la miraba con aquellos ojos marrones que acentuaban la palidez de su rostro enmarcado por oscuros cabellos; unos ojos que buscaban respuesta a mil preguntas que no osaba formular.

Phillip respondió con simplicidad, sin dar demasiados detalles.

—Mis hijos tienen que estar conmigo. Mi mujer murió hace dos años mientras montaba a caballo. Los caballos eran su pasión y ella era muy testaruda. Saltando un seto, se cayó y se rompió el cuello. A pesar de que llevaba la equitación en la sangre, era un terreno muy accidentado. Así que no tengo con quién dejar a los niños, por lo que vendrán conmigo.

Lo contaba con pragmatismo, sin compadecerse de sí mismo. Tanya se sintió más conmovida de lo que quiso aparentar.

—Además —añadió Phillip—, si estoy solo me siento muy desgraciado. Desde que murió su madre, nunca me he separado de ellos. Esta es la primera vez y solo he hecho un viaje corto para poder conocerte.

Era difícil que Tanya no se sintiera halagada y conmovida a la vez. Las palabras de Phillip explicaban lo que Tanya había leído en sus ojos y en su rostro. En ellos había dolor y valor, una combinación que le gustaba. Como le gustaba lo que le había contado sobre sus hijos. Todo en Phillip era auténtico, sin rastro de Hollywood.

—¿Cuántos años tienen? —preguntó con interés.

—Siete y nueve, una niña y un niño. Se llaman Isabelle y Rupert.

—Muy británicos —dijo ella recibiendo una sonrisa por respuesta.

—Necesito alquilar una casa. Si conoces algún sitio realmente barato...

—Quizá —dijo ella echando una mirada a su reloj.

Aquella tarde llegaban sus hijos a casa, pero había quedado con suficiente tiempo de antelación para no tener que ir con prisas. Phillip era un hombre con una pesada carga, pero no parecía lamentarse por lo ocurrido. Estaba intentando salir adelante, mantener a sus hijos junto a él y seguir trabajando. Había que reconocerle el mérito.

Tanya vaciló y después, sin saber muy bien por qué o quizá por lástima, decidió lanzarse.

—Puedes quedarte en mi casa hasta que encuentres un sitio. Tengo una casa cómoda y grande, y mis hijos están en la universidad. Llegan esta noche pero normalmente solo están en Navidad y en verano, así que podrías instalarte una temporada. Aquí hay colegios muy buenos.

—Gracias —respondió Phillip que, conmovido por la oferta, no podía articular palabra—. Son buenos niños y están acostumbrados a viajar conmigo, así que se portan bastante bien —añadió después.

Era la frase que todos los padres decían de sus hijos, pero Tanya pensó que, probablemente, siendo británicos, sería cierto. Además, hasta que encontrasen un apartamento de alquiler, darían un poco de vida a su casa. Aunque no quisiera escribir el guión, quería ayudarle. Tendría que buscarse otro guionista pero podía instalarse con sus hijos en su casa hasta que se situara.

—¿Cuándo vuelves? —preguntó Tanya con preocupación.

—En enero. Cuando terminen el trimestre escolar, sobre el 10 más o menos.

—Perfecto. Mis hijos ya habrán regresado a la universidad y hasta las vacaciones de primavera no volverán a aparecer por casa. ¿Cuándo te marchas?

—Esta noche.

Phillip había dejado el dossier sobre el proyecto encima de la mesa. Tanya lo cogió y él contuvo la respiración. Lo sujetó en las manos durante un interminable minuto y sus miradas se cruzaron.

—Lo leeré y te diré algo. De cualquier modo, puedes quedarte en mi casa. No te hagas muchas ilusiones. No escribiré otro guión pero puedo decirte lo que pienso —dijo Tanya, impresionada por la historia y por su creador.

Se levantó con la carpeta entre los brazos.

—Te llamaré después de leerlo. Pero no des nada por sentado. Es muy difícil que me decida a hacer otra película. Por buena que sea tu historia, el cine y yo hemos terminado. Quiero escribir una novela.

—Espero que esta sea la historia que te haga cambiar de idea —deseó levantándose él también.

Era un hombre alto y delgado.

Apenas intercambiaron una sonrisa. Phillip le dejó su número de móvil en Inglaterra y en la carpeta constaba su número de casa. Tanya le dio las gracias por haber viajado desde tan lejos para conocerla. A pesar de que le parecía una auténtica locura, Phillip le dijo que había merecido la pena, aunque su respuesta fuera finalmente negativa. Se dieron la mano y Phillip se marchó.

El director británico subió en su coche de alquiler y se alejó de la ciudad mientras Tanya conducía de vuelta a casa. Al llegar, dejó la carpeta encima de su mesa, pensando que ya encontraría algún momento más adelante para leerla. Dos horas más tarde, Molly, Megan y Jason llegaron a Marin y la casa cobró vida de nuevo. Estaba tan feliz de tenerles con ella que se olvidó del proyecto hasta después del fin de semana de Acción de Gracias. El domingo por la noche, cuando los chicos ya se habían ido, vio la carpeta encima del escritorio y lanzó un suspiro. No quería leerla pero se había comprometido a hacerlo y sentía que, por lo menos, le debía a Phillip una oportunidad.

Se sentó a leer la historia; a medianoche había terminado. Aunque deseaba odiar a Phillip, no podía. Sabía que tenía que escribir aquel guión y que sería el último. Mientras lo leía, había tomado numerosas notas y se le habían ocurrido un millón de ideas. Anhelaba escribir aquel guión. Phillip había construido una historia brillante, limpia, clara, pura, simple y potente a la vez que compleja y enrevesada. Tenía que escribir el guión.

Eran las ocho de la mañana en Inglaterra y Phillip estaba preparando el desayuno para sus hijos cuando sonó el teléfono.

—Lo haré —dijo Tanya oyendo el ruido de los niños al otro lado del teléfono.

Aquel lío de voces de niños a la hora del desayuno era un sonido que Tanya conocía bien y que añoraba enormemente. Sería bonito tenerles con ella, aunque fuera solo unos días, o durante el tiempo que tardaran en encontrar un lugar para vivir. Y tenía muchísimas ganas de escribir el guión.

—Perdona... ¿qué has dicho?

Rupert estaba gritando al perro justo cuando Tanya pronunciaba aquellas palabras. Oía cómo el animal ladraba de nuevo.

—Lo siento pero no te he oído. Ya ves qué ruido hay aquí.

—He dicho que lo haré —repitió Tanya suavemente y con una sonrisa.

Esta vez, Phillip sí la oyó. Hubo un largo silencio en el que solo pudo oír a los niños chillando y al perro ladrando.

—Joder. ¿Hablas en serio?

—Sí, claro. Y juro que será mi último guión. Pero creo que puede ser una película hermosa y me he enamorado de tu idea. El borrador que me diste me ha hecho llorar.

—Lo escribí para mi mujer —confesó Phillip—. Era médico, una mujer maravillosa.

—Eso suponía —comentó Tanya, que ya había imaginado que, aunque la mujer de Phillip no hubiera muerto de sida sino montando a caballo, la historia era una recreación de su muerte—. Voy a empezar a trabajar ahora mismo. La novela puede esperar. En cuanto cobre algo de sentido, te enviaré por fax lo que tenga.

—Tanya —dijo Phillip con voz ahogada—. Gracias.

—Gracias a ti —replicó ella.

Eran dos personas que llevaban mucho tiempo sin sonreír y que, de pronto, estaban exultantes. Para Tanya no cabía duda de que iba a ser una película fabulosa. Confiaba en escribir un guión magnífico. Iba a darlo todo.

Al día siguiente, Tanya empezó a trabajar. Le llevó tres semanas redactar un borrador con sentido en el que las diferentes escenas quedaran organizadas y la historia fluyera. Cuando le envió por fax a Phillip una primera idea, se acercaba la Navidad. Phillip lo leyó en una sola noche y, a la mañana siguiente, telefoneó a Tanya.

En San Francisco eran las doce de la noche y Tanya estaba sentada en su escritorio trabajando en el guión.

—Me encanta lo que has preparado —dijo Phillip rebosante de entusiasmo—. Es simplemente perfecto.

Phillip esperaba mucho de Tanya pero el resultado era aún mejor. La guionista estaba convirtiendo su sueño en realidad.

—A mí también me gusta —reconoció Tanya con una sonrisa mirando por la ventana y contemplando la noche—. Creo que puede funcionar.

Mientras lo escribía, Tanya había tenido que ahogar sus lágrimas, una buena señal. Y lo mismo le había ocurrido a Phillip.

—¡Creo que es fantástico! —exclamó él.

Estuvieron charlando durante casi una hora, discutiendo algunos problemas con los que se había encontrado a la hora de montar el guión, pasajes difíciles, escenas que ella no había sabido cómo resolver. El proyecto solo estaba arrancando, pero la conversación fue un fructífero intercambio de ideas y acabaron resolviendo los problemas que habían surgido. Al colgar, Tanya se dio cuenta, sorprendida, de que habían estado dos horas al teléfono.

Phillip seguía con su plan de viajar el 10 de enero a Estados Unidos. Quería contratar a actores locales y conocía a un cámara sudafricano muy bueno con el que había coincidido en la escuela; vivía en San Francisco. El presupuesto de Phillip era más bien reducido, así que le había ofrecido a Tanya lo máximo que podía por escribir el guión. Tanya le había estado dando vueltas y finalmente le dijo que había decidido no cobrar nada de entrada y quedarse con un porcentaje de la película al final. Creía que el proyecto era una buena inversión y le interesaba más el trabajo con el director y productor que el dinero.

Poco antes de Navidad logró darle un buen empujón al trabajo y el guión empezó a fluir solo. Parecía que Tanya estuviera predestinada a escribir aquella historia. Escribía todo lo que Phillip sentía y él estaba entusiasmado.

Los chicos pasaron la Navidad con Tanya en casa; fueron unas vacaciones fantásticas. Megan le contó a su madre que tenía un nuevo novio en la universidad y Molly le anunció que había decidido ir a Florencia a estudiar el curso siguiente. Después de las fiestas, Jason se marchó a esquiar con sus amigos.

Tanya contó a sus hijos que estaba trabajando en una película independiente, lo que despertó su interés inmediatamente. Apenas les habló de Phillip Cornwall, era lo de menos. Lo que de verdad había atrapado a Tanya era la historia. Había estaba trabajando en ella desde después de Acción de Gracias. Phillip había sido el catalizador, pero ahora Tanya estaba totalmente seducida por la historia porque, como cualquier buena historia, tenía vida propia.

Tal como estaba previsto, Phillip llegó el 10 de enero acompañado de sus hijos, Isabelle y Rupert, de siete y nueve años respectivamente. Ya había comenzado a buscar apartamento y le aseguró que se quedaría el menor tiempo posible. Tanya instaló a Phillip en la habitación de Molly y a los niños en la de Megan. Junto a la cama de su hija, colocó una cama plegable para que los niños pudieran dormir el uno junto al otro. Eran unos niños adorables y británicos al cien por cien: muy educados, con un comportamiento ejemplar, guapos, dulces, con unos enormes ojos azules y el cabello rubio. Parecían niños de película. Según Phillip, eran la viva imagen de su madre.

Cuando entraron en casa de Tanya, se quedaron mirándola con sus enormes ojos azules, mientras Phillip los mostraba con orgullo. A Tanya le bastaron cinco minutos para darse cuenta de que el director de cine era un buen padre y que adoraba a sus hijos tanto como ellos a él. Formaban una maravillosa unidad.

Llegaron agotados tras el largo viaje y era la hora del té en Inglaterra. Tanya había ido a una tienda de productos ingleses para comprar galletas de allí y la típica crema espesa que en Inglaterra se solía tomar. Les preparó unos bocadillos, chocolate caliente con nata, fresas cortadas y jamón. Cuando los niños lo vieron, se pusieron a dar gritos de alegría. Les gustaban tanto las galletas que Isabelle prácticamente se sumergió en la merienda y acabó con la nariz llena de nata. Phillip se la limpió entre risas.

—Eres una pequeña cochina, Isabelle. Tendremos que darte un buen baño.

Para Tanya era maravilloso que la casa volviera a llenarse de voces infantiles. Oyó sus risas en su habitación, mientras hablaban con su padre, y por la noche oyó cómo Phillip les contaba un cuento antes de dormirse.

Una hora más tarde, Phillip apareció en la cocina, donde Tanya estaba trabajando en el guión, y le anunció que los pequeños ya estaban profundamente dormidos.

—Están agotados del viaje —explicó Phillip.

—Tú también debes de estar agotado —dijo Tanya levantando la vista y sonriendo.

Los ojos de Phillip indicaban cansancio pero también felicidad. Se moría de ganas por sumergirse en la película.

—Pues la verdad es que no —repuso él, sonriendo—. Estoy emocionadísimo de estar aquí.

Al día siguiente acompañaría a los niños al colegio, y esa misma semana quería reunirse con el cámara. Tenían un millón de cosas que hacer y de cuestiones que discutir, así que, en cierto modo, era más fácil trabajar viviendo en la misma casa. Estuvieron horas charlando y bebiendo té, hasta que finalmente el *jet lag* pudo con Phillip y se fue a la cama.

A la mañana siguiente, Tanya les preparó el desayuno, le explicó a Phillip cómo llegar al colegio y le prestó el coche. Dos horas más tarde, después de haber dejado bien instalados a los niños en su nueva escuela, Phillip estaba de vuelta, a punto para ponerse manos a la obra. Estuvieron toda la semana trabajando sin descanso en el guión. Tenían el proyecto controlado y avanzaban a pasos de gigante, con más facilidad y mucho mejor de lo que ninguno de los dos había creído posible. Intercambiaban ideas constantemente; las propuestas de ambos enriquecían día a día el guión y la historia. Formaban un buen equipo.

Tanya pasó el fin de semana con Phillip y sus hijos enseñándoles el barrio y, cuando él tuvo que ausentarse para ir a visitar un posible apartamento de alquiler, Tanya se ofreció a quedarse con los pequeños. Hicieron bizcochos y fabricaron muñecos en papel maché, algo que Tanya solía hacer con sus hijos muchos años atrás. Cuando Phillip regresó, la cocina era un caos pero los niños estaban radiantes y encantados con su nueva amiga. Isabelle había hecho un antifaz y habían llenado la cocina de muñequitos y animales.

—Madre mía, ¿qué habéis estado haciendo? ¡Qué caos! —comentó Phillip riendo y observando que Tanya tenía la barbilla cubierta de papel maché.

Ella se la limpió cuando Phillip se lo señaló, y con una sonrisa afirmó:

—Nos lo hemos pasado fenomenal.

—Eso espero. Hará falta una semana entera para limpiar todo esto.

Recogieron las creaciones de los niños y las pusieron a secar. Después, Phillip ayudó a Tanya a limpiar y ordenar la cocina. Los niños salieron a jugar al jardín. Tanya todavía conservaba los columpios de cuando sus hijos eran pequeños y estaba encantada de ver que alguien volvía a utilizarlos. La casa había vuelto a cobrar vida con ellos y Phillip aportaba algo nuevo y diferente al trabajo de Tanya. Ambos estaban aprendiendo mucho el uno del otro.

Phillip le comentó que había encontrado un apartamento en Mill Valley, pero que todavía tardarían una semana en poder ocuparlo. Tanya estaba feliz de tenerles allí, por lo que le embargó la tristeza.

—No te preocupes —dijo sonriendo—. Me dará pena que os marchéis. Es tan maravilloso volver a tener niños cerca...

Tanya estuvo a punto de pedirles que se quedaran, pero sabía que Phillip necesitaba tener una vida y un lugar propios. Por bonito que le pareciera a ella, no podían pasarse seis meses viviendo en las habitaciones de sus hijos.

—Espero que vengáis de visita a menudo —dijo—. Son unos críos encantadores.

Aquella tarde, los niños le habían hablado de su madre. Rupert le había explicado con solemnidad que había muerto al caerse de un caballo.

—Lo sé —había respondido Tanya, muy seria—. Me da mucha pena.

—Era muy guapa —había añadido Isabelle.

—No me cabe ninguna duda.

Tanya había logrado distraer su atención con el montón de papel maché y los lápices de colores. Les propuso que hicieran unos dibujos para su padre. Phillip había tenido una grata sorpresa al verles a los tres jugando; le conmovía que Tanya fuera tan amable con los pequeños.

Aquella noche Tanya les llevó a todos a cenar. Los niños comieron hamburguesas con patatas fritas y Phillip y Tanya un buen filete. Cuando volvieron a casa, con Phillip al volante y los dos niños charlando animadamente en la parte de atrás, Tanya sintió que volvía a tener una familia. Los niños contaron a Tanya que les gustaba su nueva escuela pero que después del verano, cuando su padre terminara la película, volverían a Inglaterra.

—Lo sé —dijo ella caminando junto a ellos hacia la casa—. Yo trabajo con vuestro padre en esa película.

—¿Eres actriz? —preguntó Rupert con curiosidad.

—No, soy escritora —respondió Tanya mientras ayudaba a Isabelle a quitarse el abrigo y la niña la miraba con una sonrisa deliciosa capaz de enternecer el corazón de cualquiera.

Aquella semana, Tanya y Phillip siguieron trabajando juntos en el guión. En realidad, era una forma casera de hacer la preproducción, de hilvanar la historia y evitar que hubiera fallos futuros.

El fin de semana siguiente, y con gran pesar de Tanya, Phillip y sus hijos se mudaron al apartamento. Les hizo prometer que la visitarían a menudo. Phillip cumplió su promesa y llevaba a los niños a ver a Tanya a menudo. Después de recogerles en el colegio iban los tres a su casa, y mientras los críos jugaban o hacían los deberes, los adultos seguían trabajando en el guión.

Phillip contrató a jóvenes actores locales y a una joven actriz de Los Ángeles. En abril empezaron el rodaje, y a finales de junio ya habían terminado. Llevaban ya seis meses trabajando juntos día y noche y Rupert e Isabelle estaban muy a gusto con Tanya. Solían ir a cenar a su casa y Tanya siempre procuraba comprar algún producto típico de su país en la tienda de alimentación inglesa que conocía. Le divertía estar con ellos. Un sábado en el que no tenían rodaje, les llevó al zoo ella sola; después se entretuvieron en un tiovivo y no regresaron al apartamento de Phillip hasta la hora de cenar. Llegaron con la cara llena de caramelo.

En verano, Tanya les llevó a los tres a la playa. Ella lo vivía como un regalo. Sus hijos eran ya demasiado mayores para esas actividades y hacían su vida.

Para Phillip, tener a Tanya cerca era un descanso. No había tenido intención de cargarla tan a menudo con sus hijos, pero ella no cesaba de asegurarle que estaba encantada y los niños, por su parte, se pasaban el día pidiéndole ir a verla. A lo largo de aquellos meses de intenso trabajo, Phillip y Tanya se habían convertido en amigos; habían compartido muchas confidencias sobre su vida, sus hijos, sus parejas e incluso su infancia. Tanya solía decirle que conocer a la gente en profundidad era una ayuda para su trabajo, para escribir mejor.

El último día de junio terminaron la película. Aquel fin de semana los hijos de Tanya regresaban a casa después de las últimas clases y ella se había comprometido con Phillip a quedarse con Isabelle y Rupert. Molly y Megan encontraron adorables a los pequeños y se los llevaron de paseo y a hacer recados con ellas. Isabelle era muy seria, pero Rupert tenía mucho sentido del humor y era un niño muy divertido. A Tanya se le encogía el corazón al pensar en el enorme cariño que había cogido a aquellos seres encantadores.

Cuando Phillip le dijo que en julio tenían que regresar a Inglaterra, Tanya tuvo que hacer un esfuerzo para no suplicarle que se quedara. No quería ni imaginar cómo se sentiría cuando volviera a reinar el silencio en su hogar. El solo pensamiento la horrorizaba. Estaban ya en plena posproducción y Tanya se sentía feliz de que el proceso se estuviera alargando. Hasta entonces, y durante todo el rodaje, habían trabajado de forma muy eficaz, algo de lo que Phillip se enorgullecía. Estaba muy ilusionado con el guión, y Tanya muy orgullosa de él.

Una noche, mientras trabajaban, Tanya confesó a Phillip su tristeza por perderles de vista. Él se sintió enormemente conmovido. Hasta entonces, habían tenido una relación muy profesional. Phillip era un hombre bastante formal y muy británico. Solo se relajaba cuando veía a Tanya con sus hijos. Cada vez que les veía a los tres, su corazón se henchía de felicidad.

—Creo que deberías quedarte un año más —le dijo Tanya bromeando una noche mientras cenaban todos juntos, con sus hijos respectivos.

—Solo si haces otra película conmigo —bromeó él también.

—Dios me libre —dijo Tanya, al tiempo que ponía los ojos en blanco.

Seguía jurando que aquella era su última película. Al final, habían tenido un trabajo enorme, mucho más del que ninguno de los dos había previsto. Pero también estaban convencidos de que el resultado era bueno. Phillip tenía pensado editar él mismo la película, una vez estuviese en Inglaterra, en un estudio que le había alquilado a un amigo.

A finales de julio la aventura americana de Phillip había tocado a su fin. Aunque Tanya no iba a compartir la última parte de la edición de la película con él, habían adelantado mucho trabajando juntos durante su estancia en Estados Unidos. Antes de volar a Inglaterra, quería pasar dos semanas viajando por California y, para sorpresa de Tanya, la invitó a ir con ellos. Isabelle y Rupert le suplicaron que aceptase. Lo cierto era que tenía tiempo de sobra antes de ir con sus hijos a Tahoe. De pronto, se le ocurrió una idea y se la comentó a Phillip:

—¿Por qué no venís con nosotros a Tahoe después del viaje? A nosotros nos encantaría y podríais iros justo después.

Phillip ya había avisado que dejaba el apartamento, así que Tanya le ofreció su casa de nuevo. Sería un verano muy alegre. Cuando Phillip aceptó la invitación para ir a Tahoe, Tanya accedió a acompañarles en su viaje.

Molly y Megan estaban encantadas con el plan de su madre. Aquel año habían estado muy preocupadas viéndola todo el día trabajando y tan apagada después de su ruptura con Gordon. Sabían que lo ocurrido en el bungalow había sido muy duro para Tanya y estaban felices de verla de nuevo relajada. Tenían muy claro que Phillip y su madre eran amigos, y a Megan, mucho más madura últimamente, le parecía estupendo.

Tanya, Phillip y los niños empezaron el viaje en Monterrey, donde visitaron el acuario y estuvieron paseando por Carmel. Después, viajaron a Santa Bárbara a visitar a Jason, que se había quedado en la universidad para hacer unos cursos de verano, y de ahí, viajaron a Los Ángeles. Estuvieron dos días en Disneyland; una gozada para Isabelle y Rupert. Tanya les acompañó en todas las atracciones, mientras Phillip hacía fotos sin parar. La última noche asistieron al espectáculo de luces y sonido. Isabelle tenía a Tanya cogida de la mano y cuando esta se volvió para mirar a Phillip, vio que la estaba observando con una sonrisa. Regresaron en tren hasta el hotel. Mientras se dirigían hacia sus habitaciones, Phillip le pasó el brazo a Tanya por los hombros. Quería darle las gracias pero no sabía cómo. Se habían repartido las habitaciones entre chicos y chicas. Isabelle estaba entusiasmada por dormir con Tanya. Phillip entró en la habitación de las chicas para dar un beso de buenas noches a su hija; después, mirando a Tanya con ternura, dijo:

—Gracias por ser tan maravillosa con mis hijos.

Isabelle se había quedado dormida abrazada a la muñeca de Minnie que Tanya le había comprado. Lo que más le había gustado a Rupert, por el contrario, había sido la atracción de Piratas del Caribe, en la que se habían subido dos veces.

—Les adoro —contestó Tanya—. No sé qué haré cuando os marchéis.

Sus ojos reflejaban una tristeza que, de pronto, descubrió también en los de Phillip.

—Yo tampoco —dijo él con dulzura.

Se dirigió hacia la puerta de la habitación y, cuando iba a salir, se volvió como si fuera a decirle algo. Se contuvo, pero finalmente dijo:

—Tanya, estos han sido los mejores meses de mi vida en mucho tiempo.

Phillip también sabía que habían sido unos meses muy felices para sus hijos, los mejores desde la muerte de su madre.

—Para mí también —susurró ella, sabiendo que, por encima de todo, el mayor regalo habían sido aquellos niños que habían conquistado su corazón por completo.

Al final, escribir el guión para la película había sido la guinda del pastel. Phillip asintió, dio un paso hacia Tanya y, sin pensarlo, le acarició el cabello. Tanya llevaba todo el día sin mirarse al espejo y sin preocuparse por su aspecto. Su atención se había centrado únicamente en Isabelle y en Rupert, en correr con ellos de un lado a otro, hacer cola en las atracciones, observar a Mickey y a Goofy, ocuparse de que comiesen algo. Llevaba muchos años sin disfrutar tanto y le gustaba compartir esa felicidad con Phillip, tanto como le había gustado compartir con él la película. Se le hacía extraño imaginar su vida sin él, y más aún, sin ellos tres. Se habían convertido en unos amigos muy queridos para Tanya y se había acostumbrado a tenerles cerca. Ver cómo partían hacia Inglaterra en unas semanas iba a ser una dura prueba.

Mientras Tanya pensaba en ello, Phillip la observaba; podía ver la tristeza en sus ojos. Él sentía lo mismo. No sabía cómo expresárselo. Hacía mucho tiempo que no hablaba íntimamente con nadie, así que abrazó a Tanya y la besó. El tiempo pareció detenerse para ambos. Cuando se separaron, Phillip seguía sin saber qué decir y temía haber cometido un terrible error.

—¿Me odias? —preguntó él con dulzura.

No era la primera vez que se le había pasado por la cabeza besarla, pero se había reprimido pensando que era una locura. No quería complicar las cosas mientras trabajaban juntos, y ahora era demasiado tarde. Estaba a punto de marcharse. Al menos le quedaba haber compartido su trabajo más importante con ella y saber que era una amiga muy querida.

Tanya negó despacio con la cabeza.

—No te odio. Todavía no te has marchado y ya te echo de menos.

Tanya pensó en lo extraña que era la vida. La gente entraba y salía de su vida con delicadeza o con crueldad, pero siempre de manera dolorosa. Les echaría terriblemente de menos. Miró a Phillip a los ojos preguntándose qué significaba aquel beso.

—No quiero irme —dijo él suavemente.

Ahora que había bajado la guardia, Phillip sentía que las emociones que llevaba meses ocultando le sobrepasaban.

—Pues no lo hagas —dijo ella.

—Ven con nosotros —suplicó él.

Tanya negó con la cabeza.

—No puedo. ¿Qué iba a hacer allí?

—Lo mismo que hemos hecho aquí. Haremos otra película juntos.

—Y cuando la película terminase, ¿qué? Aun así tendré que volver. Mis hijos viven aquí, Phillip.

—Son prácticamente adultos. Te necesitamos, Tanya... Yo te necesito —dijo con lágrimas en los ojos.

Phillip no sabía qué argumentos darle, pero sabía que no quería que aquello terminase, ni el viaje, ni el tiempo, ni la vida que había compartido con ella. Cuando se marcharan, se acabaría para siempre.

—¿Hablas en serio? —preguntó Tanya.

Phillip asintió y volvió a besarla.

—¿Y ahora qué hacemos? —preguntó ella, angustiada.

¿Por qué había tenido que ocurrir aquello tan cerca de su partida? Parecía que fuera ya demasiado tarde. Ellos tenían que marcharse y ella tenía que quedarse. Pero la vida se le antojaba vacía sin su compañía.

—Hablo muy en serio —dijo Phillip con solemnidad y abrazándola con fuerza—. Me enamoré de ti el día que nos conocimos, pero no quería estropear las cosas y decírtelo mientras trabajábamos juntos.

Era exactamente la actitud opuesta de la que mantenía Gordon en su vida, liándose sentimentalmente en cada película. Phillip había sido un auténtico profesional hasta el final. Quizá demasiado profesional. Podrían haber estado juntos durante todos aquellos meses.

Tanya también había sentido algo, pero había decidido hacer caso omiso. Había centrado toda su energía emocional en Isabelle, en Rupert y en la película. Pero ahora ya no podía seguir fingiendo que no sentía algo por Phillip. Y él solo quería abrazarla con fuerza y detener el tiempo. Estaban pasando sus últimos días juntos; después, tendrían que separarse para siempre.

—¿Por qué no hablamos de esto mañana? —pidió ella con cautela.

Él asintió y sus ojos se iluminaron con una chispa de esperanza. Volvía a vivir y veía que a Tanya le pasaba lo mismo.

—No estamos totalmente locos, ¿verdad? —preguntó Tanya con preocupación.

—Sí, pero no creo que tengamos otra elección. Yo no creo que pueda hacer otra cosa.

Tanya tampoco creía que tuviera elección. Se sentía arrastrada completamente por las palabras de Phillip y por los sentimientos que compartían. Todo había cambiado. Tanya quería detenerse y actuar con raciocinio, tomar decisiones razonables. Pero era como si las decisiones se estuvieran tomando por sí solas y estuviera perdiendo el control.

Miró a Phillip y él volvió a besarla antes de marcharse de la habitación. Tanya se quedó tendida en su cama, al lado de Isabelle, despierta. Sentía a la pequeña cerca y pensaba en su padre. ¿Qué extraño designio les había unido? ¿Y para qué, si al final tenían que acabar separándose? Tanya no quería volver a amar a alguien que no pudiera estar con ella o que tuviera que marcharse. Y ellos se iban al cabo de tres semanas. Sin embargo, ya se estaba enamorando de Phillip o quizá lo había estado durante todo aquel tiempo. No solo de él sino también de sus hijos. Pero no podía irse a vivir con ellos a Inglaterra. Debía existir otra solución y debía haber un modo de encontrarla. Se dijo a sí misma que aquello era el destino y que tenía que haber una solución. No podía ser de otro modo. Tenía que tener valor suficiente para buscarla y aún más valor para volver a confiar en la vida.

25

Para Phillip y Tanya el resto del viaje por California resultó muy extraño. Se pasaron la mayor parte del tiempo mirándose el uno al otro por encima de las cabezas de los niños y sonriendo. Habían descubierto una magia insólita, algo que llevaban compartiendo mucho tiempo y de lo que no se habían percatado hasta entonces. Pero ahora que había salido a la luz, ninguno de los dos quería oponer resistencia. No había modo de volver atrás y de ocultar lo que ambos finalmente habían descubierto y habían reconocido. Estaba ahí, expuesto a la luz del día y brillando con toda su fuerza.

Dieron largos paseos por las playas de San Diego; los niños delante, ellos un poco rezagados, mojándose los pies con las olas y recogiendo conchas de la orilla.

—Te quiero, Tanya —dijo Phillip suavemente con aquel acento que ya le resultaba tan familiar.

Tanya había estado absolutamente convencida de que ningún hombre volvería a dirigirle jamás esas palabras. Y convencida también de no querer oírlas.

—Yo también te quiero.

Pero no sabía qué hacer con aquel amor. Durante el viaje de vuelta a casa, ambos estuvieron pensando en ello en silencio.

Las hijas de Tanya parecieron no darse cuenta de la transformación que había experimentado su madre durante el viaje. Cuando llegó Jason, se fueron todos juntos a Tahoe. Una vez allí, por fin los tres chicos se fijaron en que estaba ocurriendo algo nuevo entre su madre y Phillip. Hasta entonces, habían creído firmemente que solo les unía el trabajo. Aunque a los tres les gustaba Phillip, sabían que el director y sus hijos volvían a Inglaterra en un par de semanas y veían claro lo complicada que era la situación.

Una noche, Phillip pidió abiertamente a Tanya que se fuera con ellos a Inglaterra, pero ella le explicó que no podía hacerlo. Tenía unos hijos y una vida.

—No puedo dejar a los chicos —sentenció.

Phillip no podía quedarse en Estados Unidos, puesto que solo tenía un permiso de trabajo temporal durante el rodaje. Ahora que la película había terminado, tenía que regresar. Estarían separados por casi diez mil kilómetros de distancia. El destino les había jugado una mala pasada.

Una noche, mientras cenaban, Molly comentó que tenía ganas de pasar un semestre en la Universidad en Florencia. Tanya y Phillip se miraron el uno al otro y ambos tuvieron la misma idea. Esperaron a que sus hijos estuvieran dormidos y, cuando Phillip empezó a hablar, Tanya tenía claro lo que iba a preguntarle.

—¿Querrías vivir conmigo en Italia durante un año mientras decidimos qué hacer con nuestra vida?

Uno de los dos iba a tener que mudarse y era demasiado pronto para decidirlo. Después de seis meses trabajando juntos se conocían muy bien, pero les quedaba mucho por descubrir, cosas que ambos habían olvidado y habían creído perdidas para siempre. Hasta entonces.

—Mis hijos no volverán a Marin hasta las vacaciones de Acción de Gracias —explicó Tanya a Phillip—. Cuando se vayan a la universidad en septiembre, podría ir a Inglaterra y estar contigo un par de meses. Desde allí tal vez podríamos buscar una casa cerca de Florencia. Si Molly va a la Universidad de Florencia el semestre después de Navidad, estaríamos cerca. Incluso podría vivir con nosotros. Y quizá Megan quiera ir también.

Jason no tenía mucho interés en estudiar en Europa, pero lo cierto era que tampoco dependía tanto de Tanya como sus hermanas. Además, para no interrumpir su vida académica, podría visitarlas durante las vacaciones.

—¿Vendrías aquí conmigo en Navidad? —preguntó ella.

—¿Por qué no? Tengo algunos puntos para volar gratis que tendría que amortizar —replicó Phillip con los ojos brillantes de emoción.

Había una solución y la estaban descubriendo juntos. Era como hacer un puzzle, como cuando lo que unos días atrás carece totalmente de sentido, empieza a encajar y se empieza a ver el cielo a través de los árboles.

—Podrías venir conmigo a Inglaterra hasta las vacaciones de Acción de Gracias y buscaríamos una casa en Italia. Luego yo iría contigo para Acción de Gracias y Navidad, y en enero nos instalaríamos en Italia, a tiempo para el comienzo de las clases de Molly. Podríamos quedarnos hasta el verano o durante el resto del año si nos gusta. Es un buen encaje de bolillos, ¿no? Creo que podría salir bien. Tendremos un año entero para ver qué pasa y para entonces ya sabremos qué hacer, ¿verdad?

Phillip la miró con cautela y Tanya se echó a reír.

—Me parece que acabamos de cuadrar el próximo año de nuestras vidas. Tal vez se nos ocurra una nueva película para hacer juntos. Durante este próximo año, pueden suceder muchas cosas, Phillip. Acaba de pasarnos algo increíble. Nos hemos enamorado, o al menos hemos aceptado lo que debió ocurrir hace ya varios meses pero no pudimos ver porque estábamos trabajando sin descanso. Ahora acabamos de organizar doce meses, o casi dieciocho, en los que poder vivir juntos. Me parece que somos unos hachas encontrando soluciones.

Había, claro está, algunas cuestiones que quedaban por resolver: encontrar una casa en Italia o las visitas a Santa Bárbara para ver a Megan en caso de que no quisiera irse con Molly, por ejemplo. No era un plan perfecto, pero podía funcionar. Estaba plagado de riesgos, como la vida misma. Pero ¿y si salía bien? ¿Qué más podían pedir? En la vida no hay nunca nada seguro ni nadie puede saber qué sucederá. No había garantías de que no les alcanzara una tragedia o el caos. Pero estando juntos, tenían muchas posibilidades de que las cosas fueran bien. No había nada que no pudieran lograr con amor, paciencia y valentía, máxime cuando ambos querían intentarlo.

Phillip rodeó a Tanya con los brazos y la atrajo hacia sí. Ella sintió su calidez, como siempre.

—No puedo creer que nos esté pasando esto, Tanya. Jamás pensé que volvería a enamorarme.

—Yo tampoco —dijo Tanya con dulzura.

Después, con sinceridad, añadió:

—Aunque la verdad es que tampoco quería. No quería volver a jugármela.

—Y ahora ¿qué opinas? —preguntó él con preocupación y ternura a la vez.

—No creo que tengamos elección. Creo que esta vez la decisión no la hemos tomado nosotros, así que hay que confiar y dejarse llevar. A veces, al emprender un camino, no se puede ver el final, pero hay que seguirlo.

Y eso era lo que estaban haciendo, arriesgándose juntos, solucionando los problemas, enfrentándose a los obstáculos, asumiendo los desafíos uno a uno.

—Yo siento que todo va bien, Tanya.

Y ella sentía lo mismo. No sabía cómo explicarlo o cómo justificarlo, pero sentía que todo estaba increíblemente bien por primera vez en mucho tiempo. Todo había cobrado sentido para ambos.

No había ningún indicio de que las cosas fueran a salir

mal, aunque tampoco la garantía de que salieran bien. Solo les quedaba la confianza y ambos, a la vez, habían decidido dar alas a esa fe. Parecía imposible que hubiera tal coincidencia, pero así era: ambos se habían enamorado, lo habían confesado, habían organizado un plan y habían encontrado una solución a sus problemas, todo a la vez. Mucho más difícil que aterrizar un Boeing en el pico de una montaña. Pero lo habían conseguido o, por lo menos, iban camino de hacerlo. Luego llegaría el día a día, pero en ese momento, solo necesitaban continuar por el camino que habían iniciado y tener un poco de suerte.

Con pasión, no había nada imposible. Un ejemplo de ello era la película que acababan de terminar y muchas de las cosas que les habían sucedido en la vida. Ambos habían sobrevivido a tragedias y a decepciones, como la muerte de la esposa de Phillip o el fracaso del matrimonio de Tanya. Pero lo habían superado y habían sobrevivido. A partir de ahí, todo debía ser más fácil.

Al día siguiente, les explicaron sus planes a los chicos y todos ellos los encontraron fantásticos. Megan decidió que le apetecía ir a Italia con Molly, sobre todo teniendo en cuenta que Phillip y Tanya tendrían una casa cerca en la que vivir. Jason, por su parte, no se sentía demasiado molesto porque se marcharan. Comentó que les visitaría durante las vacaciones de primavera y las de verano y añadió que llevaba mucho tiempo deseando hacer un viaje por Europa con sus amigos. Todos estaban emocionados, aunque también un poco sorprendidos por la nueva relación entre Phillip y Tanya. Pero cuanto más pensaban en ello, más ilusión les hacía. A Jason, Megan y Molly, Phillip les parecía un tipo fantástico.

La mejor prueba de la alegría general la dio Isabelle al saber que Tanya se quedaría con ellos en Inglaterra hasta las vacaciones de Acción de Gracias. Con gran pragmatismo, comentó:

—Estupendo. Así podrás peinarme como es debido para ir al cole, como mi mamá. Papá no sabe hacer coletas.

—Lo haré lo mejor que pueda —prometió Tanya.

Todos se miraban los unos a los otros y charlaban animadamente sobre los planes para el futuro. Se sentaron a cenar imaginándose la casa que alquilarían en Italia, discutiendo los planes universitarios de Molly y Megan, las coletas de Isabelle, la película que Phillip y Tanya harían. Rupert se acercó sigilosamente a Jason con una sonrisa pícara. Para el niño, Jason era lo más parecido a un hermano que podía tener y le hacía mucha ilusión estar con él.

—Me parece un poco de locos todo esto, ¿no? —comentó encantado de hacerse el hombrecito—. Pero a lo mejor funciona.

—Estoy de acuerdo —respondió Jason sonriéndole.

Era un niño encantador y tenía razón. No había motivo alguno por el que no pudiera funcionar. Con la suficiente dosis de amor y suerte, había muchas posibilidades de que saliera bien.

Finalmente, Phillip y Tanya no viajaron a Italia hasta finales de enero, cuando comenzaba el semestre de Molly y Megan en la Universidad de Florencia. En octubre habían encontrado una casa en las afueras de la ciudad, en perfecto estado, amueblada y suficientemente grande para todos. Solo tenían que llegar e instalarse. Phillip, Rupert e Isabelle pasaron la Navidad con Tanya y su familia en Marin. Los pequeños todavía creían en Papá Noel, así que la Navidad volvió a cobrar un aire infantil. Las chicas les ayudaron a preparar las galletitas y la leche para Santa Claus y zanahorias y sal para los renos. En el último momento, Rupert decidió añadir una cerveza.

En Inglaterra, el director del colegio les había permitido cogerse un mes de vacaciones, siempre y cuando se comprometiesen a llevarse un montón de deberes a California y hacerlos. En enero, Jason regresó a la Universidad de Santa Bárbara y las chicas se quedaron todo el mes en casa para preparar su semestre en Italia. Tanya las obligó a que estudiasen un curso elemental de italiano en una academia de idiomas, para que pudieran defenderse un poco al llegar. Ella hizo lo mismo, pero Phillip aseguró que él prefería aprender la lengua en la calle.

Pero la verdadera razón por la que retrasaron el viaje fue

porque querían asistir a la entrega de los Globos de Oro. Eran los premios de cine y televisión que concedía la prensa extranjera. No era una garantía absoluta, pero la película que ganaba el Globo de Oro solía hacerse tres meses después con el Oscar.

La película, que en honor a su fallecida esposa había rodado Phillip con el guión de Tanya, se había estrenado a finales de diciembre y estaba nominada al Globo de Oro a la mejor película. Phillip y Tanya querían asistir a la entrega, acompañados por todos sus hijos.

A diferencia de los Oscar, que se celebraban en un teatro, la entrega de los Globos de Oro se organizaba como una gala benéfica y los nominados e invitados se sentaban en mesas de doce personas. Era un acto muy divertido y siempre era emocionante ver quién se hacía con los galardones. Tanto Phillip como Tanya era la primera vez que asistían y para ellos había sido una sorpresa increíble descubrir que la película había sido nominada. Para Phillip suponía el cénit de su carrera. No era lo mismo para Tanya, que, al fin y al cabo, ya había ganado un Oscar el año anterior, pero estaba tan entusiasmada como él, y muy emocionada.

El día de la entrega fueron en avión hasta Los Ángeles con Rupert, Isabelle, Molly y Megan. Jason iría en coche desde Santa Bárbara y se reuniría allí con ellos. Se alojaban en el hotel Beverly Hills y todos estaban enormemente emocionados. En San Francisco habían comprado vestidos y un esmoquin para Phillip. Tanya se encargó de comprar la ropa de los más pequeños: un traje para Rupert en Brook's Brothers y un vestido de terciopelo negro para Isabelle. La niña estaba encantada y se lo había probado ya mil veces con sus botas de charol Mary Janes traídas desde Inglaterra.

Tanya había pedido dos bungalows, uno para ellos y otro para todos los chicos. Había solicitado específicamente que no le dieran el bungalow 2, pero finalmente Phillip y Tanya tuvieron que alojarse precisamente en ese y los niños en la suite presidencial. Creyeron que se trataba de un error, pero lo cierto fue que el hotel había considerado que el bungalow 2 era demasiado pequeño para los cinco chicos y, para su comodidad, había hecho el cambio con las mejores intenciones. De hecho, era mejor que tuvieran tres habitaciones, para evitar que estuvieran chocando los unos con los otros mientras se vestían, para que Isabelle y Rupert durmieran juntos y para que Jason tuviera una habitación para él solo.

Tanya entró en el bungalow 2 con el corazón encogido. No podía pensar en otra cosa que en la última vez que había estado allí: el día que había descubierto a Gordon con la actriz en la cama y la desagradable escena que se produjo a continuación. Antes de aquello, su relación con Douglas había terminado en la puerta de aquel bungalow y su matrimonio con Peter había empezado a hacer aguas cuando su marido la había visitado precisamente en aquel mismo lugar. Quizá había empezado todo antes, pero Tanya todavía podía acordarse perfectamente de la cara de Peter cuando, tras pasear la mirada por aquel bungalow, vaticinó que después de aquello ella nunca volvería a su vida anterior. Al final, Peter estaba equivocado. Él la había dejado y Tanya, al fin y al cabo, había regresado a casa.

Ahora volvería a marcharse, probablemente para bien. Iba en busca de una nueva vida, una vida que compartiría con Phillip en Italia, y quizá, algún día, en Inglaterra. No habían decidido dónde querían vivir y todavía tenían que comprobar que volaban bien juntos. Desde luego, hasta la fecha y después de dos meses en Inglaterra y tres meses más en Marin, todo iba estupendamente bien. Además, les quedaba un año entero en Italia. La aventura no había hecho más que empezar.

La voluntad de Tanya de evitar el bungalow 2 obedecía a que consideraba que había estado en él con demasiados hombres. En él había escrito tres películas, había llorado la pérdida de Peter, se había alejado de Douglas y había retozado con

Gordon durante el tiempo que duró aquella divertida pero breve historia. No quería compartir con Phillip una habitación en la que había estado con tres hombres diferentes.

Al entrar en la habitación se sintió desfallecer. Al instante sintió que la atacaban los fantasmas. Aquel espacio había sido testigo de demasiadas etapas de su vida. Pero el hotel no tenía otra habitación que ofrecerle, así que no había opción.

Phillip se dio cuenta inmediatamente de la expresión del rostro de Tanya. Cuando el botones dejó las maletas en el suelo, vio que Tanya parecía primero nostálgica y seguidamente angustiada.

—¿Habías estado ya aquí antes? —preguntó echando un vistazo a su alrededor y volviendo después la mirada hacia ella.

Minutos antes estaba muy emocionada con la noche que les esperaba y con las posibilidades de ganar el premio. Deseaba desesperadamente que Phillip se hiciera con el Globo de Oro. Pero ahora, era evidente que no le apetecía estar allí.

—Sí, ya he estado aquí —dijo con voz queda.

No se molestó en mover los muebles para colocarlos tal como a ella le gustaba. En aquella ocasión, no sentía que la habitación le perteneciera. Ya no tenía ningún interés en hacerla suya ni le parecía su hogar.

—Estuve alojada aquí largas temporadas durante un par de años. Aquí escribí mis tres primeras películas.

—¿Sola? —preguntó él con cautela.

Podía ver las sombras de los fantasmas del pasado en sus ojos.

—Casi siempre. Cuando llegué por primera vez estaba casada. En esta habitación lloré la ruptura de mi matrimonio.

—¿Y con otros también?

Ella asintió. Nunca le había contado detalles sobre los otros hombres que había habido en su vida. No lo consideraba necesario. Se había limitado a explicarle que había salido con un productor y con un actor, pero que ambas relaciones habían terminado antes de conocerle a él. Phillip sentía de pronto como si la habitación estuviera abarrotada y no hubiera sitio para ellos dos.

—¿Te molesta que durmamos aquí?

—Es la única habitación que les queda —dijo Tanya encogiéndose de hombros y dándole un beso—. No te preocupes. Lo vivo como capítulos pasados de mi vida, y, además, son capítulos de un libro muy viejo. Ha llegado el momento de dejarlo atrás.

Ya lo había hecho. A lo mejor, incluso le iría bien estar con Phillip en aquella habitación y exorcizar el pasado. Tenían por delante un futuro brillante y ante ellos se extendía una larga carretera. Aquel era el último suspiro de su antigua vida y de los días de desilusión, promesas rotas y sueños perdidos. Con Phillip, ambos se hallaban en el alba de una nueva esperanza.

De pronto, a Tanya le pareció una tontería sentirse alicaída por culpa del bungalow. Decidió que el pasado ya no importaba.

Más tarde, Megan y Molly se vistieron y ayudaron a Isabelle y a Rupert a arreglarse. Jason se puso su esmoquin y los cinco fueron a buscar a sus padres al bungalow 2. A Phillip solo le faltaba calzarse y Tanya estaba casi lista: peinada, maquillada, enjoyada y subida a sus altos tacones. Sus hijas llegaron justo a tiempo para ayudarla a subirse la cremallera del vestido.

—Uau, mamá, estás increíble —dijo Megan con admiración.

Phillip la miró y lanzó un silbido. Tanya llevaba un vestido largo de color rojo, sexy y escotado que realzaba su silueta. Estaba impresionante.

—Vosotros también estáis increíbles —dijo ella admirándoles.

Phillip y Tanya se dieron un beso y se miraron transmitiéndose todo el amor que sentían el uno por el otro. La paz había llegado por fin a la vida de Tanya y todo estaba en su sitio.

Un poco más tarde, los siete subieron a la limusina y al llegar al Beverly Hilton —donde se celebraba la entrega de los Globos de Oro— no tuvieron más remedio que recorrer la alfombra roja. Había cientos de fotógrafos que hacían que tuvieran que detenerse, deslumbrados por sus flashes; un montón de periodistas pronunciaban el nombre de Tanya y le ponían los micrófonos delante de la cara. Igual que en la ceremonia de los Oscar. Para Phillip, era su primera entrega de premios en América y estaba un poco abrumado. Finalmente, consiguieron llegar al final de la alfombra y Tanya se quedó a un lado respondiendo algunas preguntas con una sonrisa y sin saber muy bien qué decir. Después, se reunió con su familia.

—Esto va en serio, ¿no? —comentó Phillip.

Cogieron sus acreditaciones y empezaron a buscar la mesa. Había mucha gente conocida que saludaba a Tanya con grandes muestras de alegría. Todavía tardaron media hora en poder sentarse. La ceremonia arrancó después de otra media hora con la entrega de los premios de la televisión. Mientras tanto, sirvieron la cena.

Los chicos miraban emocionados a su alrededor reconociendo a un sinfín de estrellas famosas. Para los hijos de Tanya, que ya llevaban dos años en aquel ambiente, no era una novedad, así que no estaban tan entusiasmados como Isabelle y Rupert. Para los pequeños, todo era un descubrimiento y no sabían dónde mirar. Tanya ayudó a Isabelle a ponerse la servilleta y a cortar el pollo mientras explicaba disimuladamente a Phillip quiénes eran las personas que iban de mesa en mesa saludando. Le presentó a todos aquellos que se pararon a saludarla, entre ellos Max, que abrazó a Tanya con fuerza y le dijo cuánto la echaba de menos. Iba acompañado de una mujer madura muy atractiva.

Hasta que llegó el momento culminante de la entrega de los premios cinematográficos, el tiempo se les hizo eterno.

Tanya no había sido nominada como mejor guionista pero Phillip sí estaba nominado como productor en la categoría de mejor película. Cuando dieron los nombres de los nominados, Tanya le agarró con fuerza la mano y contuvo la respiración. Como era habitual, ofrecieron un fragmento de cada una de las películas. De la película de Phillip, mostraron la escena en la que la protagonista estaba a punto de morir. El público se quedó clavado en sus asientos, y cuando terminó la proyección se pudo oír un suspiro ahogado en la sala. A continuación, Gwyneth Paltrow cogió el sobre, lo abrió, sonrió, hizo una agónica pausa y pronunció el nombre de Phillip. Al igual que le había ocurrido el año anterior al ganar el Oscar, por un instante, Tanya se sintió totalmente ida. Pero en aquella ocasión reaccionó con más rapidez y miró a Phillip con los ojos abiertos de par en par mientras él era todavía incapaz de creer lo que le estaba pasando. Se levantó tambaleándose, dio un beso a Tanya, otro a cada uno de sus hijos y se dirigió hacia el estrado.

—Me temo que voy a resultar totalmente incoherente —dijo con su estilo marcadamente británico mientras Tanya se enjugaba lágrimas de emoción—. No puedo ni imaginar qué he hecho para merecer algo así. Yo solo hice una película que significaba mucho para mí.

Después, dio las gracias al cámara, a todos los actores, a todo el equipo de producción y a sus hijos. Hizo una pausa y, con la voz casi quebrada, añadió:

—También quiero dar las gracias a la mujer que me sirvió de inspiración para esta película y a quien está dedicada, una persona extraordinaria... mi desaparecida esposa, Laura... Y a la mujer que me ha amado y me ha dado todo su apoyo desde entonces: Tanya Harris. Ella escribió el brillante guión y es ella quien debería estar recogiendo este premio y no yo... Te quiero... Gracias.

Blandió el Globo de Oro en la mano y, secándose las lágrimas de los ojos, bajó rápidamente del estrado con una sonrisa y regresó a la mesa. Todos le recibieron entre abrazos mientras Isabelle y Rupert daban saltos de alegría. Tanya le dio un beso en cuanto se sentó.

—Estoy tan orgullosa de ti... Felicidades —dijo, resplandeciente.

—Esto lo has conseguido tú... no yo —insistió él.

Pero Tanya negó con la cabeza sonriendo.

—No, tú has hecho la película. Tú me convenciste para hacerla. Eres magnífico y ahora ganarás el Oscar —aseguró.

Estaba convencida de ello. Tendrían que regresar de Florencia en abril para la ceremonia de entrega de los Oscar. Phillip estaba pletórico y totalmente abrumado.

Al final de la velada, le rodeó una multitud: los reporteros le acosaban, le hacían entrevistas, fotos, la gente le daba la mano y le felicitaba. Tanya se mantenía a su lado pero en la sombra, completamente orgullosa de él.

Cuando volvieron al hotel, acompañaron a los niños a la habitación. Todos estaban enormemente orgullosos. Jason llevaba a Isabelle dormida en brazos y Rupert parecía un sonámbulo. Le condujeron hasta su cuarto, le desvistieron y le metieron en la cama. Con Isabelle, tuvieron que hacer lo mismo. Los hijos de Tanya volvieron a abrazar a Phillip.

—Felicidades —dijeron al unísono.

Dieron un beso a su madre y Phillip y Tanya llegaron por fin al bungalow, donde ella le sirvió la última copa de champán mientras él caía rendido en el sofá.

—Jamás pensé que ocurriría algo así, ¿sabes? Ya me pareció una locura que me nominaran, pero te aseguro que no creía que ganara esta noche.

Mientras hablaba, se había deshecho el nudo de la corbata y se había quitado los zapatos con una sonrisa maliciosa. Tanya se sentó a su lado, le besó y le recordó que el mérito era suyo, no de los que daban el premio.

—Esta es tu victoria, cariño. Saboréala y disfruta de la noche. Tienes que estar muy orgulloso de ti. Yo lo estoy.

—Yo estoy orgulloso de ti —dijo él—, porque has convertido esta película en lo que es y porque eres una mujer extraordinaria.

Estuvieron media hora más hablando y recordando la velada. Después, se lavaron los dientes, se desvistieron y se metieron en la cama.

Aquella noche hicieron el amor y Tanya no recordó haber estado en aquella misma cama anteriormente. Todo era nuevo para ella. El pasado había desaparecido y habían renacido como personas nuevas en una vida nueva.

Cuando se despertaron por la mañana, pidieron el desayuno y, aunque reconoció al camarero, este no le dijo nada. No sentía que había estado allí antes. El bungalow 2 ya no era ni su hogar ni su habitación, porque ella tampoco era la misma persona que había llegado allí por primera vez para rodar *Mantra*, ni tampoco la que había vuelto para rodar *Gone* mientras salía con Douglas. Los días con Gordon eran agua pasada; el actor había seguido con su vida de película y teniendo aventuras con todas las mujeres con las que compartía plató. Peter estaba con Alice. Todos habían iniciado una nueva vida y para Tanya había llegado también la hora de hacerlo.

Ahora, el bungalow 2 tan solo era una habitación de hotel. Habría otra gente que se alojaría en él y que entre sus paredes viviría momentos felices y tristes, desilusiones, como la que ella había vivido con Gordon. Pero también verían que había sueños que se hacían realidad, como le había ocurrido a Tanya con Phillip.

A las doce del mediodía se reunieron con los chicos en la recepción del hotel dispuestos para marcharse. Todos volarían de vuelta a San Francisco excepto Jason. Y dos días más tarde, se marcharían a Florencia. Había empezado una nueva vida.

Phillip estaba de pie junto a Tanya, orgulloso de ella y de todo lo que había hecho con él. Tanya le sonrió y dejó la llave del bungalow 2 sobre el mostrador de recepción. La miró un instante y después se la entregó al responsable del hotel.

—Dejamos el bungalow 2 —dijo.

Había estado en él demasiado tiempo y ya no le causaba ni tristeza ni nostalgia marcharse. Cogió la mano de Phillip y salieron del hotel rodeados de sus hijos. Se despidieron de Jason y subieron a la limusina. Jason se reuniría con ellos durante las vacaciones de primavera en Florencia; el resto de sus hijos se iba con ellos. En algún lugar del mundo, fuera cual fuese, construirían un hogar. Pero de momento, pensó Tanya, sentada junto a Phillip y sonriéndole, decía adiós para siempre al bungalow 2.

Había cumplido su propósito y había sido su hogar durante más tiempo del previsto. Pero ya no lo necesitaba. Ahora su hogar estaba junto a Phillip y sus hijos, en Inglaterra, en Italia o en Marin. Ninguno de los dos sabía a ciencia cierta qué dirección tomaría su vida ni adónde les llevaría. Pero sabían que, siempre que se mantuvieran unidos, cualquier lugar sería bueno. Los paisajes familiares se iban difuminando para dar paso a un nuevo mundo lleno de luz que les abría los brazos. Mientras el coche se alejaba de Los Ángeles, el sol invernal de California, como si fuera una bendición, les iluminó. Para Tanya y Phillip, aquel no era el final, sino el principio de su historia.